2025

경기도 임용 2차 면접 대비

답답하고 막막한 임용면접엔

사이다 면접

이지수, 구영모 공저

기출 유형 및 빈출주제 분석

자기성장소개서 및 개별면접 전략

면접 예상 주제 50가지

+특별부록
사이다 Light
시험장용

사이다 면접

머리말

《사이다 면접》은 경기도교육청 임용 후보자 선정 경쟁시험 2차 심층 면접을 준비하는 수험생을 위해 집필한 수험서입니다. 2025학년도 임용 면접 대비 《사이다 면접》은 더 전략적인 합격을 위해 다음과 같은 사항에 중점을 두어 개정하였습니다.

첫째, 《사이다 면접 Input》은 보수 교육감의 정책 노선에 발맞추어, 교육 현장에서 중요하게 추진되고 있는 내용을 바탕으로 기출 예상 주제를 정리하였습니다. 이전 교육감이 요구하던 교육 방향과 약간은 다른 방식으로 현장이 움직이고 있으므로 이전 버전과 같은 주제라도 변화된 관점을 숙지해야 합니다.

둘째, 《사이다 면접 Output》을 대폭 변경하였습니다. 면접 문제 유형이 뚜렷해지고 있다는 점을 고려하여, 더 전략적인 학습을 위해 그간 유지하였던 '주제별' 문제은행 방식에 '유형별' 문제은행 형식을 추가하였습니다. 실전과 같은 연습을 위해 모의고사 5회도 포함하였으니, 현장감을 느끼시길 바랍니다.

임용 면접이 막막하고 답답할 때, 사이다로 시원하게 갈증을 해소하시길 바라며 현직에서 기다리고 있겠습니다.

저자를 대표하여

이지수

1 《사이다 면접》 최적화 학습법

1차 발표 전	1차 발표 後
과거에 나온 것은 무엇?	앞으로 나올 것은 무엇?

시점	최적화 학습법	사이다 면접 Input	사이다 면접 Output
1차 발표 전	어떤 주제가, 어떤 유형으로 나왔는지 체크한다.	기출 주제 분석	기출 유형 분석
			기출문제 풀이
	예상 주제를 가볍게 반복 회독한다.	면접 예상 주제	
1차 발표 후	실전과 같이 모의 면접 연습을 한다.	면접 예상 주제	실전 모의고사

2 《사이다 면접 Input》 활용법

1차 시험 직후

무턱대고 면접 시뮬레이션을 돌리지 않는다. ⇨ PART 1

임용 면접시험에 대한 배경지식을 쌓지 않은 상태에서 시간을 재며 실전 연습부터 하는 것은 의미가 없다. 시간이 없다는 핑계로 준비 운동 단계를 빼먹고 무리하게 운동하면 부상을 피할 수 없듯이 맹목적으로 시간을 재고 답변하는 연습만 한다면 결코 좋은 결과를 기대하기 힘들 것이다. 본격적인 실전 연습 이전에, 어떤 문제가 나왔고 어떻게 대비해야 할지 감을 잡는 시간을 갖자.

기본 계획을 밑줄 치며 암기하지 않는다. ⇨ PART 2

기본 계획 원문을 보려는 이유는 무엇인가? 스터디원이 보니까? 뭔가 읽어야 할 것 같아서? 우선 그 이유부터 고민해 보자. 경기기본계획 문서를 본 사람들이라면 알겠지만, 그것만으론 당최 이 정책이 무엇이고 왜 하려는지 알 수가 없다. 정책의 의미, 배경, 장단점 등을 잘 정리해 놓은 《사이다 면접》을 최소 3회는 읽으며 경기교육에 대한 이해도를 높이자.

1차 합격자 발표 후

비장한 각오로 반복 또 반복한다. ⇨ PART 2

PART 2를 다회독하며 완벽하게 내 것으로 만들자. 이때쯤 경기기본계획을 가볍게 읽고, 《사이다 Light》에 중요한 부분을 옮겨 적어 단권화하면 좋다. 《사이다 면접 Output》의 실전 모의고사와 병행하여 스터디원과 피드백을 주고받으면 어느 순간 실력이 좋아진 자신을 발견하게 될 것이다.

합격자의 달달한 조언!

경기도 시책을 보기 전에, 사이다 테마를 정독하자!

'시책을 공부한다'라는 말은 교육 정책이 왜 만들어졌고 어떻게 시행되고 있는지, 장단점은 무엇이고 교과에서의 실천 방안은 어떠한지 알아야 한다는 이야기입니다. 경기도교육청 기본계획을 다운받아 제대로 이해도 하지 못한 채 정책만 달달 외우는 것은 잘못된 공부 방법이며, 면접에 유용하지 않습니다. 기본계획을 보기 전 먼저 사이다 테마별로 공부하는 것을 추천해 드려요!! 각 테마 이름이 주요 정책이고 왜 만들어졌는지, 장단점은 무엇이며 현장에서 어떻게 활용하고 있는지 우리가 찾고 싶은 정보가 쉽게 설명되어 있습니다.

2021학년도 합격자 주진아 선생님

차 례

경기도교육청 임용 면접 배경지식

PART 2

50사이다(2025학년도 면접 예상 주제 50가지)

사이다 면접

경기도교육청 임용 면접 배경지식

01 임용 면접이란 무엇인가?

" 직접 만나서 인품(人品)이나 언행(言行) 따위를 평가하는 시험 "

흔히 면접을 떠올릴 때 교육청 정책을 '외우거나' 문제 상황에 대한 '해결 방안을 제시하는 것'을 생각하지만 '면접'의 사전적 정의에서 알 수 있듯이 면접 평가는 1차 필기시험으로는 알 수 없는 교사의 성품, 언행 요소를 확인하는 것이 기본임을 잊어서는 안 된다.

이러한 역량을 확인하기 위해 경기도교육청 임용 면접은 다음과 같이 진행되고 있다.

- **자기성장소개서 사전 제출**: 합격자 발표 직후 공개되는 자기성장소개서 문항에 대한 자기 생각을 작성해 사전에 제출한다.
- **오전 집단토의**: 5~6인이 한 조가 돼 40여 분간 주어진 문제에 대해 토의를 진행한다.
  (2020학년도 이후 중단됐으나 폐지를 공식화하지 않음)
- **오후 개별면접**: 구상형, 즉답형, 추가 질문에 대한 답변을 진행한다.

조금 더 자세하게 살펴보자.

1 자기성장소개서

자기성장소개서는 임용 시험이 개편된 2016학년도부터 시행됐다. 면접 당일, 평가위원은 수험생이 사전에 제출한 자기성장소개서를 읽은 후 궁금한 점이나 더 알고 싶은 점을 개별면접 마지막 질문으로 물어본다.

코로나19로 2021학년도부터 집단토의가 중단되면서 자기성장소개서도 함께 미시행하다가 2023학년도에 다시 도입됐는데, 코로나19 전에는 4문항이 출제됐다면 이후로는 1문항만 충실히 작성하면 됐다.

2024학년도 중등 교과·비교과 자기성장소개서 문항

경기교육은 역량 중심 맞춤형 교육을 통해 학생의 역량을 키워가는 정책을 추진하고 있습니다. 이를 위해 필요한 교사의 역량은 무엇이고, 역량 강화를 위해 어떤 준비를 하고 있는지 제시해 보세요.

2 집단토의

집단토의는 5~6명의 수험생이 한 조가 돼, 40여 분간 제시문에 주어진 문제 상황을 해결하거나 정책 적용 방안을 고민하는 시험 방식이다. 임용 시험이 개편된 이후부터 시행해 엄청난 변별력을 주는 시험으로 악명이 높았으나, 여러 명이 한 문제를 두고 토의하다 보면 역량을 정확히 파악할 수 있다는 점에서 누군가에겐 확실한 기회가 되기도 했다. 코로나19 상황 속에서 방역을 위해 2021학년도부터 일시 중단됐다.

2019학년도 초등 집단토의 문제

다음은 2학년 담임 A의 교단 일지이다. A 교사가 겪고 있는 문제를 공동의 문제로 인식하고 함께 해결하고자 한다. 교사를 지원할 수 있는 다양한 협력 체제와 그 역할에 대해 논하시오.

A 교사의 교단 일지

○월 ○일: 우리 반에는 하늘이라는 ADHD 학생이 있다. 하늘이는 의자에 올라가거나 밖으로 뛰쳐나가는 등 돌발행동을 보인다.

○월 ○일: 다른 반은 이러지 않는데 우리 반만 이러는 것 같다.

○월 ○일: 하늘이의 학부모님은 상담할 때 1학년 때 선생님과 비교하시며 나의 전문성을 의심했다. 내가 교사 생활을 계속할 수 있을지 걱정이 된다.

○월 ○일: 우리 반 도영이가 책상에 침을 뱉는 등 하늘이의 행동을 따라 한다.

3 개별면접

개별면접은 구상형, 즉답형, 추가 질문(사전에 제출한 자기성장소개서 기반)으로 구성됐으나 코로나19 이후로는 자기성장소개서 제출을 일시 중단하며 구상형, 즉답형으로만 실시하되 문항 수를 늘렸다.

구상형은 미리 구상 공간에서 구상 시간을 부여한 후 자리를 옮겨 평가위원 앞에서 답변하는 형식이다. 시, 통계 자료, 문제 상황, 조건 등이 포함된 제시문을 주고 이를 분석해 답변하는 식으로 출제되는데 비교과의 경우 특히 제시문이 까다롭게 출제되는 추세이다.

2023학년도 비교과 구상형 3번

다음은 부서별 업무 계획에 따른 환경 분석 결과이다. 아래의 환경 분석 결과를 바탕으로 자신의 전공(보건, 사서, 영양, 전문상담)과 연계한 교육 방안을 기획하시오.

업무 계획	
• 인문예술 교육 실시 • 마을교육공동체와 함께하는 교육 실시	
환경 분석 결과	
강점	약점
• 교사가 교육에 대한 열정 높음 • 학부모의 교육열 높음	• 학생의 자존감 낮음 • 학부모의 참여도 낮음
기회	위협
• 지역 내 문화예술 전문가 많음 • 혁신학교 예산 지원 많음	• 지역 내 주민 문화시설 부족 • 지역 주민 문화예술 경험 기회 부족

즉답형은 수험생 앞의 파일을 열어 즉답하는 형식으로, 줄곧 1줄 정도의 간단한 문제가 출제됐으나, 최근에는 즉답형에도 제시문이 포함되기도 한다.

2024학년도 중등 즉답형 2번

학생의 만족도를 고려하여 교과교사와 담임교사로서의 학생 만족도 증진 방안을 제시하시오.

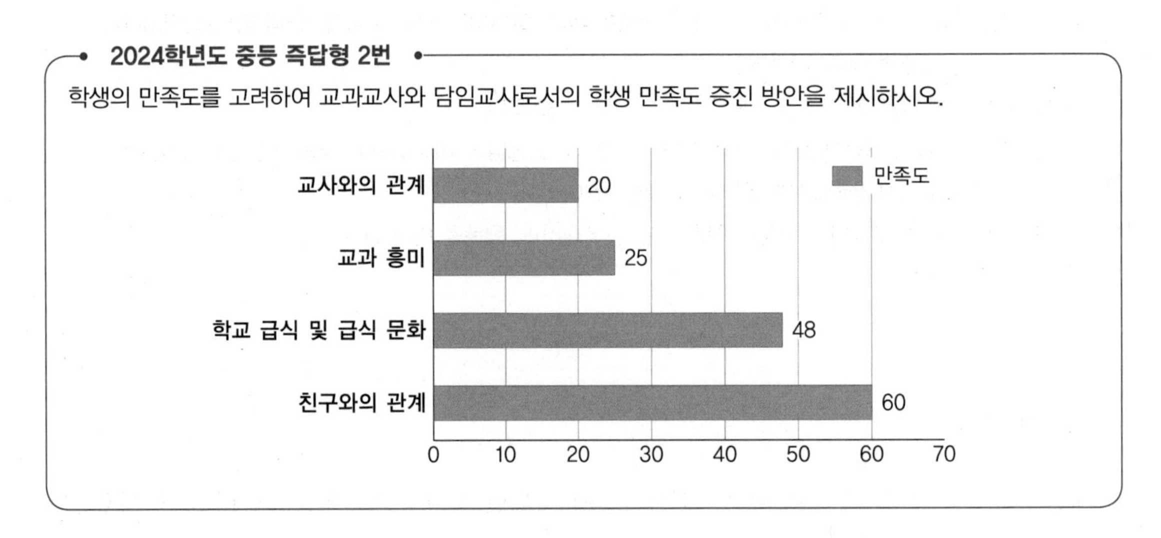

추가 질문은 개인별 자기성장소개서에서 출제된다곤 하나 구상실마다 공통적인 질문을 묻기도 한다. 2023학년도 초등 면접에서는 즉답형 1번으로 자기성장소개서 진위 검증 문제가 출제됐으나 중등, 비교과에서는 관련 문제가 출제되지 않아 수험생을 당혹스럽게 했다.

사례 공통 질문

- 경기교육이 강조하는 가치 중 가장 공감하는 것은 무엇입니까? 이것을 학생에게 어떻게 가르칠 것인가요?
- 학교 자치에 대한 경험이 있습니까? 그것을 어떻게 교육적으로 활용할 것인가요?
- 자기성장소개서 작성 경험이 본인에게 어떠한 영향을 주었나요?

사례 자기성장소개서 기반 개별 질문

- 학업중단위기에 빠졌을 때 담임 선생님 때문에 학교에 다시 다니게 됐다고 했는데, 왜 교사가, 왜 경기도교육청이 학업중단에 빠진 학생을 도와주어야 하는지 말해보세요.
- 신규 교사로서 현장에 나갔을 때 전문적 학습공동체에 대한 생각을 말해주세요.
- 농어촌 학교의 장단점에 대해 한 가지씩 답변하고 그 단점을 극복하기 위해 현장에서 어떻게 하면 좋을지 답변하세요.

서론은 꼭 넣어야 할까? 서론이 득이 되는 2가지 경우

2020~2021학년도 즈음부터 수험생들의 답변에 형식적으로 '서론'을 넣는 현상이 빈번했다. 안타까운 점은 서론을 말하는 것에 집중해 본론을 놓치거나 조건을 누락하는 경우가 많다는 것이다. '서론을 말해서 만점이 나왔다.'는 합격자 수기가 마치 정설처럼 굳혀져 모든 수험생이 모든 문항에 서론을 과도하게 넣는 현상이 생기고, 이로 인해 오히려 해야 할 것을 못하게 되는 문제가 발생했다.

과거의 시험은 1~2줄짜리 간단한 문항이 제시돼, 답변을 보다 풍성하게 만들기 위해 서론을 넣었지만, 최신 시험은 제시문이 상당히 길고 요구하는 조건이 추가되고 있는 추세이기에 이것에 집중을 해야지, 듣기 좋은 서론을 만드는 데 구상 시간을 허비하면 주객전도가 된다. 하지만 서론이 필요한 순간도 있다. 서론을 넣을 때 득이 되는 경우를 다음 사례를 통해 자세히 살펴보자.

1. 경기 정책에 관한 문제가 나왔을 때

경기 정책 연계 문제가 나온 것은 그 정책이 경기교육에서 매우 핵심적으로 추진되고 있기 때문이다. 따라서 정책의 정의를 한 줄 정도 언급한다면, 정책 이슈를 정확하게 파악하고 있음을 어필할 수 있다.

2018학년도 중등 구상형 1번

고교학점제를 도입할 경우 학교, 학생 측면에서의 효과를 말하시오.

서론: 고교학점제란 학생이 기초소양과 기본학력을 바탕으로 진로·적성에 따라 과목을 선택하고, 이수 기준에 도달한 과목에 대해 학점을 취득·누적해 졸업하는 제도입니다. 이를 도입할 경우 학교, 학생 측면에서의 효과를 말씀드리겠습니다.

2019학년도 비교과 즉답형 2번

전문적 학습공동체 활동을 한다고 할 때 전공과 관련한 연구 주제를 정하고 구체적 계획을 세워 보시오.

서론: 전문적 학습공동체란 교원이 학교 교육의 발전 방향을 모색하기 위해 공동 연구, 공동 실천하기 위해 모인 학습공동체입니다. 저는 이러한 전문적 학습공동체를 교과 관련해서 정한다면, 다음과 같은 주제를 정하겠습니다.

2. 출제 의도가 눈에 보일 때

정책 관련 문제가 아니더라도 '이 문제를 왜 출제했는지 의도가 눈에 보일 때' 그 의도를 알아챘다는 듯이 서론에 언급했다면 순발력 있는 수험생의 모습을 어필할 수 있다.

2020학년도 비교과 즉답형 2번

신체적 폭력보다 정신적 폭력이 증가하고 있다. 정신적 폭력을 줄일 방안을 제시하시오.

서론: 학생들의 온라인 사용 시간이 늘어나면서 사이버폭력 문제가 심각해지는 등, 물리적인 폭력뿐 아니라 다양한 유형의 정신적 폭력이 증가하며 사회 문제가 되고 있습니다.

두 사례를 제외하고 제시문이나 조건이 가득한 상황에서 무의미한 서론을 넣는다거나 제시문과 본론에 집중하지 않은 채 장황하게 서론을 늘어놓는 것은 절대 금물이다. 명심하자!

구조적 말하기란 무엇인가?

개별면접은 자기 생각을 핵심적이고 간략하게 정리해 짧은 시간 내에 전달하는 것이 관건이다. 집단토의와 같이 비교적 오랜 시간 대화를 하는 자리라면 나의 의견을 전달하기 위해 풍부하게 설명하고 보충하는 것이 효과적이지만 개별면접은 시간이 제한된 시험이므로 깔끔한 전달력이 핵심이다.

깔끔한 전달력을 위해선?

정해진 시간 내에 청중에게 효과적으로 정보를 전달하기 위해 프레젠테이션과 같은 시각 자료를 많이 활용한다. 하지만 개별면접과 같이 어떠한 보조 자료를 사용할 수 없는 경우라면 듣는 사람이 스스로 머릿속에서 그림을 그려 나가며 이야기를 들을 수 있도록 일정한 구조와 틀을 심어놓고 이에 따라 안정적으로 말하는 것이 중요하다. 이는 수험생이 긴장되는 상황 속에서 유창하게 말하는 데에도 도움을 준다. 일명 D–E–C–E 전략으로 구조적인 말하기를 해보자.

D–E–C–E 전략

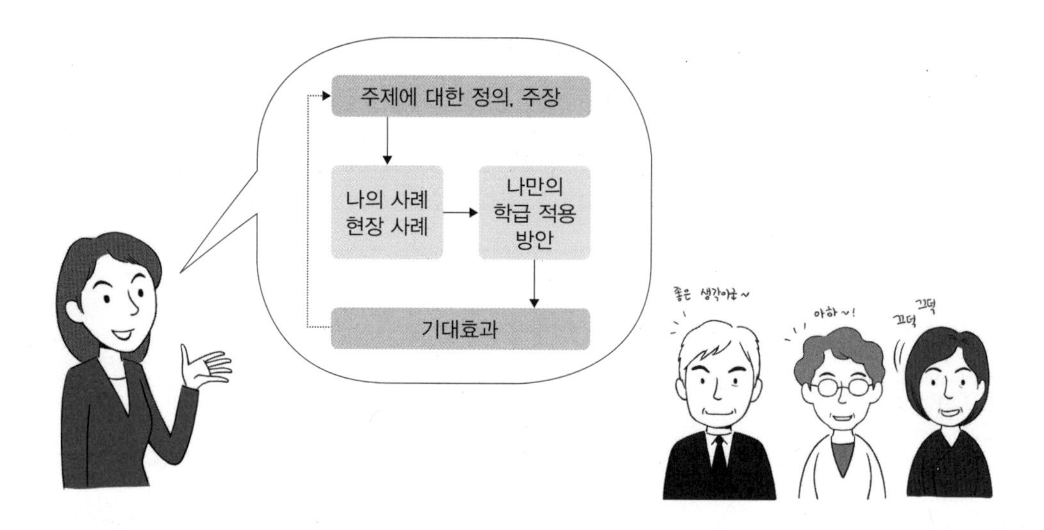

D 문제에 대한 간단한 정의(Definition)나 핵심 주장을 두괄식으로 말한다.

E 이를 보충할 수 있는 현장 사례(Example)나 관련 경험을 말하며 신뢰도를 높인다.

C 이와 관련된 나만의 학급 경영 전략(Classroom management strategies)을 제시한다.

이때 '나만의 용어'로 표현하면 좋다. '인성교육을 위해 매달 감사의 날을 정하겠습니다.'가 아닌 '한 달에 한 번 고맙day, 사과day를 만들겠습니다.' 이런 식으로 말이다. '교사의 입장에서 이 문제를 생각해 보았구나.'라는 느낌을 줄 수 있기 때문이다. 단, 이때 한번에 이해하기 어려운 거창한 네이밍은 절대 금물! 직관적인 네이밍이 핵심이다.

E 기대효과(Effect)를 언급해 주장을 강화한다.

기출 사례로 D-E-C-E 말하기를 적용해 보자.

사례 2018학년도 중등 즉답형

Q 교육과정-수업-평가 일체화를 위한 노력 방안을 말해보시오.

A 즉답형 문항 답변드리겠습니다.

Ⓓ 교육과정-수업-평가 일체화는 교사가 교육과정을 재구성하고 이에 맞는 수업을 하며, 수업한 내용을 평가하는 것입니다.

Ⓔ 실제 현장에서는 수업한 내용과 평가 내용이 불일치하는 문제가 빈번했습니다. 예를 들어 농구 경기를 하며 팀워크의 중요성에 대해 배웠는데 평가는 자유투 횟수로 등급을 매겨 수업과 평가가 분리된 것입니다. 이런 문제를 바꿔보고자 교-수-평 일체화의 개념이 도입됐습니다.

Ⓒ 저는 교수평 일체화를 위해 다음과 같은 노력을 하겠습니다. 첫째, 연수, 전문적 학습공동체, 서적 등 전문성 함양을 위한 다양한 방법을 통해 교육적 문해력을 키우고 창의적으로 교육과정을 재구성하겠습니다. 둘째, 동 교과 교사와의 협업으로 학생의 배움을 유발할 수 있는 배움중심수업을 구성하겠습니다. 학생의 활동 중심의 수업을 구성할 것입니다. 마지막으로 그 과정을 성장 중심으로 평가해 내실 있는 기록으로 성장 발달에 기여하겠습니다. 이후 그 내용을 피드백하겠습니다.

Ⓔ 이렇게 한다면 아이들의 성장에 기여하며 공교육의 신뢰에 일조할 수 있을 것입니다. 이상입니다.

먼저 교-수-평 일체화의 정의를 이야기하고(D) 이것이 도입됐던 현장의 사례를 제시했다(E). 그 후 자신만의 해결 방안(C)을 제시한 후 기대효과(E)를 언급해 안정감 있는 구조로 말했다.

이렇게 구조적인 말하기를 한다면 평가위원은 수험생이 하고자 하는 말을 훨씬 더 명확하게 파악할 수 있을 것이다. 그뿐만 아니라 이 구조적 말하기에는 주요 채점 요소가 다 포함돼 있다. ① 구체적 실천 방안, ② 경기 교육을 위한 실천 계획, ③ 경험에 의한 성찰, ④ 문제 해결 능력을 녹여내었기에 채점 기준을 모두 달성할 수 있을 것이다.

위와 같이 정책에 관한 내용을 물을 때는 앞서 말했듯이 서론을 마련해 정책의 정의를 한 줄 정도 이야기하는 것이 좋다.

합격자, 불합격자 답안의 결정적 차이점

합격자와 불합격자의 답안을 비교해 보았을 때 두 그룹의 결정적인 차이점을 크게 2가지로 분석할 수 있었다.

첫째, '교사가 할 수 있는 구체적 방안' 유무
둘째, '경기형 교사'로서의 소양 유무

그중 첫 번째 요소인 '교사가 할 수 있는 구체적 방안'의 유무가 거의 당락을 확정 짓는다고 볼 수 있다. 사례와 함께 자세히 살펴보자.

1. '교사가 할 수 있는 구체적 방안'이 드러나는가?

2022학년도 중등 구상형 1번

다음 A 학생의 상황을 고려하여 구체적인 진로 지도 방안을 말하시오.

A 학생의 상황
A 학생은 구체적인 진로를 결정하지 못하였다. 고등학교 2학년 때 선택과목을 무엇으로 고를지 고민 중이다. 학교에 A 학생이 흥미 있는 과목은 개설되지 않았다.

만점자 답안의 패턴을 보자면?

첫째, 상담이란 키워드가 들어간다.
'다중지능검사 후 상담을 통해 함께 진로 탐색을 돕겠다.', '적성검사를 한 후 상담의 기초 자료로 사용하겠다.' 등 실제 교사가 할 수 있는 가장 기초적인 '상담'이라는 주요 키워드부터 언급했다. 여기에서 확인할 수 있다. 거창한 정책, 기관부터 접근해서는 안 된다는 것을. 찐 교사의 관점에서 먼저 생각해야 한다. 이런 학생이 나를 찾아 왔다면 뭐부터 할 것인가? 당연히 상담일 것이다. 단순히 거창한 방향을 제시한 불합격자와 다르게 별거 없지만 되게 기초적이고 중요한 '상담'을 언급하면 만점을 받을 수 있었다.

둘째, 경기형 교직관이 담겨있다.
'꿈길 사이트를 활용해 학생 체험형 진로교육을 시행하겠습니다.', '지역사회와 연계한 온라인 공동 교육과정이나 적성에 맞을 법한 꿈의학교를 추천하겠습니다.' 등 경기 정책을 제시하되, 정책만 말하는 것이 아니고 이것을 활용한 교사의 역할을 정확히 제시해 경기도의 지향점과 같은 방향을 바라보고 있는 교사라는 것을 어필했다.

꿈길 사이트, 꿈의학교는 이재정 전 교육감 시절의 정책이나, 《사이다 면접》에서는 이를 소급하지 않고 그 당시에 맞는 해설을 유지했다.

한편 불합격자는?

첫째, 거시적인 관점부터 접근한다.

'학급 진로맵 경진 대회를 추진하겠습니다.', '꿈의대학, 꿈길, 꿈의학교 등 경기 정책을 적극적으로 사용하겠습니다.' 등 교사가 당장 할 수 있는 것을 먼저 제시하는 것이 아니라 거창한 무언가를 먼저 말하거나 정책을 제시할 때도 그것을 활용하는 방향이 아니라 단순히 사례 나열만 했다.

면접을 '공부다' 혹은 '어렵다' 생각 마시고, 실제 교사가 돼 저런 학생을 만났다고 생각하고 접근해야 한다. 그렇다면 가장 먼저 학생의 말에 귀 기울이고, 학생의 흥미와 적성을 찾아주는 개별 활동에 신경을 쓸 것이다. 그 다음에 여러 프로그램을 적용하는 것이다. 그러니 '경기 정책 + 교사의 역할'을 고루 보여주어야 한다.

둘째, 설득력이 부족하다.

단순히 '가이드 라인을 제시하겠습니다.', '온라인 공동 교육과정을 제공하겠습니다.'라는 말만 하고 답변을 마친 수험생도 있었다. 이유를 좀 듣고 싶었는데 바로 다음으로 넘어가서 충분히 수험생의 교직관을 전달하지 못했다. '왜'라는 근거를 반드시 포함해 타당성과 신뢰성을 줘야한다.

2. 교직관이 '경기형'인가?

2022학년도 중등 즉답형 1번

다음 상황을 보고, 담임교사의 입장에서 교과교사 A와의 갈등을 해결하기 위한 방안을 이야기하시오.

> 교과교사 A가 수업이 끝날 때마다 학급 아이들을 데려와 생활지도를 하라고 한다. 학생들의 담임교사이기에 처음에는 알겠다고 했지만 이런 경우가 지속되다 보니 점점 힘들다.

만점 답안	최종 불합격 답안
먼저 동료 교사의 어려움을 공감적 경청의 자세로 듣겠습니다. 둘째, 제가 겪고 있는 어려움 역시 말씀드리되 동료 교사를 탓하는 너 전달법이 아닌 제 감정을 전달하는 나 전달법으로 대화하겠습니다. 마지막으로 이 문제를 해결하기 위해 동료 교사와 진솔한 이야기를 나누며 해결책을 찾고, 학생들과 토의 활동으로 문제 상황을 공유하며 수업 규약을 제정하는 등 공동의 노력을 모색하겠습니다.	동료 교사가 저희 반 아이들 때문에 속상하겠지만 학생들은 아직 미성숙한 존재이니 조금 더 이해할 것을 요청할 것입니다. 그리고 제가 후배이기 때문에 선배 교사가 하자는 방법을 열심히 배우겠습니다.

최종 불합격자는 해당 문제에서 크게 감점이 됐을 것이다.

만점자는 경기도가 좋아하는 단어를 많이 사용했다.

공감, 소통, 토의, 협력 등 경기도가 좋아하는 단어로 구체적인 해결 방안을 채웠다. 경기도교육청은 공동체 역량을 매우 중요시한다. 그래서 무리한 부탁을 하는 상황을 설정하고 해결 방안을 묻는 문제가 종종 출제되는데, 상대의 무리한 요구를 전부 들어주겠다고 답변하는 것은 현명하지 못하다. 소위 호구 잡히는 것이기도 하고 해결 능력이 없는 수험생으로 비치기 때문이다.

불합격자는 경기도를 잘 모른다.

'학생은 미성숙한 존재', '나는 신규이므로 선배가 하자는 대로 할 것'이라는 생각은 경기형 교육관과 전혀 다른 방향이다. 학생은 미성숙한 존재가 아닌 성장 가능성이 큰 존재, 선배는 무조건적 따라야 할 사람이 아닌 같이 협력해 좋은 방향을 모색하는 존재이기 때문이다.

이러한 문제를 해결하기 위해?

나의 경험을 바탕으로 나만의 교직관을 세우되, 경기형으로 다듬는 작업을 추가해야 한다. 경기형 교직관을 파악하기 위해서는 《사이다 면접 Output》을 통해 기출문제를 꼼꼼하게 분석하고 《사이다 면접 Input》을 다회독해야 한다. 보편적으로 적용되는 다른 교육청에서 시행한 정책이나 관점에 도움을 받기보다 철저히 경기형 자료에 입각하자.

그렇다면, 경기도가 좋아하는 단어는 무엇일까?

경기도교육청에서 좋아하는 몇 가지 단어들이 있다. 이건 만능 답변이기도 한데, 여러분에게만 살짝 알려드릴 테니 지금부터 집중, 또 집중!

- 학생: 능동적 존재, 성장 가능성이 큰 존재 ➡ 따라서 교육 방안은 교사가 일방적으로 전달하는 것에서 탈피해 학생 주도, 학생의 체험 중심 교육이 돼야 함
- 교사: 지시하거나 일방적 결정을 내리는 것이 아닌 중재자, 촉진자, 조력자의 면모를 갖춰야 함
- 평가: 성장중심평가, 즉 성적 향상에 초점을 맞추는 것이 아니라 개개인의 장점이나 특성을 살려 성장하고 피드백할 수 있는 방향을 제시해야 함
- 공동체 역량: 학생-학생, 학생-교사, 교사-교사, 교육공동체 모두의 협력, 공동의 협조를 중시하는 방향이어야 함

02 면접 전략 수립

1 자기성장소개서 전략

1차 합격자 발표 직후 공개되는 자기성장소개서 문항의 답변을 작성해 제출하면 2~3주간의 마지막 2차 준비 기간이 주어진다. 따라서 자기성장소개서 작성은 준비 운동인 셈인데, '나'라는 사람의 역사와 현재 역량, 철학에 대해 다시 생각해 보고, 나아가 '경기도교육청에서 원하는 인재상'에 대해 생각해 보는 시간이 되기 때문이다.

자기성장소개서는 수업실연, 집단토의, 개별면접과는 다르게 기록으로 남는다. 이것은 평가위원들이 우리를 마주하기 전에도, 후에도 우리의 인상을 결정하는 데 영향을 미칠 수 있다는 뜻이다. 따라서 직접적인 점수에는 반영되지 않지만, 정성을 다해야 한다.

(1) 도입 배경

자기성장소개서는 2016학년도 교원임용 시험에 처음 도입됐다. '2018학년도 교육 정책 및 신규 교원임용제도 개편안'을 통해 자기성장소개서에 대해 이해해 보자.

> 기존의 획일화된 형태의 평가도구에서는 교사로서의 자질과 태도, 가치관에 대한 적격한 평가가 어려웠습니다. 그래서 개별화되고 심층적인 면접을 실현하고자 '자기성장소개서'를 도입하게 됐고, 면접관은 '자기성장소개서'를 참고해…… 교직관에 대해 끊임없이 성찰하고 고민하는 교사, 배움을 위해 실제적으로 노력하는 교사, 학생의 관점에서 바라볼 수 있는 교사, 공동체와 함께 성장하는 교사를 선발하고자 했습니다. 또 하나의 목적은 암기식 공부 형태의 신규임용 준비에서 성장소개서 내용과 같은 형태로의 교직 준비가 되는 변화의 지점을 유도하기 위함입니다.

우리는 이를 통해 다음과 같은 사실을 알 수 있다.

① 도입 목적: 교사로서의 자질, 태도, 가치관을 파악하기 위해

자기성장소개서에는 교사로서의 자질, 태도, 가치관을 파악할 수 있는 질문이 심겨 있을 것이며 심층면접과 연결해 진위를 확인할 것이다.

② 도입 목표: 다음과 같은 교사 선발을 위해

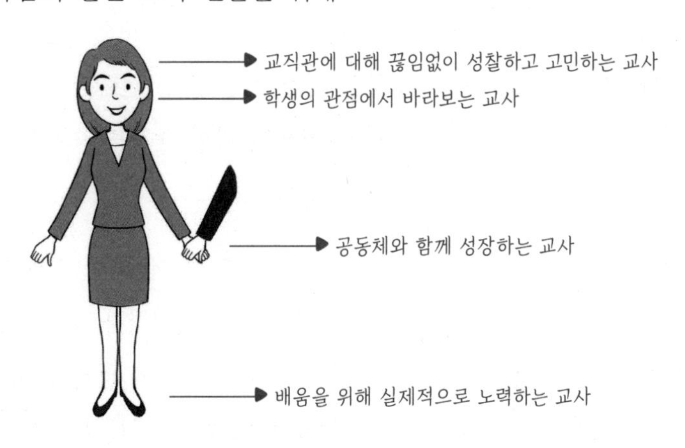

따라서 자기성장소개서는 이렇게 작성해야 한다!

❶ 교직관을 담아내자!
❷ 문제 상황을 학생의 관점에서, 공동체로 풀자!
❸ 실제로 노력하려는 계획 및 의지를 담자!

(2) 문제 유형

자기성장소개서가 중단되기 전까지 4가지 문제 유형이 존재했다. 2020학년도 사례를 통해 자기성장소개서의 4가지 유형을 살펴보자.

[교직관] (600자 이내)	1쪽
1. 문제 생략	
[경기혁신교육] (600자 이내)	1쪽
2. 문제 생략	
[실천경험] (600자 이내)	2쪽
3. 문제 생략	
[교직적성] (600자 이내)	2쪽
4. 문제 생략	

'제1차 시험 합격자 및 제2차 시험 시행계획 공고안'에는 문제 왼쪽 상단에 다음과 같이 문제 유형을 분류해 제시한다.

교직관	경기혁신교육	실천경험	교직적성

문제를 읽을 때 반드시 이와 같은 유형을 먼저 확인한 후 전략적으로 접근하자. 교직관을 묻는 문제면 교직관에 초점을 맞추어, 경기 정책에 관한 문제면 이 부분을 강조해 글을 작성해야만 흐름을 잘 잡을 수 있다. 분량이 제한돼 있으므로 간결하게 써야 한다.

잠시 중단됐던 자기성장소개서가 재시행된 2023학년도에는 한 문항을 구체적으로 기술할 것을 요구했다. 한 문항 문제가 훨씬 어렵다는 것을 기억하자. 한 문항에 대한 자기 생각을 구체적으로 기술하는 과정에서 수험생의 역량, 교직관 등이 철저히 드러나기 때문이다. 그러니, 합격자 발표 전에 교직 소양 및 교육 이슈에 대해 반드시 고민해 두어야 자기성장소개서 작성을 빨리 끝내고 면접 준비에 집중할 수 있다.

(3) 작성 방법 및 2024학년도 모범 답안 제시

문제 유형에 대해서 알아보았으니 본격적으로 글을 작성하는 방법을 살펴보자.

① 문제 유형 분류하기

코로나19 전과 같이 여러 문항이 출제될 경우 1차 합격자 발표 후 경기도교육청 사이트에 탑재되는 '자기성장소개서 제출 및 작성 시 유의 사항' 문서를 열람해, 유형을 먼저 확인하자! 무엇을 묻는지, 어떻게 대답할지 큰 틀을 잡고 세부적인 내용을 작성해야만 흐름을 잘 잡을 수 있다. 만약 2023~2024학년도와 같이 한 문항만 출제된다면, 키워드를 잡는 것부터 시작하자.

② 키워드 잡기

글을 작성할 때는 묻는 것만 답하는 것이 좋다. 분량이 제한된 글이기 때문이다. 따라서 문제 속 키워드를 잡아야 한다. 문항을 잘 읽고 키워드를 잡아 딱 이 부분에만 초점을 맞추자.

③ 필요한 개념 조사하기

일반적으로 당해 강조하고 있는 경기 정책에 대한 의견, 정책의 현장 적용 방안을 묻는 문제가 출제된다. 문항에 경기교육 3대 기조(자율·균형·미래) 등 정책을 언급했다면 본론을 써 내려가기 전에 이 내용을 먼저 숙지해야 한다. 잘 모르는 채로 글을 쓴다면, 수험생의 역량이 고스란히 드러나기 때문이다. 간혹 잘못된 개념을 바탕으로 글을 작성해, 추가 질문으로 '이를 정말 알고 있는지' 검증하는 질문을 받은 수험생도 있었다. 다시 강조하지만, 합격자 발표 전에 경기교육 정책에 관한 내용을 미리 숙지해야 보다 수월하게 면접 준비를 할 수 있을 것이다.

④ 질문 순서대로 작성하기

본격적으로 글을 쓸 때는 질문 순서대로 작성하면 된다. 그래야 더 매끄러운 글이 될 수 있다. 특히 핵심 주장을 두괄식으로 먼저 작성한 후 묻는 순서에 따라 글을 작성한다면, 평가위원이 읽을 때 우리의 의도를 파악하기 쉬울 것이고 덤으로 면접 평가에서 좋은 인상을 줄 수 있을 것이다.

⑤ 퇴고하기

초안 작성 후 국립국어원이나 네이버 맞춤법 프로그램으로 문장을 점검하며 비문을 교정해야 전문성을 더할 수 있다. 몇 번의 퇴고 과정을 거치면서 객관적인 입장에서 내 글을 점검하자.

실전 연습 2024학년도 초등 자기성장소개서

경기교육은 모든 학생이 인성과 역량을 키워가며 꿈을 실현할 수 있도록 자율, 균형, 미래와 함께합니다. 교사로서 학생의 인성과 역량을 신장할 수 있는 방안을 각각 하나씩 제시해 보세요.

1. 문제 유형 분류
한 문항이라 유형 없음. PASS!

2. 키워드 잡기
자율·균형·미래/인성/역량/신장 방안

3. 필요한 개념 조사
경기도교육청의 자율·균형·미래, 경기도교육청에서 중시하는 인성과 역량

자율, 균형, 미래란 키워드를 제시했으므로 자기성장소개서 어딘가에는 이를 꼭 언급해야 한다. 신장 방안을 작성할 때 본인의 경험(성장)과 경기교육 방향성을 함께 포함해야 '성장'소개서라는 취지에 부합한다.

4. 질문 순서대로 작성
- 자율, 균형, 미래의 경기도교육청 방향성과 학생의 인성과 역량 신장의 필요성
- 인성 신장 방안
- 역량 신장 방안

이것은 '자기의 성장을 소개'하는 글이다. 앞서 목적에서 살펴봤듯이 내 이야기, 내 관점, 내 성찰, 교직관 등이 반드시 포함돼야 한다. 포부를 넣으란 말은 없지만 끝에 한두 줄 정도는 현직에서 어떻게 전문성을 발휘할 것인지 밝힌다면 열정과 전문성을 보여줄 수 있다.

5. 퇴고
국립국어원이나 네이버 맞춤법 검사기를 통해 글자 수를 조정하고 비문을 교정한다. 또한 남은 기간 동안 자성소 내용을 머리에 싹 다 넣고 여기에 적힌 모든 내용을 완벽히 내 것으로 소화한다. 문제로 나오기 때문이다.

작성 예시

경기교육은 자율, 균형, 미래의 가치 아래 기본 인성과 기초 역량을 갖춘 인재를 양성하고자 합니다. 경기교육의 지향점과 저의 교직관인 '모두 함께 성장하기'를 고려했을 때 학생들에게 공동체적 인성과 협력적 문제해결 역량을 심어주고 싶습니다. 공동체적 인성을 갖추어야 자율과 균형의 가치를, 협력적 문제해결 역량을 갖추어야만 미래의 가치를 함양할 수 있기 때문입니다. 교사로서 학생의 인성과 역량을 신장할 방안은 다음과 같습니다.

첫째, 공동체적 인성 함양을 위해 학급 단합 활동을 기획하고 싶습니다. 학창 시절 학급에서 함께 음식을 만들어 먹고, 장기 자랑을 준비하면서 학급 친구들에 대해 더 깊게 이해하며 소속감이 증대됐던 경험을 했습니다. 학생들이 직접 체육행사, 장기 자랑, 요리 등 하고 싶은 단합행사 프로그램을 기획하고 공동의 목표를 위해 함께 행사를 준비한다면, 공동체 의식이 함양될 것입니다. 또한 준비 과정에서 사람마다 강점이 있고, 이를 존중하고 협력해야만 모두 함께 성장할 수 있다는 것을 깨달을 수 있을 것입니다.

둘째, 협력적 문제해결 역량 함양을 위해 지역사회 문제 해결 프로젝트 학습을 시행하고 싶습니다. 학부 시절 학생회 활동을 하며 지역사회 봉사 활동에 참여한 적이 있습니다. 지역사회 환경 문제를 직접 인지하고 문제 해결을 위해 환경 정화 활동 및 생활 속 실천 규약을 제정하며 시민의식을 함양할 수 있었습니다. 교과 연계수업을 통해 학생들이 지역사회 문제를 직접 조사해 보고 해결할 방안을 구상할 수 있는 기회를 제공하겠습니다. 이렇게 한다면, 미래 사회에 놓인 다양한 환경 문제, 외교 문제 등을 주도적으로 해결할 수 있는 자세를 갖출 수 있을 것입니다.

이와 같은 방안을 통해 학생의 인성과 역량을 길러 미래 인재로 성장하는 데 도움을 줄 수 있는 교사가 되겠습니다.

(4) 면접 만점을 만드는 작성 요령

대개 모든 문항에는 수험생 자신과 경기교육에 관한 이야기가 포함돼야 하며, 짧은 시간 내에 나를 제대로 어필하기 위해 간단하고도 영리하게 작성해야 한다.

Viewpoint (나의 관점)	Policy (경기 정책)
Intelligent (영리한)	Simple (간단한)

일명 V·I·P·S 전략! 이 빕스 전략으로 일반적인 자기성장소개서에 청량감을 한 스푼 추가해 보자!

① VIEWPOINT: 나의 관점을 담아내자!

기존의 획일적인 평가를 지양하고 개별화되고 심층적인 면접을 위해 도입된 자기성장소개서에는 남들과 다른 나만의 관점이 분명하게 드러나야 한다.

교육 관점 제시: 개인적 경험 ➡ 교육 관점 ➡ 실현 계획 묶기

역대 기출문제를 분석해 보았을 때 가장 많이 출제된 부분은 개인적인 경험, 목표 등을 묻는 문제였다. 하지만 그 기저를 살펴보면 단순 경험과 목표를 묻는 것이 아니라 개인적인 경험을 통해 얻은 수험생의 교육 관점과 그것에 기반한 실현 계획을 살피고자 하는 문제가 많았다. 즉, 세 개는 한 세트이다! 마지막에 꼭 실현 방안 및 의지를 넣어 남다른 열정과 의지를 뽐내자.

경험 ➡ 관점(철학·교직관) ➡ 실현 방안

공교육에 대한 신뢰 드러내기

자기성장소개서 첨삭을 하다 보면 공교육에 대한 불신을 드러내는 수험생들이 있어서 놀랄 때가 있다. 실제로 평가위원, 감독관분들께 후기를 들어볼 때도 현장 교사나 관리자를 부정적으로 인식해 불편한 경험이 있었다고 한다. 평가위원들이 현장의 선생님임을 잊어서는 안 된다. 공교육과 선배 교사들을 존중하는 태도를 견지하며 글을 작성하자.

사례 수험생의 WORST 답변(2019학년도 유치원·초등·중등 교과·비교과)

Q 자신의 학창 시절 또는 교사양성과정 시절(대학, 대학원 교육과정이나 실습 등)에 느꼈던 학교의 바람직하지 못한 관행을 두 가지 이상 제시하고, 교사가 된다면 이러한 관행을 바로잡기 위해서 어떻게 실천하고 싶습니까?

A 첫째, 교생실습 시절 권위적인 교장·교감 선생님들에 대해 거부감이 많이 들었습니다. 저희의 복장, 태도 등을 감시하고 지적하는 모습을 보고 소통이 되지 않는다고 생각했습니다. 둘째, 학창 시절에 지나치게 방어적인 수업을 하시는 선생님이 다수 계셨습니다. 제 친구들은 엉뚱한 질문을 곧잘 했는데, 많은 선생님들이 그에 적절한 대답을 하지 못하셨습니다.

관리자분들의 조언과 일부 선생님들의 부정적 수업 모습을 '바람직하지 못한 관행'으로 비판하고 있다. 공교육에 대해 부정적으로 인식한 사람이라고 느껴진다. 이러한 발언은 학교 현장에 계신 분들이라면 누구나 불편함을 느낄 수밖에 없다. 공교육에 대한 긍정적인 시각, 신뢰를 표현해 함께 일하고 싶은 사람이 돼보자!

② INTELLIGENT: 전략적으로 영리하게 쓰자!

교사가 되기에 적합한지 판단하기 위한 목적이 있는 글은 출제 의도를 간파해 전략적으로 영리하게 써야 한다.

정확한 논점 짚기

자기성장소개서를 한 번이라도 작성해 본 분들이라면, 문항의 논점을 제대로 짚지 못해 흐름을 놓치거나 분량이 초과되는 문제 때문에 고민한 적이 있을 것이다. 앞서 제시한 작성 방법을 숙지해 키워드에 초점을 맞추어 글 쓰는 연습으로 이런 문제를 탈피하자.

사례 수험생의 WORST 답변(2019학년도 유치원·초등·중등 교과·비교과)

Q 자신의 학창 시절 또는 교사양성과정 시절(대학, 대학원 교육과정이나 실습 등)에 느꼈던 학교의 바람직하지 못한 관행을 두 가지 이상 제시하고, 교사가 된다면 이러한 관행을 바로잡기 위해서 어떻게 실천하고 싶습니까?

A 실습 시절에 느꼈던 부적절한 관행은 교원임용과 관련된 것입니다. 현재 사범대에서 배우는 학문의 내용과 임용 시험 문항들은, 학교 현장에서 가르치는 것과 괴리가 있는 것이 사실입니다. 이로 인해서 초임 교사들이 처음 현장에 나가서 당혹감을 느낍니다. (생략)

학교의 바람직하지 못한 관행을 물었는데, 교원임용제도를 답했다. 논점에서 빗나간 이야기이다. 교원임용제도는 학교의 바람직하지 못한 관행과는 관련이 없는 문제이므로 문제해결 능력이 없는 수험생이라고 인식될 수 있다.

단점을 물을 땐, 강점이 될 수 있는 단점이나 보완 계획을 이야기하기

교사로서 단점을 물을 때는 단점인 듯 단점 아닌 단점 같은 자랑을 해야 한다. 예를 들어 '눈물이 많다.'라고 이야기하며 교사의 공감 능력을 어필하는 식으로 말이다. 또한, 단점을 드러내는 척하면서 자신의 장점을 어필하는 방식도 좋다. 2019년 방영된 〈신입사원 탄생기-굿피플〉이란 프로그램은 지원자들의 로펌 인턴 생활을 보여준 후 최종 신입 사원을 선발하는 예능 프로그램이다. 이 프로에서 한 지원자가 이를 잘 드러내어 주목을 받았다.

"당연한 이야기이지만, 저는 처음부터 잘하지 못하는 것이 저의 단점이라고 생각합니다.
그게 성적으로 드러나서 1학년 때에는 성적이 다소 좋지 않았습니다.
하지만 계속 성적이 올라 결국 수석 졸업을 했습니다.
뭔가를 시작할 때 저는 굉장히 주눅들 때가 많은데
그런데도 제가 부족한 점이 뭔지를 알고 그것을 해결해 나가고
남들보다 보이지 않는 곳에서 두 배, 세 배 노력해서 그것을 채워나가는 점이
저는 저의 단점을 보완할 수 있었던 부분이라고 생각합니다."

어떠한가? 단점이 보이기보단, 단점을 극복할 수 있는 노력이라는 장점이 더 두드러진다.

단점을 보완할 수 있게끔 서술하는 방법도 있다. '내성적인 성격'이라는 단점을 이용해 봉사활동 때 '내성적인 학생들에 대한 교류'를 이끌어냈다는 이야기를 하거나 '하나에 집중하지 못하는 성격'으로 인해 다양한 취미 생활을 했고, 그것이 '다양한 융합 수업·동아리 활동' 등으로 이어질 수 있다고 서술하는 식으로 말이다.

사례 수험생의 WORST 답변(2016학년도 중등 교과·비교과)

Q 교사로서 자신의 강점과 약점을 키워드로 제시하고, 자신의 강점을 발휘해 학생을 지도하는 방안과 약점을 어떻게 보완할지 말하시오.

A (강점 생략) 교사로서 저의 약점은 내성적이며 가끔 욱하는 성격이라는 점입니다. 내성적이어서 학생들에게 먼저 말을 건네지 못할까봐 걱정이 되고, 욱하는 성격으로 사춘기 청소년들에게 상처를 줄까봐 이것을 고쳐야겠다고 생각했습니다. 이를 보완하기 위해 먼저 저는 관심을 가지고 학생들에게 다가갈 것입니다. 또한 요가 등으로 명상을 해 심신을 다스릴 것입니다.

교사가 되면 안 될 이유를 정성스럽게 쓴 느낌이다. 내성적이며 욱하는 성격의 교사를 누가 선호할 것인가? 가끔은 너무 솔직한 것이 문제가 될 수 있다. 전략적으로 영리하게! 본인을 잘 포장하는 센스를 키워나가자.

경기 정책의 부작용 및 현장 문제점을 물을 땐 보편적 사례로 답하기

현장의 문제점, 공교육 불신 현상에 관해 묻는다면 사석에서나 이야기할 법한 잘못된 관행들의 극단적 사례를 잠시 접어두고 누구나 공감할 만한 적절한 수준을 끌고 와야 한다. 또한, 정책에 대한 문제의식을 느끼고 어떻게 보완할 것인지 구체적인 계획과 자신의 포부를 드러내야 한다.

사례 수험생의 WORST 답변(2017학년도 중등 교과·비교과)

Q "요즘 젊은 교사들은 모범생이고, 공부만 잘하다 보니 현장의 아이들을 이해하는 데 한계가 있어. 소명감은 없고, 직업 안정성 하나 바라보고, 방학 때 해외여행 다니는 것만 기다리는 교사들이 많아!" 라며 면전에서 교사를 비판하는 시골 어르신에게 어떤 대답을 하시겠습니까?

A 공무원 사회는 직업 안정성이 높은 직업입니다. 또한 교직 사회는 방학 기간 내 자율 활동이 어느 정도 보장돼 해외여행을 가시는 분들이 많은 것 같습니다. 제가 생각할 때도 이러한 비판은 타당한 것 같습니다. …(중략)… 사회에서는 이러한 교사들의 활동에 대해 색안경을 끼고 보시는 분들이 많은 것 같습니다. 저는 그러한 소리를 듣지 않도록 매사 열심히 소명을 갖고 활동하고 싶습니다.

방학에 해외여행을 다니는 교사도 있지만 자기 장학과 연수에 집중하는 교사도 많다. '이러한 비판은 타당하다.'고 말해 현장에서 열심히 일하는 교사들을 함께 비난하는 꼴이 돼버렸다. 또한 '저는 그런 소리를 듣지 않겠습니다.'라고 이야기해, 교직 사회를 이분법적으로 바라보는 사람이라는 인상도 주고 있다.

그릇된 사례들을 잘 숙지해 같은 실수를 하지 않아야 한다. 전략적으로 영리하게! 꼭 기억해 주시길 바란다.

③ POLICY: 정책을 이해하고 운영 방안을 조사하며 경기교육의 고민을 해결하자!

경기 정책에 관한 문제일 경우에는 크게 경기 정책 이해, 운영 방안, 경기교육에 대한 고민 해결에 대해 묻게 될 것이다.

경기 정책 이해도 확인

경기 정책에 관한 개념이 들어가 있다면, 그것부터 완벽히 이해하고 본론을 서술해야 한다. 경기도교육청에서 강조하는 교육 정책이 문제에 포함될 경우 그 이해도에 따라 글의 수준이 결정된다.

사례 수험생의 WORST 답변(2019학년도 유치원·초등·중등 교과·비교과)

Q 경기도교육청이 추구하는 4·16 교육체제의 가치와 방향에 비추어 볼 때, 그 정신을 구현할 수 있는 교사로서의 실천 계획을 두 가지 이상 제시해 보세요.

A 첫째, 학생들의 균등한 교육기회와 과정, 결과를 보장해 주어야 합니다. 이것을 위해 학생들이 안전한 환경에서 학습 활동을 할 수 있는 교육 여건을 마련해야 합니다. 그래서 학생들이 학습 활동에 있어 안전한 학습 분위기를 조성하도록 하겠습니다. 둘째, 학생들의 안전한 생활을 보장하는 것입니다. 학생들이 실질적인 삶에 있어 건강한 삶을 살도록 하는 것입니다. (생략)

4·16 교육체제란 세월호 참사를 교훈 삼아 경기도교육청에서 마련한 새로운 교육 패러다임이다(이재정 전 교육감 시절). 위 수험생은 '안전'만 반복적으로 나열하고 있는데, 이 경우 경기도교육청에서 강조하고 있는 4·16 교육체제에 대한 이해가 부족하다고 판단될 수 있다.

운영 방안 질문

운영 방안에 관해 물었다면 현장에서는 어떻게 운영되고 있는지 반드시 확인해야 한다. 문항에서 고교학점제가 나왔다면, 현재 고교학점제를 운영하며 교사들은 어떤 수업을 하고 있는지, 나의 경험 중에서 이런 부분을 드러낼 수 있을 만한 경험은 무엇인지를 확인해 간결하게 표현해야 한다. 현장 사례는 경기도교육청 블로그 등 SNS에 탑재돼 있으며 우리 책 PART 2에도 수록했다.

고민 해결

경기도교육청의 교육 현실 및 고민을 명확히 파악해야 한다. 경기 정책의 방향성에 관해 묻는 경우는 교육청이 직접적으로 고민하는 부분이다. 현재 문항과 관련해 경기도교육청이 겪는 어려움은 어떤 것이 있는지, 또, 이를 해결하기 위해 어떤 방향으로 교육을 하는지 등을 경기도교육청 블로그나 사례 등을 통해서 확인해 녹여낸다면 도움이 된다.

④ SIMPLE: 쉬운 글을 만들자!

평가위원들은 자기성장소개서를 읽는 데 3분 이상을 쓰지 않는다. 앞 수험생이 퇴실한 후 대기 시간을 이용해 빠르게 읽어내기 때문에 많은 시간을 투자하기 어렵기 때문이다. 여러 번의 퇴고 과정을 통해 쉬운 글, 짧은 글로 바꾸어 평가위원이 읽기 편한 글로 그분들의 마음을 사로잡자.

간결하게 작성하기

자기성장소개서를 작성할 때 글 안에 모든 내용을 담지 말고 간결하게 표현하는 것이 중요하다. 자기성장소개서는 글자 수가 제한돼 있다. 이때 최소한의 설명만 덧붙인다면 평가위원의 궁금증을 자아내는 매력적인 자기성장소개서를 만들 수 있다.

두괄식으로 작성하기

쉬운 글을 만들기 위해 두괄식으로 작성해야 한다. 글의 핵심 주장이 문단의 가장 하단에 위치한다면, 하루에 여러 사람을 평가해야 하는 평가위원으로서도 피로감을 느낀다.

(5) 자기성장소개서 관련 스터디 전략

스터디를 할 때는 자기성장소개서를 펼쳐놓고 의문이 가는 부분을 전부 질문으로 만들어 보는 것이 좋다. 자기성장소개서에 기반한 추가 질문은 적혀 있는 내용에 관해 물어보는 것이므로 거짓으로 작성해서도, 무슨 내용을 썼는지 잊어서도 안 된다. 예를 들어 《열여덟 너의 존재감》이라는 책을 감명 깊게 읽고 교직관을 정립했다고 써놓고, 정작 그 책의 내용을 물어볼 때 제대로 답을 하지 못한다면 교사로서 '신뢰감'을 주는 데 실패할 것이다.

자기성장소개서 사례	나올 수 있는 문제 리스트
Q 자신의 성장이 언제 많이 일어났다고 생각하나요? 교육적 성장이 있었던 경험에 대해 말하고, 그 경험이 앞으로 교직생활에 어떤 영향을 미칠 것인지 말해 보시오. **A** 저는 교생실습 당시 학급 아이들과 개별 상담을 하며 교육적으로 많이 성장했습니다. 제가 교사를 꿈꾸게 된 이유는 어려운 가정형편을 원망하며 학교생활을 제대로 하지 못했을 때 ① 저를 끝까지 포기하지 않으셨던 선생님의 사랑에 보답하고 싶어서였습니다. 그러나 대학생이 되자 교과 지식을 쌓는 데에만 충실했고 교생실습을 앞두고도 '어떻게 하면 잘 가르칠 수 있을까?'라는 고민만 했습니다. ② 하지만 제가 간 학교는 저마다의 사정과 아픔을 가진 학생들이 많은 곳이었고, 담당 선생님께서는 아이들과의 상담을 추천해 주셨습니다. 제가 마음의 문을 두드리니 아이들은 자신을 보여주었습니다. 아이들은 그 후에도 저에게 진로나 학교생활에 대한 이야기를 자주 털어놓았고 저와의 약속을 지킨다며 좋지 않은 습관들을 고치려고 노력했습니다. 수업도 더 활기 넘쳤습니다. 저는 새삼 깨달았습니다. 교사는 교과 전문성을 갖고 수업을 체계적으로 설계하는 능력을 갖추어야 하지만 학생 개개인을 진심으로 이해하는 것이 선행돼야 한다는 것을 말입니다. 저의 선생님이 그러하셨듯이 ③ 단 한 명의 아이도 포기하지 않고 사랑으로 안아주는 선생님이 되리라 다짐했습니다.	① 학교생활을 제대로 하지 못했다고 했는데, 선생님이 어떤 식으로 도움을 주셨고 이 경험이 내 교직생활에 어떠한 영향을 미칠지 이야기해 보세요. ② 상담 중에 기억에 남는 일화가 있다면 이야기해 주고, 그것이 교사로서 어떤 영향을 주었는지 이야기해 보세요. ③ 학업을 거부하는 학생이 있다면 어떻게 학생을 지도할지 그 방안을 이야기해 보세요.

합격자의 달달한 조언!

문제를 뽑아내기 위해 효과적인 스터디 방법

자성소 제출 기한이 지난 후에 파일로 준비합니다. 발표하듯이 화면에 띄워 한 사람씩 자신의 자성소를 공개합니다. 스터디원들은 1번부터 읽으며 질문할 수 있는 모든 내용을 던집니다. 그리고 질문에 대한 답을 같이 고민해 보도록 합니다. 그리고 최소한 스터디에서 나왔던 질문에 대한 답변은 꼭 스스로 정리해 두어야 합니다. 같이 이야기했던 질문이 실제로 나올 확률이 높습니다. 이때 질문은 중복돼도 상관없으며, 브레인스토밍의 원리대로 많은 양이 나올수록 좋습니다. 2020학년도 합격자 김진연 선생님

(6) 자기성장소개서 관련 주요 Q & A

Q 자기성장소개서도 스터디를 해야 되나요?

A 자기성장소개서 작성 전에 타 교과 스터디원들과 아이디어를 공유하거나 첨삭 스터디를 하면, 내가 보지 못했던 새로운 관점을 얻을 수 있습니다. 같은 전공끼리는 매우 위험하겠죠. 같은 곳에서 시험을 봐야 하니까요.

다만, 제출 후에 어떤 문항이 나올지 예측하는 스터디를 해보세요. 제3자의 시선에서 자기성장소개서를 읽고 궁금한 점, 의문이 드는 점, 보충 설명을 했으면 하는 점을 정리해 예상문제를 만들어 놓는다면 예상 범위 내에서 거의 비슷한 문제가 출제되기 때문에 추가 질문을 답변하는 데 도움이 됩니다.

Q 자기성장소개서에서 묻지 않은 경우에도 키워드의 개념 및 정의를 서술하면 좋나요?

A 제한된 분량이 있는 자기성장소개서에서는 묻는 말에 초점을 맞춰서 작성하는 것이 가장 좋습니다.

> 경기도교육청은 2022년까지 고교학점제를 도입하려 준비 중입니다. 최근 일고 있는 고교학점제 도입과 관련해 현재 본인이 준비한 어떠한 역량이 이 학점제의 방향과 맥을 같이하는지 설명하고, 이를 동료 교사와 어떤 전략으로 현장에 안착시킬 수 있을지 제시해 보시오.

위 기출문제에서, 고교학점제를 한 줄 정도 설명하는 것은 좋지만 분량을 초과한다면 고교학점제의 방향과 나의 역량의 연계성, 동료 교사와 협업 방안 등에 초점을 맞춰 서술해야 합니다. 혹시 자기성장소개서를 읽다 고교학점제에 대한 정의를 잘 모르는 것 같다고 판단이 될 경우에는 추가 질문으로 이것을 물어볼 수 있습니다. 그때 조리 있게 답변하면 됩니다. 우선 묻는 문항에 집중하시길 바랍니다.

Q 자기성장소개서를 이미 제출했는데, 엉뚱한 이야기를 썼으면 어떻게 하나요?

A 2020학년도 시험을 대비해 모의 면접을 피드백하는 자리에서 '고교학점제'에 관해 전혀 다른 개념을 기술해 제출한 수험생을 만난 적이 있었습니다. 평가위원의 관점에서 그 자기성장소개서를 본 순간 바로 "고교학점제가 무엇인가요?"라는 질문을 던졌고, 그 수험생은 예상대로 옳지 않은 대답을 했습니다.

사실 평가위원은 짧은 시간 내에 글을 읽어내므로 오답 또는 정답만 파악할 뿐 디테일하게 '어느 부분을 모르고 있군.' 하고 생각할 여력은 없습니다. 다만 오답이라고 판단될 경우 질문을 하게 되고, 이때 올바로 대답하면 만회가 됩니다. 자기성장소개서에 모르는 내용을 아는 것처럼 쓰지 않는 게 제일 나은 방법이지만 엉뚱한 이야기를 쓴 경우에는 이를 알아차리고 제대로 된 답변을 준비해 실제 면접에서 잘 답변한다면, 충분히 만회할 수 있습니다!

참고로, 위 수험생은 실제 시험에서도 고교학점제를 알고 있느냐는 질문을 받았고 제대로 답변해 지금은 현직에서 근무하고 있습니다.

Q 자기성장소개서와 상관없는 질문이 나왔을 때, 자기성장소개서로 답변을 해야 되나요? 아니면 자기성장소개서와 상관없이 질문에 적합한 답변을 하면 되나요?

A 개별면접에서 자기성장소개서를 활용한 추가 질문은 크게 두 유형으로 구분된다고 말씀드렸습니다. 이 경우에는 '자기성장소개서와 상관없이 일괄적으로 물어본 질문'이 되겠군요. 이 경우 평가위원이 묻는 문제에 적합한 답변을 하시면 됩니다.

자기성장소개서와 연관이 있는 내용이라면 사실 여부를 묻기 위한 질문이기에 자기성장소개서에서 쓴 내용과 일치해야 하지만, 문제와 상관없는 질문이 나왔을 경우 긴장하지 마시고 그 부분에 초점을 맞추어 대답해 주세요!

2 개별면접 전략

(1) 평가위원 공략이 중요한 이유

심층면접평가는 단순히 채점 기준을 통해 객관성과 공정성만을 확보하는 방향으로 진행되지 않는다. 학생, 학부모, 동료 교사와 대면해 업무를 수행해야 하는 교사라는 직업 특성상, 사람의 감정을 움직일 줄 아는 사람이 적격하기에 평가위원은 이를 확인해야 한다. 촘촘한 채점 기준이 있다 하더라도 면접평가를 좌우하는 것은 결국 평가위원이라는 이야기이다. 따라서 면접에서 좋은 평가를 받기 위해서는 내 생각을 잘 표현하는 것도 중요하지만 평가위원 그 자체를 이해하는 일도 중요하다. 평가위원을 잘 분석한다면, 이분들을 사로잡아 원하는 결과를 보다 쉽게 얻을 수 있을 것이다.

평가위원, 그분들은 누구일까?

교원임용 제2차 시험 평가위원 인력풀 공고문을 보면 심층면접평가 평가위원의 자격 요건을 다음과 같이 명시하고 있다.

- 교직 경력 7년 이상인 경기도교육청 현직 교원
- 교육 현장의 문제나 갈등 상황 및 경기교육에 대한 이해가 높고 집단토의·개별면접에 전문성을 갖춘 경기도교육청 소속 현직 교사(장학관·장학사 및 교장·교감 포함)로 선정
- 각종 면접시험 유경험자 등 우선 선정

이 정보를 통해 우리는 다음과 같은 팁을 얻을 수 있다.

① 공교육과 현장 교사들에 대한 긍정적 관점을 드러내야 한다.

평가위원은 현직 교사이거나 교사 출신 교육 전문직 및 관리자이다. 공교육에 대한 불편함과 불신, 과거의 개인적 경험을 일반화시켜 현장 교사들을 비난하는 발언은 삼가야 한다.

사례 수험생의 WORST 답변(2022학년도 중등 교과·비교과 자기성장소개서)

Q 공교육과 교사 불신 현상의 사례를 말해보시오.

A 공교육 교사들은 사교육 교사들에 비해 수능시험에 대한 전문성이 낮고 수업을 잘 하지 못합니다.

특히, 공교육 및 현장의 문제점을 묻고 개선 방향을 찾아보라는 질문에서 이러한 생각이 자연스레 드러나는데, 공교육에 대한 부정적인 관점을 지닌 사람은 결코 함께 일하고 싶은 후배 교사라는 인식이 들지 않을 것이다. 마음에 현장 교사들에 대한 존경심과 그들과의 협동의 중요성을 새기도록 하자.

② 정책이나 사례를 단순 나열하는 것이 아닌 현실적이고 실천적인 방안을 제시해야 한다.

평가위원은 교육 현장 문제나 갈등 상황, 경기교육의 전문가이다. 이때 단순 이론이나 현장 사례를 암기하듯 줄줄 읊어내는 것은 번데기 앞에서 주름잡는 격! 그리고 문제 핀트에서도 많이 빗나가는 행동이다. 명확한 문제의식, 개념 파악을 바탕으로 현장에서 어떻게 실천해 나갈지 현실성 있는 실현 방안과 포부 등이 담겨야 한다. 신규 교사로서 준비성과 열정 등이 매력 포인트임을 절대 잊어서는 안 된다.

사례 **수험생의 WORST 답변(2019학년도 중등 구상형)**

Q 수능 이후나 학년말 전환기 교육 방안을 말해보시오.

A 경기도 현장에서는 교육협동조합, 독서교육, 시민교육 등 여러 교육 방안을 시행하고 있습니다. (구체적 사례를 계속 이야기함) 이런 것들을 저도 하고 싶습니다.

위 사례는 언뜻 보면 '왜 감점이 많이 됐지?'라고 생각할 수도 있다. 그러나 이 수험생은 포인트를 잘못 잡은 탓에 안타깝게 불합격했다. 문제에서 요구하는 '나만의 교육 방안'이 아니라 '현장 사례'만 쭈욱 열거했던 것이다. 사례를 '알고 있다'가 아닌, 나만의 방법을 '생각하고 고민했다'에 초점을 맞추어야 한다.

③ 진솔하고 정중하면서도 자신감 있는 면접 태도를 견지해야 한다.

면접시험을 많이 경험해 본 분들을 우선 선정하고 있는 만큼, 평가위원은 다양한 면접을 통해 수험생들의 특성 및 감정을 파악하는 데 누구보다 전문가일 것이다. 지나치게 과시하거나 떨지 말고 진솔하게 나 자신을 보여주는 것이 매우 중요하다.

"면접을 볼 때 앞에는 방송국 국장님, 이사님, 사장님이 앉아 계시지만
사실 제가 입사를 해야 국장님, 이사님, 사장님이지 떨어지면 동네 아저씨거든요.
그런데 내가 왜 여기서 떨고 있어야지? 생각이 들었어요.
안 될 거라는 생각은 안 해봤어요.
아무리 경쟁률이 높아도 제 입장에서 보면 2:1이거든요. 되느냐 마느냐."

오랫동안 국민의 사랑을 받았던 MBC의 간판 예능 〈무한도전〉을 만든 김태호 피디는 청춘 페스티벌에서 "정답은 내 안에 있다"라는 주제로 위와 같이 이야기했다. 수험생이 과도하게 긴장하면 보는 사람도 긴장되고 '면접'을 위해 '평가'하는 자리라는 것을 다시 한번 상기하게 돼 이성적으로 채점을 할 수밖에 없다. 하지만 말하듯 자연스럽게 웃으며 참여하는 사람과는 '대화'를 한다는 느낌을 받고 그냥 그 자리를 즐기게 된다. 촘촘한 채점 기준이 있다 하더라도 사람이다 보니 그것을 정확하게 적용하긴 어려운 일이다. 그 사람이 주는 인상과 분위기가 전체를 결정짓는다는 사실을 잊지 말자!

평가위원을 사로잡는 심리학 기술

비언어적 이미지에 신경 쓰자.
목소리를 낮게 하자.
걸음걸이에 신경 쓰자.

면접은 참 재미있는 시험이다. 촘촘한 채점 기준이 있다고 하더라도 이것을 적용하는 것은 '사람'이기 때문에 주관적인 평가를 피할 수 없다는 점에서 그렇다. 이를 영리하게 이용해 면접에 심리학 기술을 활용해 보자.

어떤 기술을 활용할까?

《생각의 틀을 바꾸는 수의 힘: 숫자의 법칙(노구치 데츠노리 저)》에서 개별면접에 관한 유의미한 연구 결과 2가지를 발견했다.

1. 첫인상 3·3·3 법칙

3·3·3 법칙이란?
3초 안에 외모를 통해 첫인상을 결정하고,
30초 안에 목소리나 대화 방식에 따라 두 번째 인상을 결정하며,
3분 안에 종합적인 인상을 통해 사람을 판단한다는 법칙이다.

이 이론을 우리 시험에 적용한다면?

첫째, 시험실 문을 열고 들어가 평가위원 앞에 앉을 때까지의 3초
둘째, 인사 후 수험번호와 구상형 1번 도입부를 말하는 30초
마지막, 구상형 1번에 대한 답변 3분

이것에 신경 써야 한다. 답변 내용에만 치중해 소홀히 할 수 있는 나의 비언어적인 요소가 첫 이미지를 만들고, 그것이 초두효과로 인해 면접 전반에 큰 영향을 미친다는 것을 알아야 한다. 면접 연습 전반을 녹화해 걸음, 목소리, 자세 등도 꼼꼼히 점검하자.

2. 메라비언의 법칙

미국 심리학자 앨버트 메라비언(Albert Mehrabian)은 말의 내용보다 태도와 인상이 중요하다는 내용의 메라비언의 법칙을 발표했다.

의사 표현 시 중요 순위를 매긴 메라비언의 법칙!

- 1순위: 시각(55%) 예 몸가짐, 표정, 동작, 자세, 옷, 시선, 손동작
- 2순위: 청각(38%) 예 목소리 크기, 어조, 말투, 속도, 억양
- 3순위: 말투(7%) 예 인사, 높임말, 내용, 말의 조합, 스토리, 전문 용어의 정확성

이 이론을 우리 시험에 적용한다면?

면접의 내용 요소뿐 아니라 전달 방식, 인상 요소까지 신경 써야 한다. 내게 잘 어울리는 옷, 밝게 웃는 연습, 당당하지만 겸손한 걸음걸이, 크고 전문적인 목소리까지 연출해야 한다. 단순히 내용을 암기하고 방안을 고민하는 것을 넘어 비언어적인 요소들에 대한 대비도 철저하게 해두자. 그렇다면, 사이다를 읽지 않은 다른 수험생과는 확실히 무언가 다른 한 끗 차이를 뽐낼 수 있을 것이다.

또 하나의 핵심 무기, 옷차림

당신은 평가위원에게 어떻게 보이고 싶은가? 조금 더 본질적으로 다가가 보자. 당신은 어떤 교사가 되고 싶은가? 똑 부러지는 교사? 온화한 교사? 세련된 교사? 활발한 교사?

그런데 왜! 그렇게 보이기 위해 노력하진 않는 거지?

앞서 살펴본 메라비언의 법칙 1순위를 기억하는가? 의사소통에서 가장 중요한 것은 시각으로 표정, 동작, 자세, 옷 등이다. 그런데 왜 우리는 늘 검은색 상의에 검은색 하의, 하얀색 셔츠를 정석처럼 입는 것일까?

옷차림은 내가 생각한 이미지를 나타낼 수 있는 효과적인 수단!

차림새는 자신에 대해 많은 것을 보여준다. 옷차림으로 '내가 교사로서 적당한 인물'이라는 것을 전달하는 것도 하나의 전략이다. 옷차림이란 '내가 나를 어떻게 생각하느냐?' 그뿐 아니라, '내가 되고 싶은 나'를 알리는 수단이기 때문이다.

첫인상 3·3·3 법칙을 기억하는가? 시험실에 들어가는 3초에 나라는 사람의 개성을 잘 드러내는 것이 무엇보다 중요하다. 검은색이 가장 단정한 색으로 알려졌지만, 굳이 어두운색이 어울리지 않는데 면접이란 이유로 그것을 고집할 필요가 없다. 지인 및 모의 면접을 진행하며 만나게 된 수험생들에게 이 점을 피드백하고 맞는 색을 매치했는데 모두 좋은 결과가 있었으니 나를 표현할 수 있는 색의 정장을 입자.

또한 헤어스타일도 자유롭게 연출할 수 있다. 다만, 여자 선생님들의 경우 인사를 할 때 머리를 길게 푼다면, 머리가 앞으로 쏠려 이를 정리하기 위해 계속 손이 머리에 갈 수 있고 이 경우 산만하다는 인상을 줄 수 있으니 깔끔하게 묶는 것이 좋다. 단발머리는 C컬로 드라이해서 귀 뒤로 넘긴다면, 아나운서 느낌이 나서 전문성을 줄 수 있으니 굳이 실핀을 꽂고 머리망을 하지 않아도 된다. 머리망을 한 올림머리는 어리숙해 보이고 교사보다는 학생 느낌이 나기에 추천하지 않는다. 안경을 쓴다면 트렌디한 안경만으로도 소위 범생이 같은 답답한 느낌을 많이 탈피할 수 있으니 조금은 외모에 신경을 써보자.

각자의 매력이 담긴, 깔끔하고 전문적인 모습으로 스타일링을 해 좋은 이미지로 점수를 먹고 들어가 보자.

MMI 평가 방식의 이해

비교과에서는 2022학년도부터 시험에 MMI 방식을 도입했다.

MMI는 Multiple Mini Interview의 약자로 다중 미니면접이라 부른다. 여러 개의 면접실을 두고 면접실마다 2~3인의 면접관이 각기 다른 평가 항목을 질문하는 방식이다.

취지가 뭔데?

MMI 방식을 처음 도입한 서울대학교 의과대학은 다음과 같은 취지를 발표했다. "의사소통 능력이 있고 환자와 라포르(Rapport)를 형성할 만할 능력이 있는 지원자를 선발하겠다." 의과생의 암기력을 보는 것이 아닌 인성·적성을 객관적으로 평가하겠다는 것이다.

왜 객관적인데?

당연한 소리이지만 이 방식은 두 고사실 총 6명의 평가위원의 눈을 거치기에 면접시험의 타당도와 신뢰도를 향상시킨다. 그렇기에 현재 시행되는 모든 면접 형태 가운데 가장 탁월한 인성 검증 장치라는 평을 받고 있다. 사람은 초두효과로 인해 어쩔 수 없이 첫인상으로 그 사람의 전체를 평가하게 된다. 즉, 수험생이 구상형 1~2번만 말해도 충분히 어떤 사람인지 자의적으로 판단하게 된다는 것이다. 그렇기에 나머지 문제는 무용지물이 되는 셈이다. 이러한 심리적 문제점을 해결하기 위해 도입한 방식이 MMI이다.
"아, 나를 더 철저히 검증하려는구나? 해볼 테면 해보라지. 난 진짜 좋은 교사가 될 거고 그걸 보여주겠어."라는 마음으로 진솔하고 자신감 있게 두 고사실에 있는 평가위원들을 사로잡고 나오자.

(2) 면접 만점을 부르는 개별면접 전략

개별면접 문제는 경기 정책, 교직관, 학교 문제 상황 해결 방안, 학급 운영 방안, 교과 지도(전공 연계) 방안이 반복 출제된다. 이 유형을 사이다만의 방식으로 간단하게 분류해 보자.

- Method(방법): 학급 운영·학생 지도·학부모 상담 방안 등을 물을 것이다.
- Viewpoint(관점): 학생·교육·학부모를 보는 눈을 궁금해 할 것이다.
- Policy(정책): 정책의 이해도, 한발 더 나아가 정책의 적용 능력을 볼 것이다.

이러한 사항을 먼저 알아두고 이야깃거리를 준비해 놓는다면 한결 수월하게 면접에 접근할 수 있을 것이다. 즉, 다음과 같은 준비를 해야 한다.

① 교직관을 정립해야 한다.

교육 정책의 적용 방안, 학급 운영 방안, 교육 주체와의 협력 방안 등 방법을 묻는 문제는 방법 그 자체도 중요하지만, 그 기저에 깔린 '교직관'이 관건이다. 교직관이 바로 서야 각 해결 방안마다 일관적인 지도 방안이 나오게 된다. 따라서 반드시 교직관을 최우선적으로 수립해 놓아야 한다.

② 현실적인 운영 방안을 고민해야 한다.

실제 현장에 적용할 수 있도록 현실적인 교육 방안을 구상해 두자. 교직관 정립과 정책 이해가 선행돼야 좋은 방안이 떠오를 것이다. 최근 문제일수록 '전공 연계 방안'과 '학생 주도 방안'을 물어보니 이를 미리 생각해 둔다면 아마추어 수험생이 아닌, 교사로서의 자질과 역량을 어필할 수 있을 것이다.

③ 정확하게 정책을 이해하고 경기형 답변을 해야 한다.

면접에서는 정책 적용 방안이 출제될 것이다. 하지만 이것을 위해서는 정책의 정확한 정의와 목적 등을 명확하게 파악하고 있어야 한다. 주의할 것은 장황하고 자세한 설명이 아니라 간략하게 핵심만 정리해야 한다는 것이다. 간혹 각종 면접 책 내용을 모아 뚱뚱한 개념서를 만들며 만족하는 분이 있는데, 이것은 좋은 공부 방법이 아니다. 우리는 정책을 연구하는 사람이 아니라 정책을 이해하고 이것을 현장에 활용할 교사란 사실을 잊어선 안 된다. 정책 내용은 간략하게 핵심만 정리하고, 이것의 활용 방안에 집중하자.

마지막으로, 시험은 연애처럼!

시험은 연애처럼 접근해야 한다. 간혹 연애를 책으로 배우는 사람을 보았을 것이다. 매력이 없다. 연애서를 달달 외워서 사랑 표현을 한다면, 상대에게 진정성을 줄 수 없듯이 책을 보고 암기하듯 누구나 말할 수 있는 뻔한 내용으론 절대 평가위원의 가슴을 울릴 수 없다. 내 가슴과 머리에서 고민한 내용을 전달해야 한다.

평가위원은 온종일 똑같은 질문에 답변하는 10여 명의 수험생을 만난다. 몇 년째 모의 면접을 하며 느낀 점은 이것이 상당히 고된 일이며, 후반부로 갈수록 그래선 안 되지만 집중력이 엄청나게 떨어져 초두효과에 의존한다는 것이다.

그럼 어떡해?

여러 명의 수험생 중 시간이 지나도 나를 오랫동안 기억할 수 있게 만드는 전략은 무엇일까? 우리는 오디션 프로그램에서 그 비법을 엿볼 수 있다.

〈슈퍼스타K〉는 대중적인 오디션 프로그램으로 한때 선풍적인 인기를 끌었다. 스타성을 지닌 쟁쟁한 경쟁자를 제치고 허각이 1위를 할 수 있었던 이유를 생각해 보았는가? 그것은 뛰어난 노래 실력 밑바탕에 배관 수리공으로 힘들게 살아온 그의 스토리가 더해졌기 때문이다. 즉, 오디션에서의 승리 비법은 '실력'과 가슴을 울리는 '스토리'이다.

우리 시험도 다르지 않다. 종일 똑같은 내용을 말하는 수험생들을 보는 평가위원들도 수험생만큼이나 힘들 것이다. 그때 정신을 딱 차리게 할 능력과 스토리를 겸비한 수험생이라면 주저 없이 "합격!"을 주지 않을까? 선생님으로부터 좋은 영향을 받은 기억, 교생 실습이나 교육봉사, 기간제 교사 활동을 하면서 깨우친 교육 가치 등을 중간에 언급한다면 외워서 말하는 일률적인 답 속에서 나를 확실히 돋보이게 할 것이다. 신규 교원 선발 과정에서 고려하는 가치인 성장 스토리를 보여줄 수도 있다.

자신만이 겪은 이야기를 할 때 가장 차별화되고, 창의적이기 마련이다. 나의 이야기를 들려주면 다른 어떤 이야기보다 확실하게 평가위원의 관심을 끌게 될 것이며, 평가위원은 수험생에게 인간적 매력을 느낄 것이다.

사례

Q 학업중단위기에 빠진 학생들을 어떻게 지도할 것인가?

A **수험생Ⓐ** 학업중단위기에 빠진 학생들을 위해 학업중단 숙려기간을 추천하고 싶습니다. 학업중단 숙려기간을 통해 학생들이 자신에 대해 충분한 고민을 하게끔 하겠습니다. 그 이후에 다시 학생과 함께 학교에 적응할 수 있는 방안을 생각해 보겠습니다.

수험생Ⓑ 경기도에서는 학업중단 숙려기간을 두고 있습니다. 학업중단숙려제는 학업중단 의사를 밝힌 학생에게 2~3주간의 숙려 기회를 부여하는 제도입니다. 학생에게 제도적으로는 이러한 방안을 추천해, 시간적 여유를 주는 것이 필요합니다. 하지만 무엇보다 중요한 것은 교사의 관심과 사랑이라고 생각합니다. 저는 학창 시절에 학업중단위기에 빠졌던 경험이 있습니다. 가정형편을 탓하며 등교를 거부한 채 방 안에서 나오지 않았습니다. 그렇게 며칠간 등교를 거부하자 담임 선생님이 가정 방문하셔서 저의 환경을 둘러보시고 닫힌 제 방문 앞에서 우시면서 저를 위로하는 이야기를 하고 가셨습니다. 이상하게 그날부터 마음이 흔들렸고, 선생님의 정성 때문에 저는 다시 학교로 돌아가야겠다는 용기가 생겼습니다. 저 역시 학업중단위기에 빠진 학생이 있다면, 담임 선생님이 저에게 해주셨던 것과 같이 가정 방문이나 메시지를 통해 관심과 사랑을 먼저 표현하도록 하겠습니다. 그렇다면, 저처럼 도움이 필요한 학생들이 다시 학교로 돌아올 수 있고 저마다의 아픔을 이겨내고 건강한 사회인으로 성장할 수 있을 것입니다. 이상입니다.

어떤 사람이 평가위원의 가슴에 더 오랫동안 기억될까? 어떤 사람이 현직에 나가야 위기의 학생을 더 잘 돌볼 수 있을까? 지금 여러분 가슴에 꽂힌 사람, 바로 그 사람일 것이다.

경기형 답변은 어떠한 것일까?

TV 프로그램 〈하트시그널〉에서 한 명의 여자와 2명의 남자가 대화를 하는 상황이라고 가정해 보자.

여자 A: 어떤 여자를 좋아하세요?

남자 B: 그냥 여자면 되죠, 뭐.
남자 C: 음, 저는 좀 단정하고 깨끗한 이미지를 가진, A씨 같은 분이 좋아요!

여자 A라면 어떤 사람에게 마음이 갈까?

경기도교육청의 색깔을 포함하지 않은 답변은 남자 B와 같은 대답이다.

굳이 콕! 집어 지원할 지역을 선정하는 것이 우리 시험의 룰인 만큼, 나의 답변에 왜 경기도교육청이어야만 하는지와 경기 지역을 사랑하는 마음을 듬뿍 담은 경기형 대답이 반드시 포함돼야 한다.

자연스럽게 '너여야만 하는 이유'를 포함시키기 위해 반드시 언급해야 할 것은 다음과 같다.

1. 경기 정책명

경기교육에서 핵심적으로 추진하는 정책명을 언급하면, 경기도교육청에 지원하기 위해 많은 공부를 한 열정적인 교사라는 느낌을 줄 수 있다. 성장배려학년제, 고교학점제, 학업중단숙려제 등 경기도교육청의 교육 정책을 숙지하고 이를 답변에 녹여내자.

2021학년도 초등 개별면접 즉답형 2번

Q 1학년 학생들이 겪는 어려움은 무엇일지 말하고 교사로서 이를 해결할 방안을 말하시오.

A 초등학교 1학년 학생들이 겪는 어려움은 다음과 같을 수 있습니다. 첫째, 새로운 환경에 대한 두려움이 있을 것입니다. 둘째, 시간표에 따라 수업을 진행하는 과정에서 학습에 대한 부담과 어려움을 느낄 수 있습니다. 저는 이러한 1학년 학생들의 어려움을 해결하기 위해 다음과 같은 방안을 생각해 보았습니다. 첫째, 경기도교육청에서 시행하고 있는 '성장배려학년제'의 취지를 적극 이해하고, 이에 따라 '놀이 중심의 교육 방안'을 구상하겠습니다. 예를 들어 (생략)

실제 이 문제는 '성장배려학년제'의 도입을 앞두고, 이 정책을 알고 있는지 확인할 목적에서 출제된 문제이다. '1학년 학생들이 겪는 어려움'을 해결하기 위한 자신만의 방안을 제시하는 것도 좋지만, 이 문제를 해결하기 위해 경기도교육청에서 만든 '성장배려학년제'를 언급해야만 만점을 받을 수 있었다.

2. 경기 지역 특색 및 문화, 기관명

경기도는 넓은 지역 범위만큼 그 지역 고유의 역사와 환경에 따라 다양한 이색 행사 및 유적, 기관들이 많다. 수원 화성 하면 '사도세자와 정조', 이천 하면 '쌀', '도자기', 파주 하면 '출판단지', '통일교육'처럼 딱 떠오르는 지역 색깔이나 실제 있는 기관 등을 답변에 잘 녹여내면 '난 꼭 경기도 교사가 될 거야. 경기도만을 위해 이만큼이나 준비했어.'라는 느낌을 줄 수 있다.

2018학년도 중등 집단토의

Q 4차 산업혁명에 대해 관심이 많아. 미래에 유망한 직업에는 뭐가 있을까?

A 경기도에는 한국 잡월드와 같이 직업 체험을 할 수 있는 유익한 체험형 공간이 많습니다. 방학을 이용해 학생들이 이런 경기도의 체험형 공간에서 직업 체험을 해볼 수 있도록 프로그램을 함께 기획해 보고 싶습니다. 학생 주도형 프로젝트로 구성한다면, 교사가 강의식으로 직업을 언급해 주는 것보다 훨씬 더 생생하고 능동적으로 참여할 수 있을 것입니다. (생략)

3. 현장 사례

경기도교육청의 정책을 적용하고 있는 다양한 현장 사례들이 있다. 이러한 내용을 언급한 후 각색해 나만의 방안으로 만든다면, 경기교육을 위해 준비된 교사라는 느낌을 줄 수 있다. 즉, 신규 교원 선발 과정에서 고려하는 가치인 지역에 관한 애정과 관심을 보여줄 수 있다.

2019학년도 중등 집단토의

Q 경기혁신교육 3.0시대를 맞이해 경기미래교육의 방향에 대한 방안을 논의하시오.

A 경기도교육청 소속 학생들이 2014년 이중 언어 말하기 대회에서 전원 수상을 한 경험이 있습니다. 다문화 학생은 우리나라와 세계를 잇는 민간 외교관 역할을 할 수 있습니다. 이러한 대회들을 학생들과 함께 준비하며 다문화 학생들을 일방적으로 조력하는 것을 넘어 그들의 재능을 살려주고 싶습니다.

주의 사항은! 단순히 내가 아는 사례나 키워드를 나열만 하면 안 된다는 점이다. 사례보다 중요한 것은 사례를 응용한 나만의 방안, 교사로서 활용 방안이다.

(3) 실수를 줄이는 구상 전략

개별면접 구상 시간을 최대한 활용해야 좋은 결과를 기대할 수 있다. 다음 흐름도를 펼쳐 놓고 익숙해질 때까지 연습해 긴장되는 제한 시간 안에 완벽하게 구상해 보자.

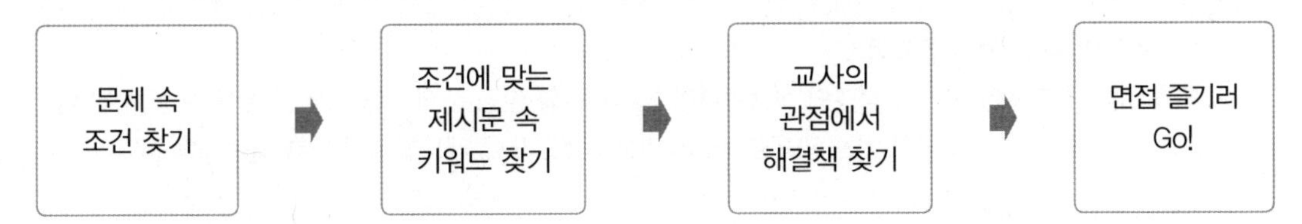

① 문제 속 조건 찾기

구상할 때 가장 기본은 문제를 꼼꼼히 읽는 것이다. 문제에는 조건이 심겨 있기 때문이다. 문제 속 조건을 찾아 형광펜으로 굵직하게 표시하는 것부터 시작하자.

② 조건에 맞는 제시문 속 키워드 찾기

문제를 읽었다면, 제시문으로 넘어가자. 제시문을 읽을 때는 조건을 충족시키기 위한 키워드를 찾는 것에 집중해야 한다.

③ 교사의 관점에서 해결책 찾기

해결책을 제시할 때는 교사로서 내가 할 수 있는 일에 초점을 맞춰 현실적인 답변을 구상해야 한다. 피상적 정책, 현실 사례만 늘어놓는 것이 아닌 나만의 방안을 꼭 포함하자! 여기에 나의 이야기, 성장 스토리를 추가한다면 더 진솔한 답변이 될 수 있다.

④ 면접 즐기러 Go!

이런 흐름으로 연습한 당신이라면 분명 시원한 청량감을 뽐내는 사이다 수험생이 될 수 있으리라 확신한다!

기출 사례로 적용해보기 2023학년도 비교과 구상형 1번 문제

다음 제시문을 참고하여 전공 연계 방안을 2가지 말하시오.

> **유네스코의 지속가능발전교육**
> 지속가능발전교육은 모든 연령대의 학습자들이 기후변화와 환경 문제, 생태다양성 손실, 물질 사용 남용 등과 같이 상호 연결되어 있는 과제를 풀어나가는 지식, 가치, 태도를 갖추도록 돕는 교육입니다.
>
> **2024 경기교육 방향성**
> 에듀테크 활용, 지역사회 연계, 학생중심교육, 학생맞춤형교육

1. 문제 속 조건 찾기

이 문제에서 파악할 수 있는 조건은 총 3가지이다.

① 제시문 참고 – 유네스코 지속가능발전교육
② 제시문 참고 – 2024 경기교육 방향성
③ 전공 연계 방안

➡ 전공 연계 방안만 언급하는 것이 아닌 ① 유네스코 지속가능발전교육과 ② 2024 경기교육 방향성과 관련된 답변을 해야 한다.

2. 조건에 맞는 제시문 속 키워드 찾기

교육 방안을 2가지 제시하라고 했으므로 키워드를 정리하며 2가지 방안을 구안한다.

- 기후위기 해결
- 물질남용 해결
- 생태 다양성 감소 해결

➡ ① 에듀테크 활용, ② 지역사회 자원과 연계
➡ 학생 중심·학생 맞춤형 교육이 될 것

3. 교사의 관점에서 해결책 찾기

해결책을 찾을 때는 단순히 교육 정책을 제시하거나 현장 사례를 열거해서는 안 된다. 교사로서 자신이 할 수 있는 일에 초점을 맞추어야 한다. 심리학에 따르면 인간의 뇌는 3가지 이상을 받아들이는 데 거부감을 느낀다고 한다. 방안은 3가지를 넘지 않게 구상하자!

① 유네스코 지속가능발전교육 내용 언급
유네스코는 기후위기, 물질사용 남용, 생태 다양성 감소 등의 문제를 지적하며 환경교육을 중시하고 있음. 이 자료와 2024 경기교육 방향성을 참고해, 학생 중심의 에듀테크를 활용한 방안과 지역사회 자원을 활용한 보건교육 방안을 생각해 봄

② 에듀테크 활용 방안
소모둠으로 토의한 후 패들렛 플랫폼을 통해 학교 안에서 일어나고 있는 환경 문제를 찾아보게 하고, 이를 해결하기 위해 일상에서 실천할 수 있는 환경 보호 내용을 적어보도록 함. 이런 문제가 건강에 미치는 영향은 무엇인지 조사하게 한 후 피드백 함. 이후 이 내용을 정리해 카드 뉴스를 제작하게 한 후 SNS에 업로드해 온라인 이웃들에게 영향력을 미칠 수 있도록 함

③ 지역사회 연계 방안
지역사회 환경 정화 활동을 함께 함. 줍깅 프로그램을 기획해 마을을 조깅하며 지역사회 환경 정화 활동을 하는 것임. 이 활동을 통해 환경 보호에 대한 성취감과 책임감을 갖출 수 있을 뿐 아니라 조깅을 통해 신체적 건강을 지킬 수 있음

4. 면접 즐기러 Go!

여러 방안을 말하는 경우 평가위원을 고려해 첫째, 둘째, 셋째 등 가짓수를 안내하면 좋다.

합격자의 달달한 조언!

구상실에서 사용할 꿀팁!

구상실에서는 자신의 필기도구 사용이 허락되니 형광펜을 꼭 챙겨가세요. 문제의 조건, 키워드를 형광펜으로 표시하면 긴장되는 상황 속에서도 확실히 눈에 띄어서 조건을 모두 챙겨가실 수 있을 것입니다.

2021학년도 합격자 김예은 선생님

구상형 답변을 망치는 99%의 요인

2022~2024학년도 최종 불합격자들의 답변 복기본을 검토한 결과, 놀라운 사실을 발견했다. 바로 구상형 답변을 망친 요인이 99% 일치한다는 점이다.
실력 문제일까? 아님 준비가 덜 돼서? 긴장해서? 아니었다. "제대로 읽지 않아서" 그게 전부였다. 조금 더 풀어서 이야기해 보자.

① 제시문을 제대로 분석하지 않고
② 그저 준비해 온 답변을 어떻게든 말하려고 해서

이것이 구상형에서 감점이 된 주된 요인이었다. 그럼 결론부터 말해보자. 어떻게 방향을 수정해야 할까?

① 철저히 제시문 문구에 입각해
② 찐 교사의 관점에서 '나라면 당장 몇 개월 뒤에 현장에 나가서 어떻게 할까?' 실질적으로 고민한 후 답변하기

실제 사례로 적용해 보자.

2022학년도 중등 구상형 1번

코로나19로 학생들의 사회성이 많이 떨어졌다. 다음 3가지 활동 중 하나를 선택하여 해결 방안을 말하시오.

1. 또래 활동
2. 창의적 체험활동
3. 주제 중심 체험활동

이 문제는 제시문에 입각했다면, 난도 최하인 아주 쉬운 문제였다. 주요 키워드는 '코로나19 상황'과 '사회성'이다. 이 2가지 단어가 들어가게 답변하면 된다.

최종 불합격자 공통 답변 내용

또래 활동 프로그램을 선택하겠습니다. 또래 활동 중 예술 활동을 진행하겠습니다. 경기도교육청에서는 예술공감터를 진행하고 있습니다. 예술공감터를 활용해 학생들끼리 뮤지컬 활동을 준비하는 과정에서 협동과 협력을 배울 수 있고 공동체 의식 등을 기를 수 있을 것입니다. 이상입니다.

언뜻 보면 감점 포인트가 보이지 않을 수 있다. 하지만 잘 분석해 보자. 이 문제에서 요구하는 것은 코로나19로 인한 사회성 부족을 해결하는 방안인데 답변에는 거시적인 정책명인 "예술공감터"와 어디에든 쓸 수 있는 "뮤지컬" 등 본인이 외워 온 대로 말해야겠다는 생각이 강하게 드러난다. 물론 이 답변이 오답이라고 말할 순 없지만, 교사의 소양, 자질 등이 먼저 보이기보다 면접을 위해 외우고 공부했다는 생각이 드는 답변이라는 것은 부정할 수 없다. 우리가 현장의 교사라면 코로나19로 인한 사회성 부족 문제를 해결하기 위해 또래 활동으로 예술공감터라는 장소를 활용할 것인가? 뮤지컬부터 시도할 것인가? 아니다!

찐 교사는 무얼 하는데?

사회성이 부족할 경우, 또래 활동으로 할 수 있는 가장 가까운 것부터 고민해야 한다. 그래야만 면접을 위해 암기하고 공부했다는 느낌을 탈피하고 '실제 현장 교사로서 고민을 많이 했구나.'라는 느낌을 줄 수 있다.

- 긴 온라인 수업으로 기초학력 부족 현상이 심각해졌습니다. 이러한 현상과 사회성 회복을 동시에 해결하기 위해 방역 수칙을 지키며 멘토-멘티 프로그램을 운영하는 방안을 생각해 보았습니다. (이후 설명)
- 운동, 학업, 인문·예술 등 공통의 관심사를 가진 친구들끼리 소모둠을 만들어 22일간의 습관 만들기 챌린지를 하고 싶습니다. (이후 설명)

등등, 얼마나 많은가!

최종 불합격자의 답안 내용은 '코로나19로 부족해진 사회성 회복'에 국한한 내용이 아니라 어디에서든 말할 수 있는 답변이므로 최우수 척도를 받지 못했을 것이 분명하다. 문제 속 키워드를 잘 파악해 이것을 답변에 넣어야 한다.

합격에 가깝게 수정한다면?

- 만약 준비해 온 뮤지컬과 예술공감터를 꼭 활용하고 싶다면 보다 제시문에 초점을 맞춰 '코로나19, 사회성'이란 문제의 주요 키워드와 그것을 잘 버무려야 한다.
  - 예 뮤지컬 활동을 통해 협력하는 방법을 익혀 간다면, 코로나19 상황을 극복하고 사회성을 회복할 수 있을 것입니다.
- 코로나19 상황이라는 키워드를 파악해, 온·오프 연계 방안을 말했다면 출제 의도를 정확히 간파했다고 할 수 있다. 실제로 만점자들은 모두 온·오프 연계 방안을 이야기했다.
- 예술공감터 같은 거시적 정책은 마지막에 언급하고 교사가 할 수 있는 일부터 언급한다.

방향 수정

또래 활동 프로그램을 선택하겠습니다. 왜냐하면 사회성을 상실한 만큼 가장 가까운 또래 활동을 통해 이 능력을 길러주는 것이 제일 효과적이기 때문입니다(이유 제시). 저는 그중 예술 활동을 통한 뮤지컬 교육을 하고 싶습니다. 뮤지컬은 춤과 노래, 공연이 어우러진 공연이므로 이를 준비하는 과정에서 협동, 협력을 배울 수 있습니다(근거 제시).
코로나19 상황을 염두에 두어, ZOOM 등 온라인 플랫폼에 모여 소모둠으로 회의를 진행한 후 전체 회의를 진행하는 방식으로 기획하고 싶습니다. 회의하며 의사소통 능력을 기를 수 있고, 사람과의 만남이 단절된 상황에서 새로운 소통의 창구를 만들 수 있을 것입니다. 한편 만약 코로나19가 심해서 등교가 어려운 상황이라면 공연팀은 마스크를 착용하고 학교에서 공연하고, 온라인 플랫폼으로 관람하는 방식을 통해 온·오프 병행으로 소통을 진행하겠습니다. 이렇게 한다면, 코로나19라는 제한적인 상황 속에서도 사회성을 기르는 데 도움이 될 수 있을 것입니다(제시문 언급).

즉답형 문제지만 한 가지 사례를 더 살펴보자.

2022학년도 비교과 즉답형 4번

보건교사로서 학급에서 갈등, 분쟁 상황이 발생하였을 경우 담임교사와 어떻게 협력할 것인지 구체적인 방안을 말하시오.

최종 불합격자 공통 답변 내용

경기형 관계 회복 프로그램 워크북을 활용해서 해결 방안을 모색하겠습니다. 또한 ADHD 학생들 때문에 그런 것이라면 그 학생들을 있는 그대로 바라볼 수 있도록 증상에 대해 설명하겠습니다. 문제 해결 서클을 만들어 학생들이 스스로 생활 규칙을 만들어 보고 문제를 해결할 수 있도록 돕겠습니다. 교사가 생활 규칙을 정해서 알려주는 것보다 학생들이 스스로 자신들의 문제점을 찾아보고 생활 규칙을 만들어 가는 과정을 통해 보다 책임감을 갖고 규칙을 지킬 수 있기 때문입니다.

이 답변 역시 제시문 그 자체를 해석한 것이 아니라 'ADHD 학생 지도 방안, 워크북, 서클'이라는 미리 준비해 온 키워드를 어떻게든 말해야겠다는 생각이 담겨 있다.

제시문에 몰입해, 순서만 바꿔보자!

찐 교사라면, 갈등이 생겼을 때 당장 워크북부터 제시할 것인가? 왜 문제 상황이 발생했는지 교육공동체의 의견을 들어보는 것부터 시작하지 않을까? 그것부터 언급한 후 워크북 등의 방안을 언급해야만 진짜 교사로서 고민했다는 것을 보여줄 수 있을 것이다.

> “제시문의 상황에 따라
> 정말 교사로서 할 수 있는 것을 가장 먼저 언급할 것”

이것이 사이다를 보지 않은 분들과 비교되는 섬세한 한 끗 차이이며 만점자들은 모두 사용하고 있는 방법이니, 꼭 명심하자.

(4) 순발력이 필요한 즉답형 대비법

구상형 문항은 조용한 공간에서 비교적 충분한 구상 시간이 주어지므로 앞서 제시한 구상 방안을 참고해 주어진 조건과 문항을 꼼꼼히 읽어만 낸다면, 조리 있게 답변할 수 있다. 하지만 즉답형은 수험생 앞에 놓인 파일을 열어 문항을 본 즉시 답변해야 하므로 역량 차이가 드러난다.

순발력이 필요한 즉답형을 대비할 수 있는 몇 가지 방법을 소개하도록 하겠다. 가장 기본적인 것은 모의 실연을 할 때 구상형과 즉답형에 시간을 똑같이 배분해서는 안 된다는 것이다. 즉답형은 문제를 읽고, 생각하고 정리해서 말할 시간이 필요하므로 즉답형에 시간을 조금 더 할애해야 한다.

연습 초반부에는 시간이 초과되더라도 끝까지 말하는 연습을 하는 것이 좋다. 그래야 내가 생각한 내용을 한 번이라도 더 내뱉어 내 것으로 만들 수 있기 때문이다. 시간 초과가 됐다면, 반드시 혼자서라도 복습 시간을 통해 제시간에 끝낼 수 있도록 연습하자. 어느 정도 연습이 된 후에는 시간이 초과되면 바로 말을 끊는 것이 좋다. 시간을 넘겨도 계속 발언하게 된다면, 거기에 안주할 수 있기 때문이다.

다음은 《사이다 면접》을 통해 합격한 선배 교사분들의 노하우이다. 이를 통해 즉답형에 순발력 있게 대처할 수 있는 역량을 길러보자!

즉답형 1번은 당황스러운 문제로 연습하기

2020학년도 시험에서 예상하지 못한 면접 질문이 나와서 매우 당황스러웠습니다. 또한 즉답형 2번의 경우, 상대적으로 대답하기 편한 문제였음에도 당황스러운 즉답형 1번 때문에 연쇄적으로 대답하기가 어려웠습니다. 즉답형 2번을 먼저 풀었다면, 오히려 시간 내에 잘 갖춰서 말했을 텐데, 긴장된 상황 속에서 중심을 잃었습니다. 스터디에서 연습을 할 때, 즉답형에서 첫 문항을 조금 더 어렵고 긴 문항으로 준비하는 것을 추천해 드립니다. 즉답형의 경우 정말 변수가 많습니다. 이런 식으로 연습하다 보면, 1번 문항에서 예상 밖의 문제가 나오더라도 시간을 조정하고, 조리 있게 답변하는 데에 큰 도움이 되리라 생각합니다.

2020학년도 합격자 정소은 선생님

구상형도 즉답형처럼 연습하기

심층면접을 준비할 때 가장 어려웠던 것은 즉답형 문제였습니다. 문제를 읽고 잠시 고민한 뒤 바로 답변해야 하기 때문에 구상형에 비해 부담스러웠습니다. 즉답형에 대비하기 위해 구상형 문제도 즉답형처럼 연습했습니다. 구상형 문제 역시 구상 시간이 한정적이기 때문에 즉답형처럼 빠른 시간에 떠올리는 연습을 하는 것이 도움이 됐습니다.

2019학년도 합격자 이아린 선생님

포스트잇으로 즉답형 연습하기

즉답형은 큰 변수이기 때문에 연습을 많이 해보시는 것이 좋습니다. 제가 추천하는 것은 포스트잇입니다. 번거롭더라도 큰 판에 질문이 쓰여 있는 포스트잇을 여러 개 붙이고, 무작위로 하나씩 떼어 질문에 답을 해보세요. 이렇게 즉답형 연습을 하면 실제 시험 현장에서도 긴장하지 않고 차분히 대답할 수 있을 것입니다.

2019학년도 합격자 어성우 선생님

(5) 개별면접에서 한 끗 차이 만들기

효과적인 면접 말하기를 위해 당연하지만 다른 사람들이 잘 신경 쓰지 못하는 중요한 3가지 포인트는 다음과 같다.

① 나의 발언과 행동에 대한 안내를 하자.

- 구상형 질문에 대한 답변드리겠습니다. (답변 종료 후) 이상입니다.
- 즉답형 문제 먼저 읽고 말씀드리겠습니다. (읽는 시간) 답변드리겠습니다.
- 3가지 방안을 말씀드리겠습니다. 첫째, (생략), 둘째, (생략), 셋째, (생략) 이상입니다.

위와 같이 문제를 읽는 시간, 문제를 끝낸 지점 등을 안내하는 것은 상대를 배려하는 말하기 태도이다.

수험생 응시 유의 사항 中
- 질문에 대한 답을 하고 답변 끝에 "이상입니다!"라고 종료 표시
- 즉답형 파일을 열고 한 문항씩 대답함. "이상입니다!"로 종료 표시
- 추가 질문에 대한 답을 하고 답변 끝에 "이상입니다!"라고 종료 표시

수험생 응시 유의 사항에는 위와 같은 문구가 있다. 나의 발언에 대한 안내를 한다면 보다 정돈된 답변을 하는 것은 물론 평가위원도 무작정 기다리지 않고 마음의 준비를 한 후 편안하게 평가에 임할 수 있을 것이다.

또한 발언의 가짓수를 서두에 꼭 언급하자. 이것 역시 듣는 사람을 배려하는 말하기 방식으로 더 집중해서 들을 수 있는 효과가 생긴다.

합격자의 달달한 조언! 

방법 3가지를 언급하기!

저는 문제에서 방법을 물었을 때 몇 가지를 말하라는 조건이 없을 경우 주로 3가지 방안을 첫째, 둘째, 셋째로 구조화해 대답했습니다. 1가지만 답변해서 전체가 어긋나는 것보다 3가지 답변을 하고 그중 일부만 핀트가 어긋나는 것이 낫기 때문입니다. 물론 너무 생각이 안 나면 억지로 3가지를 맞추지 않아도 되지만 깔끔하고 풍성한 답변을 위해서는 최대한 나누는 것이 좋습니다.

2021학년도 합격자 주진아 선생님

② 인사, 자리 정돈, 미소 등으로 기본 예의를 갖추자.

우리는 사소한 것으로도 사람을 평가한다. 마주쳤는데 간단한 목례조차 하지 않는 사람, 자신이 사용한 의자를 안으로 넣지 않고 나가버리는 사람, 뚱한 표정으로 대화하는 사람은 쉽게 호감이 가지 않는다. 면접 시간 10여 분은 사소한 행동으로 전체적 인상을 평가할 수 있는 어쩌면 긴 시간일지도 모른다. 3인의 평가위원이 있는 만큼 3가지 관점, 6개의 눈이 나를 살핀다는 것을 명심하자.

개별면접 공고문 中

- 수험생 입실 인사와 함께 '관리번호 ○○번입니다.' 하고 교탁 옆 대기석에 착석
- 평가 종료시간 전에 모든 답변 종료 후 조기 퇴실 가능함. 인사 후 구상 문제지 제출 후 퇴실

개별면접 공고문에는 위와 같은 문구가 기재돼 있다. 입실 인사와 인사 후 퇴실을 유의사항에 적어둔 만큼 수험장으로 가서 문을 열기 전 노크를 하고, 입실하기 전에 평가위원을 향해 정중하게 인사하는 예의는 기본 중에 기본이다. 면접 중에는 긴장이 되더라도 평가위원과 눈을 마주치며 밝게 웃기 위해 노력하자. 또한 면접을 마치고 나서 앉았던 의자를 넣고 인사를 한 후 퇴실해야 한다. 앞서 말한 첫 인상 3·3·3 법칙을 잊지 말자!

정중하게 시험실에 들어오는 그 3초가 나의 첫인상을 결정할 것이다.

③ 남은 시간을 모두 활용하자.

혹시나 시간이 남을 경우에 대비해 1분 미만의 짧은 멘트를 준비해 두자. 2차 시험은 '누가 더 절실한가'의 싸움이다. 하지만 반드시 기억해야 할 점! 나를 각인시켜보겠다고 시험이 끝난 후 평가위원을 향해 손으로 하트 모양을 그리며 윙크를 하는 등 본분과 자리를 잊고 가벼운 행동을 하는 것은 절대 금지이다(놀랍게도 2019학년도 시험에서 있었던 일이다). 교사가 될 수 있는 마지막 단계에서 정중하고 가슴에 꽂히는 마지막 1분으로 교사로서의 나를 보여주고 나오자.

합격자의 달달한 조언!

끝날 때까지 끝난 것이 아니다

면접이 끝났는데 시간이 조금 남았어요. 그래서 저는 평가실에서 그냥 나오지 않고 미리 짧게 준비해 둔 포부를 밝히고 나왔습니다. 제가 자리에서 일어나 나가려고 할 때까지 펜을 놓지 않으시고 무언가 체크하는 모습을 보았습니다. "정말 교사가 되고 싶습니다. 학생을 위하고 동료 교사와 협력하는 교사가 되겠습니다!"라고 폴더 인사를 하고 나왔습니다. 그것이 점수에 영향을 미쳤을지는 모르겠지만 세 분 모두 소리 내어 웃어주셨습니다.

2019학년도 합격자 김선규 선생님

평가위원의 표정, 태도에 흔들리지 말자!

저 포함 주변의 이야기를 들어보면 평가위원들이 갸우뚱하거나 무언가를 체크하는 모습, 찡그리는 표정에 따라 많이 흔들립니다. 시험 점수를 받아보면, 부정적 비언어 표현을 하신 것과는 달리 좋은 점수가 나온답니다. 그러니 평가를 위해 키워드 체크를 하고 경청하다 나오는 자연스러운 반응이라고 생각하세요! 너무 떨리다 보면 면접 도중이나 끝나고도 평가위원님의 표정과 반응에 대해 많은 의미를 부여하게 됩니다. 최대한 자연스럽게 나의 말을 경청하고 있어 그런 것이라고 마인드 컨트롤 하셔야 흔들리지 않습니다.

2021학년도 합격자 주진아 선생님

영어 및 외국어 교과 면접 전략

외국어 구상형 문제의 특징을 알고, 예상하며 준비하세요.

영어 교과의 경우 구상형 문제는 영어로, 즉답형 문제는 한국어로 대답하면 됩니다. 영어로 된 구상형 문제는 시중에 문제가 많지 않아서 직접 만드는 경우가 많습니다. 그런데 시험을 보고, 구상형 문제에서는 전문적인 시책이나 용어는 출제되기 어렵겠다는 생각이 들었습니다. 외국어로 구상형 답변을 해야 하는데, 전문적인 시책이나 용어는 면접관들 또한 이해하기 어려울 수 있겠다는 생각이 들었기 때문입니다. 선생님들도 이를 고려하시고 구상형 문제를 대비하면 좋을 것 같습니다.

• 아티클 작성자: 이수진 선생님(2021학년도 합격자)

외국어 구상형 답변의 핵심은? 쉬운 용어, 동사형으로 말하는 것입니다.

제2외국어 교과 수험생이 가장 고려해야 할 점은 '쉬운 용어로' 말하는 것이라고 생각합니다. 1차 시험에서 간결한 용어로 답안을 작성하기 위해 노력하는 것처럼, 면접에서도 간결하고 쉬운 언어로 말하는 연습을 해야 합니다. 그러기 위해서는 명사형 표현보다는 동사형 표현을 사용하는 것이 더 좋습니다. 한국어로 진행되는 즉답형 문제에서는 명사형 표현을 사용하는 것이 훨씬 좋지만, 외국어로 진행되는 구상형 문제에서 명사형 표현을 사용하다 보면 문장이 어려워지거나, 그 의도가 분명하게 드러나지 않는 경우가 생기기 때문입니다. 예를 들어, 저는 개인적으로 "We should provide students learning safety net"이라는 표현보다는 "We should provide safe environment for students when they learn something"이라는 표현이 훨씬 좋다고 생각했습니다. "learning safety net"이라는 표현은 경기도 시책의 "학습안전망"을 영어로 번역한 것인데, 이렇게 한국어를 그대로 영어로 번역하다 보면 의도한 바가 잘 드러나지 않는 경우가 많기 때문입니다. 시책을 영어로 번역할 때 1:1로 번역하려 하지 마시고, 동사형 표현을 사용해 문장으로 번역하는 연습을 하신다면 답변이 더 쉽고 간결하게 전달될 수 있다고 생각합니다.

• 아티클 작성자: 이수진 선생님(2021학년도 합격자)

교육청 홈페이지를 영문으로 바꿔놓으세요.

영어 면접을 준비할 때 어려운 점 중 하나는 시책을 영어로 답변하는 것입니다. '경기 꿈의학교', '고교학점제' 등을 어떻게 번역해야 할지 어려울 때가 많습니다. 이럴 때 해결책은, 교육청 홈페이지를 영문으로 바꿔 보는 것입니다! 경기도교육청 메인 화면 오른쪽 위에 'ENGLISH'를 클릭하면 교육청 홈페이지가 영어로 바뀌고 핵심 정책들을 영어로 번역해 놓은 것을 볼 수 있습니다.

또 한 가지 번역에 어려움을 겪는 것이 바로 핵심 역량입니다. 공동체 역량, 의사소통 역량 등 2015 교육과정의 6가지 핵심 역량을 어떻게 표현하는 것이 가장 정확한 표현인지 스터디원들끼리도 고민했었는데요, 이 역시 교육과정 문서의 영어 버전을 확인하면 모두 나와 있습니다. 국가교육과정정보센터 홈페이지에 접속해 마찬가지로 'ENGLISH'를 클릭하시면 영어로 번역된 2015 개정 교육과정 문서를 보실 수 있습니다.

• 아티클 작성자: 김양현 선생님(2020학년도 합격자)

홈페이지에서 영어로 된 시책을 찾지 못하였을 땐, 이렇게 해보세요.

영어 교과에서는 시책을 영어로 번역해야 하는 부담이 있습니다. 저 역시 《사이다 면접》을 읽고 경기도교육청 및 국가교육과정정보원 홈페이지를 ENGLISH로 바꾸는 팁을 얻어 많은 도움을 받았습니다. 하지만 그런데도 몇몇 시책과 용어는 홈페이지에 나와 있지 않아 한계가 있었습니다. 이때 제가 활용한 사이트는 '네이버 학술정보'라는 사이트입니다. 이곳에는 경기도 교육 시책과 관련된 여러 논문이 게재돼 있고, 그 논문의 영어 제목이 있습니다. 해당 시책이 학술적으로 어떤 영어 이름으로 불리는지 쉽게 찾으실 수 있습니다. 공식 사이트에서 찾기 어려운 정책이 있다면 '학술정보' 사이트를 적극적으로 활용하시는 것을 추천합니다.

• 아티클 작성자: 박유진 선생님(2021학년도 합격자)

(6) 개별면접 관련 주요 Q & A

Q 서론을 꼭 말해야 하나요?

A 그렇지 않습니다. 4년간 온·오프라인으로 모의 면접 평가위원 역할을 하며 안타까웠던 점은 수험생들이 어느 순간부터 서론을 말하는 것에 집중해 본론을 놓치거나 조건을 누락하는 경우가 매우 많다는 것입니다. '서론을 말해서 만점이 나왔다.'는 합격자 수기가 마치 정설처럼 굳혀져 모든 수험생이 모든 문항에 서론을 과도하게 넣는 현상이 생기고, 오히려 해야 할 것을 못하고 있어 피드백을 드린 적이 무척이나 많습니다. 과거 시험은 1~2줄짜리 간단한 문항이 제시되기에, 답변을 보다 풍성하게 만들기 위해 서론을 넣었지만, 최신 시험은 제시문이 상당히 길고 요구하는 조건이 추가되고 있는 추세입니다. 이것에 집중을 해야지, 듣기 좋은 서론을 만드는 데 구상 시간을 허비하면 주객전도가 된다는 사실을 명심하세요. 서론은 만점의 척도가 아닙니다. 가장 최우선적으로 할 일은 시험지를 받아보고, 요구하는 것을 파악한 뒤 그 조건을 모두 충족하는 것입니다. 하지만 서론을 넣으면 좋은 순간도 분명 있습니다. 《사이다 면접 Input》 16쪽 면접 아티클 '서론이 득이 되는 2가지 경우'를 참고해 주세요.

Q 과거 경력을 어느 범위까지 말해야 하나요?

A 개인의 성장 스토리, 개인적 일화는 개별면접이 아주 사랑하는 요소입니다. 또한 경기도교육청에서는 자신의 경험을 진솔하게 이야기하는 것을 선호합니다. 하지만 자기 출신지나 과거 근무지를 유추할 수 있는 지역명을 구체적으로 언급하는 것은 삼가야 합니다. '과거 기간제 교사로 근무하며~', '임용 시험을 준비하기 전, 간호사로 근무하며~', '소방관으로 활동하며 학생들의 안전을 중시했던 저는~'과 같이 신원을 암시하지만 않는다면 과거 경력을 드러내는 것은 자기 전문성을 어필하기에 좋은 전략입니다.

Q 저는 경기 정책에 공감하지 않습니다. 제 솔직한 생각을 말해도 될까요?

A 안 됩니다! 자기 생각을 경기 정책으로 가다듬어야 합니다. 왜냐하면 우리는 '경기도교육청 교사'가 될 것이기 때문입니다.

"네가 내 스타일은 아닌데, 사귈 사람이 없고 외롭긴 해서 그냥 한번 만나보는 거야." 이런 말을 듣는다고 생각해 보세요. 어떤 기분이 드시나요? 충분히 경기 정책에 공감하고, 이와 발맞춰 나가고 싶어 경기도교육청 교사에 지원했다는 느낌을 주셔야 합니다. 그래야 '적임자다!'라는 인상을 줄 수 있겠지요. 경기 정책의 실현성에 의문이 든다거나, 정책에 크게 공감하지 않더라도 적어도 수험생의 위치에서는 그 정책을 비판하거나 반대하기보다 충분히 이해하고, 혹시 우려되는 부분이 있다면 보완점이나 대안책을 교사의 입장에서 고민해 두는 정도에 그쳐야 합니다. 어쨌든 합격을 하고 현직 교사가 돼야만 우리에게 발언권이라는 것도 생기기 때문입니다.

Q 또 마스크를 쓰고 말해야 하면 어떡하죠? 발성도 잘 안되고 전달력이 떨어져서 고민입니다.

A 마스크가 시험장에서 꽤 중요한 부분을 차지한다고 생각해서 시험장에서 쓸 마스크를 고를 때 많이 고심했습니다. 제가 마스크를 쓸 때 제일 신경이 쓰였던 부분은 마스크가 내려가는 것이었습니다. 말을 하면 할수록 그리고 입 모양을 크게 하다 보면 자연스럽게 조금씩 내려가더라고요. 그렇게 되면 마스크에 손이 가게 되고, 면접관에게 안 좋은 인상을 심어줄 수 있어 줄이고 싶었습니다. 또 하나 신경 쓰인 점은 긴장을 하다 보면 숨을 크게 들이쉬게 되다 보니 마스크가 입으로 빨려들어 드는 불편함이었습니다. 그래서 결론적으로 선택한 것이 천 마스크와 마스크 뽕이었습니다. 천 마스크는 확실히 얼굴에 감기는 게 있어서 잘 안 내려갔습니다. 그런데 너무 딱 맞다 보니 불편함이 있었고 안경에 김이 서렸습니다. 그래서 마스크 뽕을 쓰니 마스크와 얼굴 사이에 충분한 공간이 생기게 되면서 입으로 마스크가 빨려드는 것을 막을 수 있었고 더불어 코 부분을 확실하게 잡아주어서 안경에 김이 서리는 것도 막을 수 있었습니다. 다만 목소리 전달력은 일회용 마스크 〉 KF94 〉 천 마스크 순이라고 느낍니다.

2021학년도 합격자 김예은 선생님

쫌 잘하는 스터디원의 비결 3가지

왜 그런지는 모르겠지만 그냥 듣기만 해도 너무 잘하는 게 느껴져서 주눅까지 들게 하는 스터디원을 한 번쯤은 만나 봤을 것이다. 딱히 이유는 잘 모르겠지만, 하는 말마다 신뢰가 가고 고개를 절로 끄덕이게 되는 그저 부러움의 대상인 그 스터디원, 비결이 대체 뭘까?

주변에서 '쫌 한다'는 소리를 듣는 수험생들을 분석해 보니, 대개 3가지의 공통적인 강점이 있었다.

> "첫째, 낮은 목소리
> 둘째, 자연스러운 어조
> 셋째, 내재화"

1. 낮은 목소리

높고 쩌렁쩌렁한 목소리는 신규 교사의 열정과 패기를 보여줄 순 있으나 시종일관 그렇게 말해서는 결코 전문성을 드러낼 수 없다. 높은 목소리로는 절대 상대에게 신뢰감을 줄 수 없다는 사실을 명심하자. 지적이고 전문적인 이미지를 강조하고 싶은가? 그럼 목소리를 의도적으로 낮추고 묵직하게 말하는 연습을 해야 한다.

나에게 어울리는 중저음의 목소리를 찾기 위한 한 가지 팁!

아무 말도 하지 않은 상태에서 나의 성대 위치를 점검해 보자. 그리고 그 부분을 꾹 눌러보자. 내 본연의 톤보다 높게 말할 때 성대가 위로 올라갈 것이고, 낮게 말할 때 성대는 아래에 위치한다. 높지도 낮지도 않은 딱 본연의 성대 위치에서 말할 때의 음높이가 상대가 듣기에 가장 안정적인 음이라고 한다. 한동안은 성대를 누르고 그 위치에 집중해 말하는 연습을 해보자. 의식적으로 높은 목소리는 삼가고 첫인사, 끝인사 때 활기참을 강조할 목적에서만 활용하자.

2. 자연스러운 어조

2022년을 강타한 연예인이 있다. 바로 '주현영'. 주현영은 '주 기자'를 통해 어리숙한 인턴 특유의 패기, 어눌함, 긴장감을 아주 잘 그려냈다(혹시 모르는 분은 유튜브에서 지금 당장 찾아보시길). 우리가 조심할 부분이 바로 주 기자 같은 말투이다. 신규 티, 어린 티 등이 묻어나는 주 기자 톤은 절대 신뢰를 줄 수 없다. 신규 특유의 풋풋함을 강조한답시고 주 기자 투를 쓰시는 분이 있는데, 내 순번 앞뒤로 자연스럽고 전문적인 목소리를 가진 사람들이 배치된다면, 당신은 쉽게 잊히거나 너무 어리숙하다고 판단될 것이다. 그것은 잘못된 전략임을 명심하자.

3. 내재화

앞에서 시험도 연애처럼 하자고 말씀드렸다. 연애서를 달달 외워서 사랑 표현을 한다면, 진정성이 드러나지 않듯이 외운 내용을 내뱉는 것으론 나의 간절함과 진정성을 표현할 수 없다. "나는 좋은 교사가 될 자신이 있고, 여기에서 내가 제일 경기도에 어울리는 교사야!"라는 자기 암시를 한 후에 머리에 있는 내용이 아닌 가슴에 있는 내용을 진솔하게 전달하자.

이 포인트들을 염두에 두고 스터디원을 바라보자. 그에게는 이 3가지가 다 녹아있을 것이다. 잘하는 스터디원의 비결을 알아냈으니 이제 그것을 내 것으로 취하기만 하면 된다.

사이다 면접

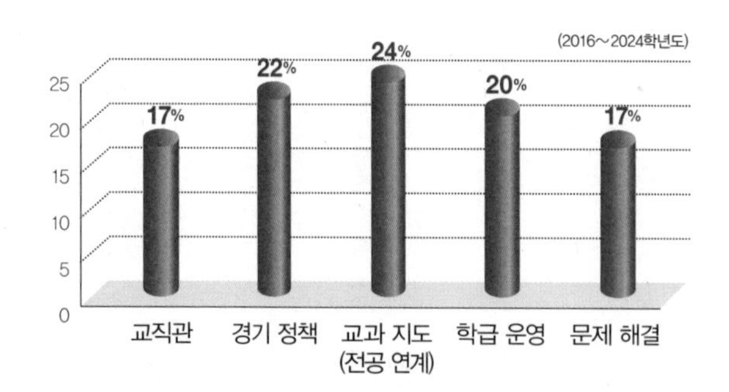

각급별 기출 빈도

- 초등: 교직관 → 경기 정책 = 학급 운영 → 문제 해결 → 교과 지도
- 중등: 학급 운영 → 경기 정책 → 문제 해결 = 교과 지도 → 교직관
- 비교과: 전공 연계 → 경기 정책 → 교직관 → 문제 해결 → 학급 운영

PART

50사이다
(2025학년도 면접 예상 주제 50가지)

자기 평가 척도 개념 이해/ 나만의 방안 제작/ 연계 문제

- ★★★★ 모두 답변 완료
- ★★★☆ 2개 완성
- ★★☆☆ 1개 완성
- ★☆☆☆ 반복 학습 필요

Chapter 03. 교육 정책 이해 및 적용(THEME 17~24)

Chapter 04. 교과 지도(전공 연계) 방안(THEME 25~31)

Chapter 05. 학급 운영 방안(THEME 32~39)

THEME	페이지	자기 평가	회독 수
32. 학급 경영	245	☆☆☆☆	□□□
33. 학교폭력 예방 교육	253	☆☆☆☆	□□□
34. 초등 저학년 학교생활 적응 방안	263	☆☆☆☆	□□□
35. 학생 문화 이해	266	☆☆☆☆	□□□
36. 마약·도박·디지털 성범죄 예방 교육	271	☆☆☆☆	□□□
37. 자기주도학습	275	☆☆☆☆	□□□
38. 다문화교육	279	☆☆☆☆	□□□
39. 특수교육·통합교육	286	☆☆☆☆	□□□

Chapter 06. 현장 문제 해결 방안(THEME 40~50)

THEME	페이지	자기 평가	회독 수
학생 문제			
40. 문제행동 학생	291	☆☆☆☆	□□□
41. 위기 학생	295	☆☆☆☆	□□□
42. ADHD 학생	312	☆☆☆☆	□□□
수업 문제			
43. 교육 약자	315	☆☆☆☆	□□□
44. 수업 문제 상황	317	☆☆☆☆	□□□
관계 문제			
45. 갈등 문제	321	☆☆☆☆	□□□
46. 회복적 생활교육	325	☆☆☆☆	□□□
47. 학부모와의 소통 및 연대	328	☆☆☆☆	□□□
문화 문제			
48. 청렴 문화	333	☆☆☆☆	□□□
49. 갑질 및 직장 내 괴롭힘 대응	337	☆☆☆☆	□□□
50. 양성평등 및 성인지 감수성	339	☆☆☆☆	□□□

사이다 진도표

공부를 시작한 날: 년 월 일

공부 목표: 년 월 일까지 책 1회독 끝내기

차근차근 21일 프로젝트

1일차	THEME 1~2	월 일	12일차	THEME 25~26	월 일
2일차	THEME 3~5	월 일	13일차	THEME 27~28	월 일
3일차	THEME 6~8	월 일	14일차	THEME 29~31	월 일
4일차	THEME 9~10	월 일	15일차	교과 지도(전공 연계) 방안 복습	월 일
5일차	THEME 11~13	월 일	16일차	THEME 32~35	월 일
6일차	THEME 14~16	월 일	17일차	THEME 36~39	월 일
7일차	교직관·교육 이슈 복습	월 일	18일차	학급 운영 방안 복습	월 일
8일차	THEME 17~19	월 일	19일차	THEME 40~44	월 일
9일차	THEME 20~22	월 일	20일차	THEME 45~50	월 일
10일차	THEME 23~24	월 일	21일차	현장 문제 해결 방안 복습	월 일
11일차	교육 정책 이해 및 적용 복습	월 일			

스피드 14일 프로젝트

1일차	THEME 1~2	월 일	8일차	THEME 24~26	월 일
2일차	THEME 3~5	월 일	9일차	THEME 27~28	월 일
3일차	THEME 6~9	월 일	10일차	THEME 29~32	월 일
4일차	THEME 10~12	월 일	11일차	THEME 33~36	월 일
5일차	THEME 13~15	월 일	12일차	THEME 37~39	월 일
6일차	THEME 16~20	월 일	13일차	THEME 40~44	월 일
7일차	THEME 21~23	월 일	14일차	THEME 45~50	월 일

스파르타 7일 프로젝트

1일차	THEME 1~7	월 일	5일차	THEME 29~36	월 일
2일차	THEME 8~15	월 일	6일차	THEME 37~44	월 일
3일차	THEME 16~23	월 일	7일차	THEME 45~50	월 일
4일차	THEME 24~28	월 일			

기출
주제 분석

임용 시험이 개편된 2016학년도부터 가장 최근 2024학년도까지 모든 기출문제를 토대로 기출 주제를 분류해 보면 크게 5가지 유형이 반복 출제됨을 파악할 수 있다.

❶ 교과 지도(전공 연계) 방안
❷ 경기 정책 연계 방안
❸ 학급 운영 방안
❹ 교직관
❺ 현장 문제 해결 방안

2016~2024학년도 초등, 중등, 비교과 기출 주제 유형 분류

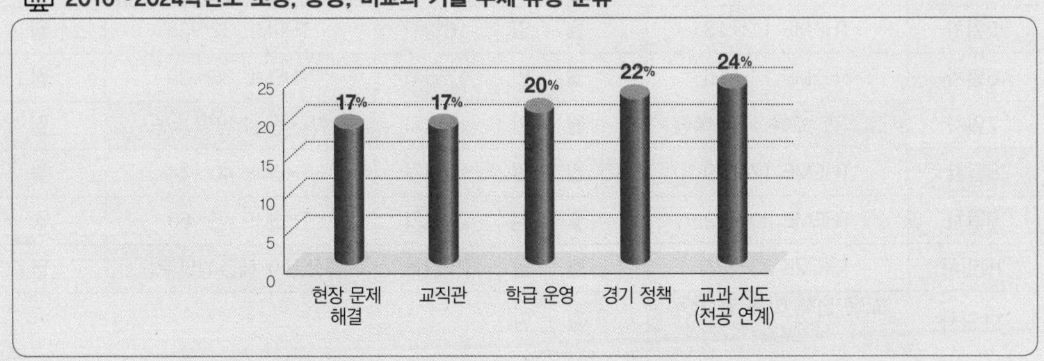

이 5가지 유형은 거의 비슷한 비중으로 출제되고 있지만, 각급마다 강조하는 것이 조금씩 다르다.

초등 주제 유형별 기출 비율

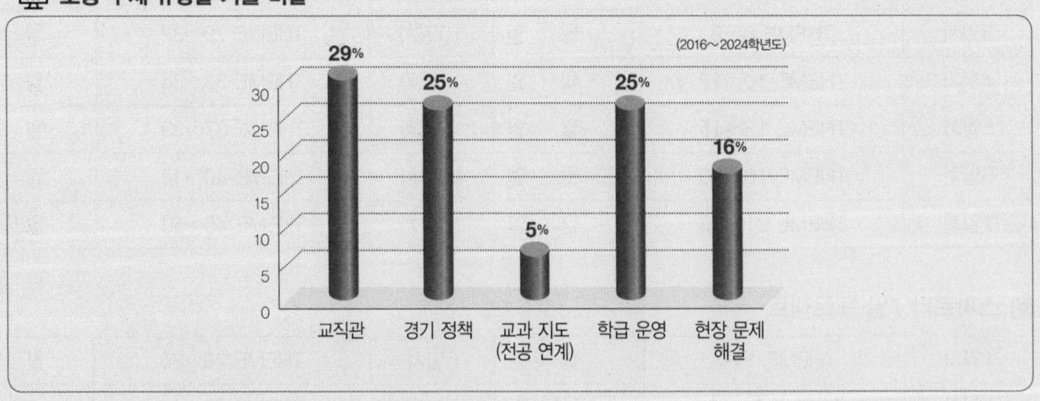

초등 수험생에게는 교직관 수립이 가장 중요하다. 자기만의 교직관을 토대로 경기 정책을 연계한 학급 운영 방안, 문제 해결 방안을 물어보는 문제가 가장 많이 출제됐다.

중등 주제 유형별 기출 비율

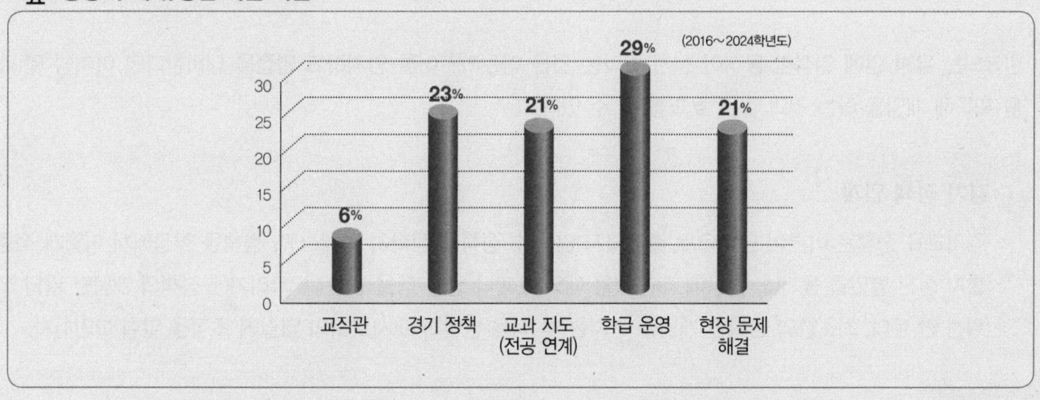

중등 시험은 경기 정책 이해를 바탕으로 학급 운영 방안을 묻는 문제가 가장 많이 출제됐다.

비교과 주제 유형별 기출 비율

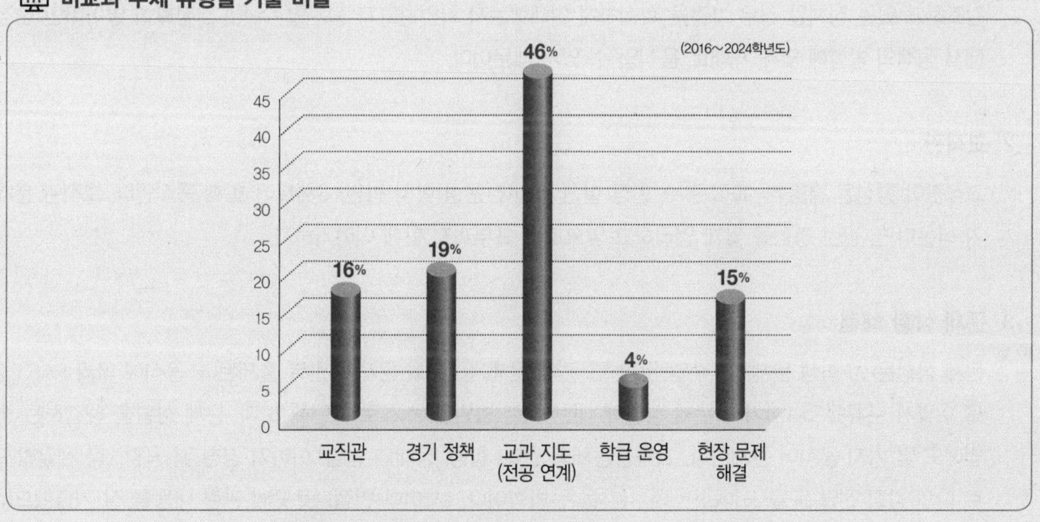

비교과는 전공 연계 방안이 가장 많이 출제됐다.

기출 주제 분석

유형마다 공식이 있다면?

반복되는 유형 안에 일정한 공식이 심겨 있다는 것을 아는가? 이를 인지하고 면접을 대비한다면 아이템 몇 개를 획득해 게임을 하는 것과 같은 효과를 낼 수 있다.

① 경기 정책 연계

경기교육 정책은 이론이 단독으로 출제되지 않는다. 정책을 정확히 이해하되, 정책을 현장에서 어떻게 적용할지 실천 방안을 묻거나, 현장에 적용됐을 때의 효과나 영향 등을 묻는다. 그러기에 정책의 개념만 달달 외워선 안 된다. 최소한의 정확한 개념을 숙지한 후 적용 방안과 교사로서의 역할에 초점을 맞춰 고민하자.

예외적으로,

자기성장소개서에 기반한 추가 질문에서는 정책 그 자체를 물어보기도 했다. 왜 그런 것일까? 이것은 수험생이 제출한 자기성장소개서에서 교육 정책에 대한 이해도가 충분히 드러나지 않거나 틀린 내용을 기술한 경우, 정말 이 정책을 알고 있는지 확인해 볼 목적에서 묻는 것이다. 또한 교육청에서 그해에 정말 중요하게 강조하고 있는 정책일 경우 그것을 확실하게 이해했는지 확인하고자 질문할 수 있다. 정확히 알아야만 현장에서 정책의 방향에 맞게 제대로 움직일 수 있기 때문이다.

② 교직관

교직관이 형성된 경험 ➡ 교직관 ➡ 현장 실천 방안(전문성 함양 방안) 3세트가 함께 움직인다. 교직관 문제가 나온다면, 관련 경험을 짧게 언급하고 앞으로의 포부까지 함께 이야기하자.

③ 문제 상황 해결

문제 상황은 ① 학생 문제, ② 수업 문제, ③ 관계 문제, ④ 문화 문제가 반복 출제된다. 공식에 따라 PART 2도 이렇게 분류했으니 4가지 문제 상황에 대한 해결 방안을 스스로 고민해 보자. 문제 상황을 해결하는 방법에도 몇 가지 공식이 존재한다. 교육공동체와 연대, 협동, 상대의 입장·이야기 경청 및 공감, '나 전달법'으로 나의 감정 전달 등을 포함하면 대부분 옳은 방향이다. 《사이다 면접》 곳곳에 관련 내용을 잘 기술했으니 해당 페이지를 참고하길 바란다.

합격자의 달달한 조언!

답변에 꼭 포함해야 할 공동의 가치!

면접에서 특히 평가위원분의 호의적인 표정과 반응을 확인했던 답변 지점이 있습니다. 바로, '먼저 충분히 고민하고 검토해 본 후 선배 교사분께 도움을 요청하겠다.'라는 답변입니다. 요즘 2030세대는 이전 세대보다 대체로 자신의 의견을 상사에게 편하게 이야기하고, 직장과 업무보다는 개인의 일과와 만족을 중시하기도 합니다. 이런 특성으로 교직 사회 내 세대 간 문화 차이가 충분히 존재할 수밖에 없습니다. 이런 상황에서 응시자가 경험이 많은 선배 교사에게 도움과 조언을 요청하겠다고 답변하는 것은 장차 학교 현장에서 선배로 마주할 평가위원께 깊은 인상을 남길 수 있을 것입니다. 다만, 지나치게 질문하고, 도움을 요청하겠다고 하면 일을 회피하려는 모습처럼 보일 수 있겠죠? 스스로 최대한 고민해 보고 내용을 충분히 숙지한 후에 도움을 요청한다고 말씀드린다면, 교육 전문가로서 자기 일에 대한 책임감을 느끼면서도, 선배 교사분을 존중하고 배울 의지도 있는 신규 교사라는 이미지를 남길 수 있을 것입니다!

2021학년도 합격자 박정우 선생님

④ 학급 운영 및 교과 지도 방안

교육 정책과 연계해 실천 방안을 묻는 식으로 출제되고 있다. 자신의 교직관을 토대로 하되 교육공동체와 연대, 학생 중심·체험 중심, 촉진자로서의 교사의 역할이 드러나게끔 답변하면 옳은 방향이라고 할 수 있다. 미래교육에 중점을 두고 있으므로 에듀테크 활용 방안, 지역사회 자원 활용 방안을 언급하거나 챗GPT 같은 이슈를 이해하고 이를 활용하는 방향을 언급한다면 현장성이 높은 교사임을 드러낼 수 있다.

합격자의 달달한 조언!

예상 답안을 자신의 교과와 연계하기!

2021년 비교과 심층면접은 거의 전공과 연계하라는 문제였습니다. 따라서 모든 테마에 최소 1가지 이상 전공 연계 방안을 생각해야 합니다. 문제에서 요구하지 않았더라도 예시에 자신의 전공을 연계한 답변을 한다면, 훨씬 전문성이 드러나겠죠?

- 비대면 독서교육 방안 ➡ 함께하는 독서: 건강 관련 책을 학생과 함께 선정해~
- 세계시민교육 방안 ➡ 보건 수업 시 세계의 건강 습관을 토의해~

2021학년도 합격자 주진아 선생님

기출
주제 분석

문제는 모두 다 풀어볼 것!

초등, 중등, 비교과 기출문제의 구성이 똑같기에 한 급에서 나온 문제가 다른 해에 다른 급의 문제로 출제되기도 한다. 그러니 모든 급의 기출문제를 다 풀어보아야 한다.

 **대표 사례**

2018학년도 중등 구상형 2번	2016학년도 비교과 구상형 2번	2016학년도 비교과 즉답형 1번
담임교사로서 사이버폭력 대처 방안 및 존중과 배려가 있는 학급을 위한 경영 전략을 말하시오.	자기 직무와 관련해 학교 부적응 위기 청소년을 어떻게 발견하고 도울 것인지 말하시오.	삶에서 겪은 공동체 경험과 이를 통해 배운 것을 말하고, 교직에서 어떻게 실현할 것인지 말하시오.
↓	↓	↓
2020학년도 비교과 즉답형 2번	**2018학년도 중등 즉답형 2번**	**2017학년도 초등 즉답형 2번**
정신적 폭력을 줄일 방안을 제시하시오.	담임교사로서 학업중단위기의 학생을 어떻게 지도할 것인지 말하시오.	성장 과정에서 겪은 어려움을 협업으로 해결한 경험을 말하시오.

면접 만점을 위한 유의사항

"지식을 넣지 말고 생각을 꺼내자"

면접시험은 여러분의 암기 능력을 확인하고자 하는 것이 아닙니다. 교사로서 선생님의 "생각"을 묻게 될 거예요.

정책을 외우는 것이 아니고?
네, 기출문제를 제대로 분석하면 쉽게 알 수 있듯이 정책의 이해 정도를 테스트하는 것이 아닌 정책을 알고 그것을 현장에 어떻게 적용할 것인지 선생님의 생각을 궁금해한답니다.

그러니 꼭 생각을 꺼내야 해요.
1차 시험을 치듯 암기하는 것이 아닌, 핵심 테마에 대해 고민하고 스터디원과 의견을 공유하는 시간을 가져보세요. 이것을 하느냐 마느냐가 결국 합격 여부를 가를 것입니다.

또한 상향식 공부를 하셔야 해요.

상향식·연계적 공부 ⇔ 하향식·분절적 공부

지도 방안 ↑	교육 방안 ↑		협력 방안 ↑	
학생	나의 전공	학교	학부모	지역사회
교직관				

교직관 문제는 빈출 파트이기에 중요한 것도 있지만 교사가 되기 위해서도 반드시 짚고 넘어가야 할 부분이랍니다. 교직관이 탄탄한 교사는 어떠한 위기 상황에서도 흔들리지 않고, 자기의 소신으로 교직 생활을 건강하게 헤쳐 나갈 수 있거든요. 지도 방안, 교과 연계 방안, 학급 운영 방안 등을 분절적으로 생각한다거나 다른 교사의 것을 모방한 후 교직관을 고민해 보는 하향식이 아닌, 탄탄하고 일관적인 교직관을 토대로 학생, 전공, 교육공동체(학교-학부모-지역사회)에 대해 고민하고 방안을 떠올려야 해요. 그래야 자기만의 색깔이 뚜렷한 매력 있는 교사로서 자신을 어필할 수 있답니다.

마지막으로, 방안을 경기형으로 다듬는 것이 필수랍니다!
자신이 만든 방안이 경기도의 정책과 같은 방향을 보고 있는지 스터디원과 꼭 검토해 보세요.

자, PART 2를 공부할 준비되셨나요? 그럼 좋은 교사가 되기 위해 떠나봐요!

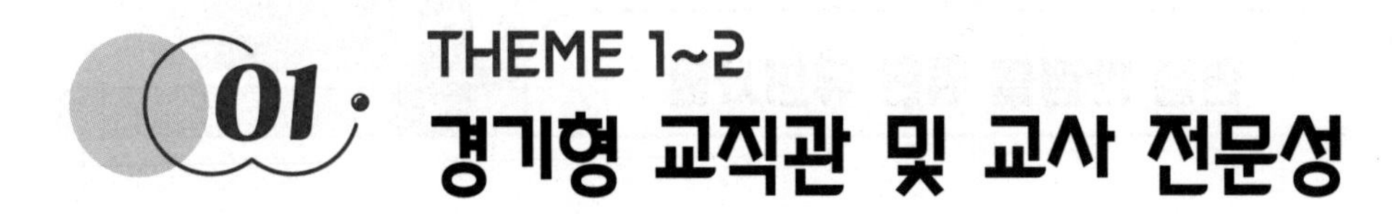

★★★ 빈출주제

• THEME 1. 경기형 교직관 수립
• THEME 2. 교사 전문성 및 미래교육 역량 강화

9개년 출제 유형 분석

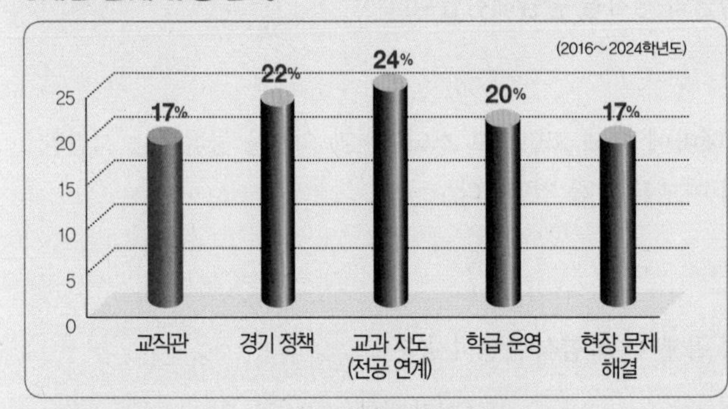

빈출주제 BEST 3

① 교직관
② 미래 교사 역량
③ 교사 전문성 신장 방안

교직관은 자기성장소개서와 개별면접의 빈출주제입니다. 그뿐만 아니라 교육 실천 방안, 정책 적용 방안을 물으며 그 기저에 있는 교직관을 파악하려는 문제도 많이 출제됐습니다.

교직관을 정비하지 않은 채 다른 사람들이 사용하는 현장 적용 방안 중 좋아 보이는 것을 읊는다면, '외웠다'라는 느낌이 들 뿐 교사로서의 진정성을 전달하는 데 실패할 것입니다. 탄탄한 교직관이 있어야 나만의 일관된 현장 적용 방안이 나올 수 있답니다.

만점 대비 공부법!

해당 주제는 워크북 형식입니다. 반드시 모든 질문에 관해 깊이 고민해 보며, 자기 생각을 꺼내야 합니다. 모의 면접 형태의 스터디를 잠시 멈추고 스터디원과 교직관에 관해서만 이야기를 나눠보세요. '경기형 교직관'이 맞는지 확인해 보고 '타인이 듣기에 가슴을 울리는 인상 깊은 지점'은 어디인지 찾는 과정이 필요합니다. 자기만의 스토리와 교직관이 있느냐, 없느냐는 당락을 가르는 중요한 포인트라는 것을 절대 잊지 마세요.

★★★

1 경기형 교직관 수립 공 – 수업·나눔 연계

현장 이야기로 사이다열기

2024년에 경기도 초·중등학교 교육과정 총론이 개정 고시되고,
'사유하는 학생, 깊이 있는 수업'이라는 새로운 경기 교수학습 방향이 강조되는 등
경기교육의 색이 점차 뚜렷해지고 있습니다.
하지만 변하지 않는 교육철학도 존재하죠.
긍정적인 학생관, 지역사회와의 교육적 연대, 학부모와의 파트너십 같은 거요.
가장 첫 번째 주제는 경기형 교직관을 수립해 보는 시간입니다.
다른 교육청이 아닌 '경기도 교육청'만을 위해 준비된 교사라는 것을 어필하기 위해 이 주제는 매우 중요합니다.
하나도 놓치지 않고, 꼼꼼히 봐주셔야 해요!

#경기형_교직관

All 기출 문장 및 빈도 체크

연도	자기성장소개서 성			집단토의 토			개별면접 면		
	초	중	비	초	중	비	초	중	비
2016	✓	✓	✓				✓	✓	✓
2017	✓	✓	✓				✓	✓	✓
2018	✓	✓	✓				✓	✓	✓
2019	✓	✓							
2020		✓	✓				✓		✓
2021	미시행						✓		✓
2022	미시행						✓		
2023				미시행					
2024				미시행			✓		✓

*공통 공

경험 연계

[24' 비면] 갈등 상황에서 소통과 협력으로 해결해 나갔던 경험과 이를 교직 현장에서 교사 관계에 적용할 방안을 전공과 연계해서 답변하시오.

[24' 초면] 교육 실습생 시절 가장 어려움을 느꼈던 경험을 말하고, 이를 해결하기 위한 역량과 역량을 갖출 수 있는 노력 방안에 대해 각각 2가지 말하시오.

[24' 초면] "너는 봄날의 햇살 최수연이야."를 읽고 따뜻한 말로 위로를 받거나 감동했던 경험을 말하고, 그에 따른 자신의 교직관을 말하시오. 또한 학급 담임으로서 이를 실현할 방안을 2가지 제시하시오.

[21' 초면] 코로나19 상황에서 공동체성을 발휘한 경험과 이를 교육 활동에 적용할 방안을 말하시오.

[20' 초면] '온 마을이 학교다.'라는 말을 자기 경험에 빗대어 논하고 교실에서 실현할 방안을 말하시오.

[20' 중비성] 자신이 자라온 환경과 비교하여 농어촌 지역 발령 후 적응 계획을 제시하시오.

[20' 초면] 교사의 존재 의미를 정의하고, 자신의 경험에 빗대어 설명하시오.

[19′ 중성] 자신의 경험을 토대로 진로를 고민하는 학생에게 상담 메시지를 쓰시오.
[18′ 공성] 자신의 성장이 언제 많이 일어났는지 말하고, 이 경험이 교직에 어떠한 영향을 미칠지 말하시오.
[18′ 공성] 학창 시절 힘들었던 경험과 교사가 되어 똑같은 일을 겪은 학생에게 하고 싶은 말을 쓰시오.
[18′ 초성] 자신의 경험에 비추어 학생에게 공정성을 가르칠 때 기준이 되는 것이 무엇인지 말하시오.
[18′ 공면] 소통, 협업 등 집단지성을 발휘하여 무언가를 성취했던 경험을 말하고 그 의미를 설명하시오.
[17′ 중면] 교사가 되고 싶은 제자를 어떻게 지도할 것인지 자신의 경험과 연계하여 말하시오.
[17′ 초면] 성장 과정에서 겪은 어려움을 협업으로 해결한 경험을 말하시오.
[16′ 중면] 인생에서 슬프거나 실패한 경험과 이를 통한 깨달음이 교직 생활에 어떤 도움을 줄지 말하시오.
[16′ 비면] 공동체 경험과 이를 통해 배운 것, 교직 적용 방안을 말하시오.
[16′ 공성] 교육 봉사, 실천 경험을 말하고 깨달은 점을 제시하시오.

교직관·교사상

[22′ 초면] 신년사를 읽고 학생들을 미래 인재로 양성하기 위해 교직관을 바탕으로 교사가 지녀야 할 역량과 노력할 점을 말하시오.
[22′ 초면] 제시문의 입장(학생은 스스로 성장 vs 어른의 도움 필요)을 선택하여 본인의 생각을 말하시오.
[21′ 비면] 교직을 선택하게 된 동기를 포함하여 교사로서 필요한 소양에 대해 말하시오.
[20′ 중비성] 자신의 교육철학이 드러날 수 있는 교육 거버넌스 구축 계획을 설계하시오.
[18′ 초면] 교사 존경도가 낮은 원인을 통계 자료를 통해 분석하고 그 해결 방안을 자신의 교사상과 연결하여 말하시오.
[17′ 공성] 본인의 교사상은 무엇이며, 이에 영향을 준 책의 한 구절을 인용하고 이유를 설명하시오.
[17′ 초면] 제시된 시(교사의 영향력)를 교직관과 관련지어 말하고, 교직 실천 방안을 말하시오.
[17′ 비성] 교직을 비판하는 어르신에게 답변하시오.
[16′ 초면] 본인의 교육철학과 현장에서 실천할 방안을 말하시오.

현장 실천 계획·방안

[20′ 초면] 제시문 속 학교 교육의 본질에 대한 질문의 의미는 무엇이며, 교직에서 하고 싶은 활동은 무엇인지 말하시오.
[20′ 초면] 교사로서 강점과 약점을 말하고 강점 극대화 방안과 약점 극복 방안을 말하시오.
[20′ 비면] 교과와 관련하여 신입생 안내 책자에 수록할 내용 3가지를 제시하시오.
[18′ 비면] 본인의 전공도 흥미 분야도 아닌 주제에 대해 동아리 담당 교사를 해달라고 하는 학생들을 어떻게 할 것인지 말하시오.
[17′ 비면] 왜 간호사(영양사/상담사)가 아닌 보건교사(영양교사/전문상담교사)가 되려는가? 현장의 문제 상황을 해결하기 위해 어떤 노력을 할 것인지 말하시오.
[17′ 비면] 제시문을 읽고 교사에게 부족한 자질 2가지(협동, 의사소통, 소명 의식)를 찾고 이를 해결할 수 있는 계획을 세우시오.
[16′ 중성] 직무수행에서 본인의 강·약점과, 강점을 극대화하고 약점을 극복하기 위한 방안을 쓰시오.
[16′ 공성] 노력을 했지만 성적이 좋지 못한 우리 반 학생에게 용기를 북돋을 수 있는 편지를 쓰시오.

1 경기형 교육관의 이해

교직관 문제의 패턴은

① 본인의 교직관을 바탕으로
② 제시된 경기교육 자료를 분석해
③ 구체적인 현장 실천 방안을 묻는 식으로 출제된다.

따라서 경기도 교육과정의 전반적인 특징을 이해해 교직관을 경기형으로 다듬고, 이를 현장에 적용할 구체적인 실천 방안을 고민해야 한다.

또한
④ 교직관이 형성된 경험을 묻고,
⑤ 현장 실천 계획이나 포부를 묻는 문제도 다수 출제됐으니

기출에 초점을 맞춰 교직관을 재정비해 보자.

2

(1) 경기교육의 지향: 자율, 균형, 미래

① **자율**: 다양성과 창의성을 보장하는 경기교육의 원동력 ➡ 경기교육은 교육공동체가 신뢰를 바탕에 두고 소통과 협력으로 교육의 전반에 대해 스스로 결정하고 책임감 있게 실천할 수 있도록 지원해야 함 ➡ 이를 위해 모든 교육 주체가 상호존중과 협력을 바탕으로 함께 성장하는 문화를 조성하고 학생의 요구와 사회의 요구 사항을 반영한 교육과정을 제공해야 함

② **균형**: 교육의 본질에 집중하겠다는 경기교육의 다짐 ➡ 경기교육은 교육공동체가 서로 다름을 인정하고 존중하며 모두의 조화로운 성장을 지원해야 함 ➡ 이를 위해 인지적, 사회적, 정서적, 신체적 영역에서 조화로운 발달이 이루어지도록 균형 잡힌 교육과정을 제공해야 함

③ **미래**: 경기교육이 열어가는 새로운 길을 의미 ➡ 경기교육은 학생이 저마다 꿈을 스스로 펼치고 함께 만들어 미래를 향해 나아갈 수 있도록 지원해야 함 ➡ 이를 위해 모든 학생이 잠재력을 최대한 발휘할 수 있는 유연한 교육과정을 설계하고, 에듀테크 등을 활용한 학생 맞춤형 교육으로 문제해결력과 창의력을 키우는 교육과정을 제공해야 함

사이다 톡 talk! 자율, 균형, 미래의 기조에 맞는 교육 방안을 고민해야 해요. 학생과 사회의 요구를 반영할 것, 전인적 성장을 도모할 것, 에듀테크를 활용할 것! 잊지 마세요.

(2) 경기도 교육과정의 방향

학생들이 "기본 인성과 기초 역량을 갖춘 자기주도적인 사람"으로 성장하게 하는 데 중점을 둠

- **기본 인성**: 인공지능이 대체할 수 없는 인간다움을 더욱 강화하고, 공동체 의식과 책임감을 토대로 한 기본 윤리 의식을 함양하며 포용성과 개방성의 태도로 인류애를 갖추는 것 ➡ 디지털 환경과 인공지능 시대일수록 관계 속에서 인간다움을 잃지 않는 교육에 초점을 맞추어야 함

• 기초 역량: 지식·이해, 과정·기능, 가치·태도가 통합적으로 작동돼 '총체성'을 특징으로 하며, 궁극적으로는 전인적인 발달을 추구함. 기초 역량은 사람마다 발달의 속도가 다르며, 수행으로 발현될 수 있음. 이때의 수행은 단순한 활동만을 의미하는 것이 아니라 문제해결 및 창의적·비판적 사고와 같은 고차원의 사고작용을 포함함

학생들이 "기본 인성과 기초 역량을 갖춘 자기주도적인 사람"으로 성장하기 위한 경기도 교육과정의 방향은 다음과 같음

① 첫째, 모든 학생이 잠재력을 최대한 발휘할 수 있도록 하며 미래사회에 요구되는 능력을 길러주는 것을 목적으로 한다. 특히, 통합적으로 사고하고 창의적으로 문제를 해결할 수 있는 역량을 갖출 수 있도록 한다.

② 둘째, 기본 인성을 갖출 수 있는 균형 잡힌 교육과정을 제공하여 인성 교육과 사회·정서 학습을 강화한다.

③ 셋째, 교육공동체가 자율성을 바탕으로 주도성을 발휘할 수 있는 교육과정과 교육 환경을 마련한다.

④ 넷째, 상호존중과 협력을 바탕으로 교육공동체가 함께 성장하는 학교·학습 문화를 만들어갈 수 있도록 지원한다.

(3) 경기도 교육과정 중점 역량

자기관리 역량	자아정체성과 자신감을 가지고 자신의 삶과 진로를 스스로 설계하며 이에 필요한 기초 능력과 자질을 갖추어 자기주도적으로 살아갈 수 있는 역량
지식정보처리 역량	문제를 합리적으로 해결하기 위해 다양한 영역의 지식과 정보를 깊이 있게 이해하고 비판적으로 탐구하며 활용할 수 있는 역량
창의적 사고 역량	폭넓은 기초 지식을 바탕으로 다양한 전문 분야의 지식, 기술, 경험을 융합적으로 활용해 새로운 것을 창출하는 역량
심미적 감성 역량	인간에 대한 공감적 이해와 문화적 감수성을 바탕으로 삶의 의미와 가치를 성찰하고 향유하는 역량
협력적 소통 역량	다른 사람의 관점을 존중하고 경청하는 가운데 자신의 생각과 감정을 효과적으로 표현하며 상호협력적인 관계에서 공동의 목적을 구현하는 역량
공동체 역량	지역 · 국가·세계 공동체의 구성원에게 요구되는 개방적·포용적 가치와 태도로 지속가능한 인류 공동체 발전에 적극적이고 책임감 있게 참여하는 역량
문제해결 역량	학습이나 삶에서 발견한 문제를 협력하여 합리적으로 해결할 수 있는 역량

사이다 톡 talk! 2022 개정 교육과정에서 밝힌 핵심 역량도 경기도 교육과정 중점 역량과 똑같아요. 문제해결 역량을 제외하고 모두 똑같답니다. 그러니 이러한 역량의 중요성을 알고 학생들에게 이러한 역량을 길러주기 위한 방안에 대해 고민해 두셔야 합니다. 학급 운영과 교육과정 연계 방안(교과 지도, 창의적 체험학습 연계 등) 측면에서 두루 생각해 주세요!

(4) 경기도 교육과정의 특성 기출

① 인성교육으로 공동체성을 함양하는 교육과정

학교는 학생이 인간으로서의 존엄과 가치, 바른 인성을 갖추도록 인성교육을 강화해야 함. 또한 디지털 전환 시대에 필요한 시민교육으로 학생들이 디지털 시민성을 갖추도록 해야 함

② 기초소양의 토대 위에 역량을 함양하는 교육과정

기초소양은 학습자가 자기주도적으로 학습하기 위해 모든 교과 학습의 기반이 되는 능력으로 역량을 키우기 위한 깊이 있는 학습의 토대가 됨. 기초소양을 바탕으로 학교에서는 지식 중심 교육이 아닌 실생활을 살아가는 데 필요한 역량을 중심으로 교육과정을 운영함

③ 전문성과 자율성에 기반한 유연한 교육과정

학교는 학생 삶의 맥락과 연결되는 의미 있는 학습 경험을 제공해 학생의 성장을 촉진함. 또한, 교육공동체는 적극적인 참여를 통해 학생들의 다양한 학습 요구를 반영해 학습선택권을 확대하는 학생 맞춤형 교육과정을 운영함

④ 지역과 협력하여 교육생태계를 확장하는 교육과정

미래사회에서의 학습은 학교 공간뿐만 아니라 일상에서 경험하는 모든 장면이 학습으로 전환될 수 있어야 함. 학교는 교육을 중심에 두고 지역과 협력하여 학습의 시공간을 확장하고 삶과 연계한 학습 경험을 제공함

⑤ 지속가능한 미래로의 전환을 추구하는 교육과정

급변하는 미래사회에서 학생들이 주도성을 발휘할 수 있도록 에듀테크 등 다양한 교수·학습 방법을 활용해 개별 학생들에게 최적화된 맞춤형 교육으로 깊이 있는 학습이 이루어질 수 있도록 함

사이다 톡 talk! 교육과정을 이해했으면, 수업 방향도 그 속에서 이뤄져야겠죠. 수업 실연에서도 마찬가지예요. 교육과정의 특성을 고려하고, 이러한 것을 녹여내는 수업관, 수업 실연이 돼야 합니다.

(5) 새로운 경기 교수학습 방향: 사유하는 학생, 깊이 있는 수업

① 사유하는 학생

개인의 경험, 지식, 문화, 사회적 맥락에 따라 구성된 가치와 신념을 탐색하고, 이에 대해 비판적으로 생각하며 스스로 자신의 믿음과 가치에 대해 깊이 성찰하는 학생

② 깊이 있는 수업

학생이 개념 이해를 바탕으로 삶의 맥락을 반영한 문제를 해결하는 학습을 강조하는 수업으로, 학생의 사유와 질문으로 학생과 교사 주도성이 조화를 이루어 비판적 사고 및 문제해결 역량 등 미래 역량을 향상시키는 데 중점을 두는 수업

③ 사유하는 학생, 깊이 있는 수업을 위한 방향
- 학생과 교사 주도성의 조화
- 질문 탐구 수업
- 삶의 맥락 문제 해결

사이다 talk! '사유하는 학생, 깊이 있는 수업'은 경기도교육청에서 새롭게 만든 정책으로, 강조하고 있는 주요 정책 중 하나입니다. 학생은 지식의 단순한 수용을 넘어서 스스로 탐구하고, 성찰하는 등 사유의 과정을 거칩니다. 그러기 위해서는 교사가 이러한 과정이 드러나도록 수업 설계를 해야겠죠. 그게 바로 깊이 있는 수업입니다. 삶의 문제를 해결할 수 있는 수업, 교사와 학생 모두 주도적으로 참여할 수 있는 수업, 비판적 사고력과 문제 해결력을 기르기 위한 수업! 우리의 수업관과 수업 실연 역시 이러한 방향이 담겨야 합니다. 꼭 기억해 주세요! 별표 다섯 개입니다!

2 교육철학 성찰

(1) 교육철학

① 교육을, 교사의 직무를 어떻게 이해하고 있는지에 대한 관점
② 교육 활동에 대해 '왜?'라는 질문을 던지고 그에 대한 답변을 고민하는 것
- **교육관**: 교육이란 무엇인가?
- **교사관**: 교사는 어떤 존재인가?
- **학생관**: 학생은 어떤 존재인가?
- **수업관**: 수업이란 무엇인가?

이 물음에 답할 수 있어야 함

사이다 talk! 앞서 경기형 교육관에 대해 이해하는 과정을 거쳤습니다. 교육철학은 이 방향과 일치해야 합니다.

(2) 중요성

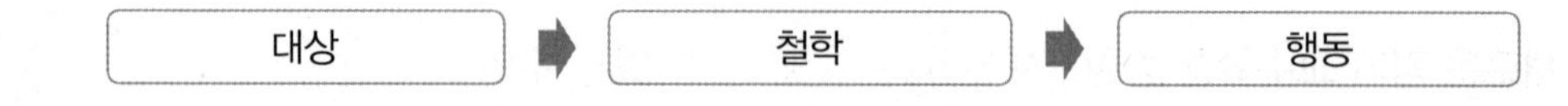

① 교육 활동은 모든 것을 가르치는 것이 아니라 의도된 가치·철학에 따라 선택해 행함 ➡ 교육생태계와 어떻게 연계해 무슨 활동을 할 것인지에 대한 기준이 됨
② 기준이 바로 선 교사는 어떤 상황에서도 흔들리지 않고 일관된 교육을 실현할 수 있음

(3) 정립 방법: "전·생을 생각하기"

"나에게 **전**공이란?"　　"나에게 교육 **생**태계란?"

① 전공: 교사로서 나의 전공에 대한 고민 ➡ 전공자에서 교육자로의 관점 변화 ➡ 나는 학문을 선택한 것이 아니라 교육을 선택한 사람이기 때문!

▶ **2018학년도 비교과 면접** 간호사가 아닌 보건교사가 된 이유는 무엇인가?

함께 채워 봅시다

왜 교사가 되고 싶은가요? 과거 경험과 연관 지어 그 이유를 말하세요. 또한 현장에서 어떤 교사가 되고 싶은지 이상적인 교사상을 말하세요.

교사가 되고 싶은 이유 :

관련 경험 :

현장에서 어떤 교사가 될 것인지 :

사이다 톡 talk! 혹시 '가르치는 게 즐겁다', '잘 가르친다'라는 관점에서 작성하진 않았나요? 그렇다면 다시 고민해 주세요. 가르치는 것은 그 어디에서도 할 수 있잖아요. 왜 하필 그곳이 학교여야만 하는지? 평가위원을 설득할 수 있도록 '공교육 교사의 자부심'이 드러나야 해요. 또한 앞으로의 교육은 지식을 잘 전달하는 티칭 능력이 아닌, 학생들의 성장을 잘 관찰하고 적절하게 피드백할 수 있는 코칭 능력을 중시하기에 앞선 답변은 적절치 못하답니다. '학생의 성장을 관찰하는 기쁨, 다양한 공동체와 협력하는 기쁨이 좋아서'라는 약간은 형식적이지만 진솔한 답변이 경기형 교사로선 적합하답니다. 현장에서 역시 그러한 교사가 되겠다는 일관성을 보여주셔야겠죠?

전공을 선택한 이유를 과거의 경험을 들어 이야기해 보고, 어떤 교과교사가 될 것인지 포부를 이야기하세요. 역량 강화 방안도 함께 이야기해 보세요.

과목 선택 이유 :

관련 경험 :

포부 :

역량 강화 계획 :

사이다 톡 talk! 전공 선택 이유를 고민해 보세요. 추천하는 방향은 교과를 통해 얻었던 삶의 역량에 가치를 느꼈다거나, 교과 선생님과의 추억, 교과 시간 친구들끼리 함께했던 프로젝트 학습에서 얻은 기쁨과 성취감 덕분이라는 등등 약간의 조미료(?)를 더해 '내 교과를 정말 사랑하는 사람'이라는 느낌을 물씬 주는 거예요. 그리고 이러한 가치를 학생들에게 전달하는 교사가 되겠다고 스토리라인을 만드는 거죠. 역량 강화 방안은 개인적 노력뿐 아니라 '공동체와 협력 방안'을 꼭 넣으셔야 해요. 예를 들어 전문적 학습공동체, 수업 나눔 등이요. 그래야만 협력 능력을 중시하는 경기형 교사상에 적합하답니다.

교사에게 꼭 필요한 역량은 무엇인가요? 그 이유와 함께 이야기해 보세요.

역량 :

이유 :

사이다 톡 talk! 교사에게 꼭 필요한 역량을 물으며 '수험생이 가장 중요하게 생각하는 교육 가치'를 알고자 하는 문제입니다. 교직관을 자연스럽게 확인하고자 하는 것이지요. 학부생들과 진로특강 중에 '카리스마', '장악력' 등을 말하는 분도 계셨는데, 물론 엄청난 장점이긴 하나 면접용 답변으론 최적합하진 않습니다. 경기형 지향점에 맞춰 '코칭 능력', '멘토링 역량', '인성교육 역량', '공감 능력', '공동체 역량', '의사소통 역량' 등 모범 답안을 말해야 하는 문제입니다!

교직관 형성에 영향을 준 책 이름을 쓰고, 기억에 남는 부분 혹은 구절을 적어보세요. 이 부분이 나에게 어떤 영향을 미쳤나요?

책 이름 :

상황 혹은 구절 :

나에게 미친 영향 :

사이다 톡 talk! 교육 관점을 정립하게 한 책을 묻는 문제가 등장한 적이 있습니다. 갑작스레 책 이름을 묻는다면 창작(?)으론 해결되지 않는 영역이므로 미리 대비해 둬야 합니다. 왜 이 책을 읽게 됐는지, 책 내용은 무엇인지, 깨달음은 무엇인지, 교직에 어떻게 적용할 것인지 두루 고민해 주세요.

기억에 남는 선생님과의 일화를 이야기하고, 이것이 교사로서 나에게 어떠한 영향을 줄지 이야기해 보세요.

선생님 성함 :

일화 :

나에게 미친 영향 :

사이다 톡 talk! 이런 문제는 수험생의 교직관을 확인할 수 있는 아주 좋은 문제입니다. 즉답형으로 질문할 경우, '학교에서 겪었던 불편한 교사'의 사례를 열거하고 '나는 이런 교사가 절대 되지 않겠다.'라고 말하는 경우가 생각보다 많거든요. 공교육 교사의 자부심, 공교육에 대한 애정을 보여줘야 하는 면접 자리에서 '부정적 사례'를 굳이 묻지 않았는데도 말하는 것은 추천드리지 않습니다! 선생님께 받았던 상처가 있다면, 토닥토닥- 우리끼리 위로하고, 공적인 자리에서는 우리를 위해 노력해 주셨던 존경하는 선생님을 떠올리며 그분들의 배울 점을 말해보아요.

교생실습이나 교육봉사활동을 하며 기억에 남는 일화를 설명하고, 이를 통해 느낀 점과 이것이 앞으로 교직에서 자신에게 어떠한 영향을 미칠지 이야기해 보세요.

교육봉사 :

느낀 점 :

나에게 미친 영향 :

사이다 talk! 졸업을 하기 위해서 교생실습과 교육봉사는 필수로 이수해야 하는 일종의 미션입니다. 그 속에서 분명 깨달음이 있을 것이고, 교육청은 그것을 통해 교사로서 우리의 성장을 확인하고 싶을 것입니다. 학생들이 성장하는 것을 지켜보았던 기쁨, 처음엔 어려웠으나 나름의 해결책을 찾아 멋지게 완수했던 일 등등 그냥 경험 말고 교사로서 나의 역량이 드러나는 에피소드를 찾아놓읍시다! 경험을 물을 땐 경험만 말하는 것이 아닌 그 속에서 깨우친 신념, 가치관 등을 꼭 포함하셔야 경기형 교사로 적합하답니다.

학창 시절 가장 힘들었던 경험을 이야기하고, 교사가 된 후 똑같은 경험을 하는 학생이 있다면 어떻게 조언할 것인지 적어보세요.

힘들었던 경험 :

깨달은 점 :

학생에게 해주고 싶은 말

사이다 talk! 앞서 말했듯 면접에서 교직관을 물을 땐 관련 경험을 묻는 경우가 많아요. 다시 한번 강조하지만, 경험은 날 것 그대로를 말하는 것이 아닌 경험 속에서 깨달은 점과 이를 바탕으로 한 교직에서의 실천 계획 3박자가 맞아야 한답니다. 그 점을 고려하며 채워보세요.

공동체 경험과 이를 통해 깨달은 점을 이야기해 보세요. 이것이 교사가 되어 학급을 운영할 때 어떤 영향을 미칠지 적어보세요.

공동체 경험 :

깨달은 점 :

영향 :

사이다 톡 talk! 공동체 경험을 묻는 문제는 면접 단골 질문이에요. 경기형 교사로서 꼭 갖춰야 할 소양이 공동체 능력, 소통 능력이기도 하고요. 이때, 한번에 무언가 잘된 경험보단, 잘 안되고 있었을 때 공동체의 힘으로 해결하며, 공동체의 중요성을 인지했다는 방향으로 서술한다면, 극적으로 보일뿐더러 피상적인 감상이 아닌 실제 깨달음을 보여줄 수 있어서 눈에 띄는 수험생이 될 것입니다!

힘들 때 위로받았던 경험을 이야기해 보세요. 이것이 교사가 되어 학생들을 교육할 때 어떤 영향을 미칠지 적어보세요.

위로받았던 경험 :

깨달은 점 :

영향 :

사이다 톡 talk! '위로'라는 키워드가 보여요. 학생들을 위로할 수 있는 교사가 되겠다는 식으로 발언을 해야 해요. 그래야만 문제 분석력을 보여줄 수 있습니다.

② 교육생태계(교육공동체): 교사로서 교육을 둘러싼 모든 생태계에 대한 고민이 필요함.
➡ 학생과 학교, 학부모는 물론 지역사회란 어떤 존재이며, 어떤 공간인지 고민해야 함

함께 채워 봅시다

인생에서 실패했던 경험과 이를 극복할 수 있던 방법을 이야기해 보세요. 이것이 교사가 되어 학생들을 교육할 때 어떤 영향을 미칠지 적어보세요.

인생에서 실패했던 경험 :

극복 방법 :

영향 :

사이다 톡 talk! '실패를 극복'한다는 키워드가 보여요. 교직 생활 중에 '잘 안 되는 일이 있어도 포기하지 않고 극복하겠다.', '실패는 성공을 위한 단계일 뿐이라고 생각하겠다.'는 발언 등을 통해 의지가 있는 사람이라는 것을 어필해야 해요. 가끔은 원하는 답이 있는 문제가 있거든요. 바로 이 문제가 그렇답니다.

학생이란 ○○이다. 한 문장으로 정의하고 이유를 설명하세요.

학생이란 :

정의한 이유 :

사이다 톡 talk! 학생을 미숙한 존재, 여리고 약한 존재라고 적진 않으셨죠? 경기도교육청에서는 학생을 스스로 탐구할 수 있는 주도적인 존재, 자율성을 지닌 존재라고 생각하고 있어요. 학생은 무한한 성장 가능성이 있는 존재라는 것을 잊으시면 안 돼요. 또한 경기교육에서는 학생 맞춤형 교육을 중시하고 있어요. 일률적인 교육이 아닌, 학생 개개인의 특성과 발달 단계에 맞는 교육을 해야 한답니다. 그 점을 고려해 학생관을 마련해 주세요.

학교란 ○○이다. 한 문장으로 정의하고 이유를 설명하세요.

학교란 :

정의한 이유 :

사이다 톡 talk! 학교는 더 이상 '지식 전수의 전유물'이 아니랍니다. 언제 어디서든 배울 수 있는 사회가 도래하며 학교의 본질에 대해 고민하고 성찰하는 과정이 중요해졌어요. 배움의 터전이 그 아무리 넓어졌다 한들, 교사와 또래 친구들과 소통으로 동기 부여와 협력을 통한 성취감을 느낄 수 있는 공간! 그게 바로 학교 아닐까요? 다양하게 발생하는 문제 상황에 대한 대응력을 기르고 사회성을 기를 수 있는 공간이기도 하고요. 전통적인 학교가 아닌 미래 사회를 대비하는 학교의 의미에 대해 꼭 고민해 주세요.

학부모란 ○○이다. 한 문장으로 정의하고 이유를 설명하세요.

학부모란 :

정의한 이유 :

사이다 톡 talk! 최근 교권 침해 문제가 대두되며 학부모와 학생을 신뢰하지 못하는 경우가 있습니다. 하지만 우리는 교사가 되고 싶어 면접을 준비하고 있죠. 따라서 학부모와 학생에 대해 벌써부터 방어적인 태도를 보인다면, 경기 교사에 적합하다고 볼 수 없겠죠. 현장 사례를 잘 숙지하고 여러 가지 조치를 이해하고 있되, 미리 겁먹지 않고 학부모를 교육의 동반자로 바라보는 시각이 중요합니다. 학생의 성장을 위해 함께할 파트너로서 바라보셨다면 아주 훌륭합니다!

지역사회란 ○○이다. 한 문장으로 정의하고 이유를 설명하세요.

지역사회란 :

정의한 이유 :

사이다 톡 talk! 경기교육에서는 지역사회의 다양한 자원들과 함께 협력해 학생의 성장을 도모하고 있답니다. 경기공유학교가 그 일환이고요. 지역의 다양한 인적·물적 자원을 적극 활용하는 교육! 그러한 관점을 보여주셔야 합니다.

자신이 자라온 환경을 고려하여 경기 지역사회 자원을 활용할 계획을 말하세요.

자신이 자라온 환경 :

지역 자원 활용 계획 :

사이다 톡 talk! 경기도교육청은 공교육에서 '지역사회와의 교육적 협력'을 매우 중시하고 있어요. 자신이 자라온 환경이 도시이든 농촌이든 지역 자원을 교육에 적용한 경험은 꼭 있을 거예요. 예를 들어 소풍을 갔다던가, 방학 숙제로 박물관을 다녀왔던 경험이요. 이런 경험을 그냥 나열하는 것이 아닌 그 속에서 얻은 교육적 가치를 언급한 후, 활용 계획을 말씀하셔야 해요.

★★★
2 교사 전문성 및 미래교육 역량 강화 공 – 수업·나눔 연계

현장 이야기로 사이다열기

2023학년도 자기성장소개서의 주요 키워드는 '미래사회 속 교사의 핵심 역량'이었어요.
2024학년도에도 교육 트렌드를 예측하며, 가장 많이 언급되는 것은 '미래교육' 그중에서도 '디지털 교육'이랍니다.
임태희 교육감님도 경기미래교육을 구현하기 위해 '교사의 미래교육 전문성'을 무척이나 강조하고 있죠.
따라서 미래교육에서 교사의 역할은 무엇인지, 전문성 신장 방안은 무엇인지 꼭 고민해둬야 해요.
반드시 언급해야 할 것은 '디지털 관련 역량'이 될 테고요.
또한, 미래교사로서의 소양을 기르기 위한 '경험'을 자주 질문하고 있으므로, 경험을 미리 정리해 두셔야 해요.

#전문성_신장_방안

All 기출 문장 및 빈도 체크

연도	자기성장소개서 성			집단토의 토			개별면접 면		
	초	중	비	초	중	비	초	중	비
2016	✓	✓	✓					✓	✓
2017				✓					✓
2018	✓	✓	✓		✓				✓
2019		✓	✓				✓		✓
2020	✓						✓		
2021	미시행								✓
2022							✓	✓	
2023	✓	✓	✓				✓	✓	✓
2024		✓	✓				✓		

*공통 공

미래교사 역량

[24' 중비성] 경기교육은 역량 중심 맞춤형 교육을 통해 학생의 역량을 키워가는 정책을 추진하고 있습니다. 이를 위해 필요한 교사의 역량은 무엇이고, 역량 강화를 위해 어떤 준비를 하고 있는지 제시해 보세요.
[23' 중면] 미래교육을 실현하기 위해 지역 중심 교사공동체에서 하고 싶은 연구 주제와 구체적인 활동 방안 2가지를 말하시오.
[23' 중비성] 미래사회 변화에 따른 적합한 교사의 핵심 역량을 제시하고, 그러한 역량을 기르기 위한 구체적인 계획을 서술하시오
[23' 초성] 미래사회 변화에 따른 인재 육성에 적합한 교사의 역량은 무엇이며, 그러한 역량을 기르기 위해 어떤 준비를 하고 있는지 제시해 보세요.
[23' 비면] 교사에게 필요한 미래교육 역량과 그 이유를 말하시오.
[23' 초면] 자기성장소개서에 적힌 미래 인재 육성에 적합한 교사 역량과 관련하여 대학교 과제(수업) 또는 동아리에서 길렀던 경험을 구체적으로 말하시오.
[22' 초면] 다음의 신년사를 읽고 학생을 미래 인재로 양성하기 위해 교직관을 바탕으로 교사의 역량과 노력할 점을 말하시오.
[22' 중면] 미래 교사 역량 중 하나를 선택하여(공동체/자기관리/교수학습) 함양 방안을 말하시오.

[21' 비면] 미래 교사의 모습(학습 촉진자, 프로젝트 관리자, 상담자)을 하나 선택하여 자신의 전공과 연계한 교육 방안을 말하시오.
[20' 초성] 교육과정에서 교사의 전문적 역량이 무엇인지 말하고, 역량 강화를 위해 시행한 준비와 노력 방안을 말하시오.
[20' 초면] 혁신교육 3.0과 연계하여 미래 교사에게 필요한 역량을 말하시오.
[18' 중토] 4차 산업혁명 시대 유망 직업을 고민하는 학생을 위한 교사의 역할을 논의하시오.
[18' 공성] 4차 산업혁명 시대 현직 교원들에게 가장 필요하다고 생각하는 역량과 그 이유, 역량 구현 방법을 말하시오.

교사 전문성

[24' 초면] 교육 실습생 시절 가장 어려움을 느꼈던 경험을 말하고, 이를 해결하기 위한 역량과 역량을 갖출 수 있는 노력 방안에 대해 각각 2가지 말하시오.
[19' 비면] 전문적 학습공동체에 참여할 때 나의 교과와 관련된 주제를 정하고 구체적 계획을 세우시오.
[19' 초면] 사례 분석을 통해 전문적 학습공동체의 부정적 요인을 찾고 개선 방안을 말하시오.
[19' 중비성] 학교에서 느낀 바람직하지 못한 관행 2가지 이상과 이를 바로잡기 위한 실천 계획을 제시하시오.
[18' 비면] 동료 교사와 생활교육 전문성을 신장할 방안을 말하시오.
[17' 비면] 교사의 전문성 신장을 위한 방안을 말하시오.
[17' 초토] 교사별 평가 방안과 전문성 신장 방안을 논하시오.
[16' 비면] 전문적 학습공동체의 필요성과 참여하고 싶은 전문적 학습공동체를 말하시오.
[16' 중면] 전문적 학습공동체의 의의를 말하고, 참여하고 싶은 전문적 학습공동체와 얻고 싶은 것, 실천 방안을 말하시오.
[16' 공성] 임용 이후 20년차 교사가 될 때까지 5년 단위로 본인의 생애 주기별 성장 목표 목록을 작성하시오.

1 교원 전문성: 업무 기준 분류

(1) 수업 전문성

① **정의:** 교육과정 문해력을 바탕으로 학생이 배움을 촉진할 수 있도록 수업을 구상하며 이 과정을 관찰·기록해서 평가하고 피드백해 학생 성장에 이바지할 수 있는 능력

② **필요한 역량:** 창의적 사고 역량, 관찰력, 문장기술력, 교수학습 능력, 공동체 능력 등

③ **전문성 신장 방안**

- 동료 교사와 일상적인 수업 나눔·수업 성찰
- 교육공동체에게 피드백을 받고 보완·발전
- 교육과정 재구성에 필요한 연수 참여 및 동 교과 교사와의 협업
- 대학원 진학 등

사이다 톡 talk! 학교자율과제, 교사교육과정이 보편화되며, 교사의 교육과정 재구성 역량이 매우 중요해지고 있어요. 단, 교사가 하고 싶은 것을 모두 할 수 있는 것은 아니에요. 성취기준에 근거하고 교육공동체와의 합의 과정도 중요하답니다. 교육과정을 혼자 재구성하는 것이 아닌, 동료 교사와 전문적 학습공동체 등을 통해 협력하고 교육공동체의 의견을 반영하겠다는 '협력 의지'를 드러내야 합니다!

(2) 생활지도 전문성

① 정의: 공직자의 품위를 유지하고, 학생들의 전인적 성장을 목표로 상담·학급 운영, 진로·진학 상담 등을 행하는 능력

② 필요한 역량: 자기관리 역량, 심미적 감성 역량, 공감 능력, 타자 이해 능력, 공동체 역량 등

③ 전문성 신장 방안

- 학생의 특성을 이해한 후 맞춤형 지도
- 동 학년 교사 및 가정과 협력
- 관련 연수 참여 및 대학원 진학 등

사이다 톡 talk! 학생 맞춤형 지도! 아주 중요한 키워드랍니다. 학생 한 명, 한 명을 맞춤형으로 지도하려면 관찰 능력이 필요하겠죠. 개인 상담도 해야 하고, 가정과의 연대도 필수적이고요. 최근에는 디지털 기반 데이터를 통해 학생의 학습 상황, 건강 상태를 체계적으로 누적 기록할 수도 있답니다. 이런 내용을 면접 답변에 활용해 주세요.

(3) 행정 업무 전문성

① 정의: 업무를 체계적으로 진행할 수 있는 능력

② 필요한 역량: 지식정보처리 역량

③ 전문성 신장 방안

- 전임자가 작성한 문서를 탐색 후 정독
- 관련 공문 정독
- 모르는 것이 있을 땐 공동체에 도움 요청 등

사이다 톡 talk! 기술의 도입으로 행정 업무가 점차 간소화될 예정이에요. 그렇다면 교사는 본연의 업무인 학생과의 수업, 생활지도 등에 더 많은 시간을 할애할 수 있겠죠. 이를 하이테크, 하이터치라고 해요. 기술에 맡길 것은 맡기되, 그로 인해 확보된 시간을 학생의 성장을 위해 쓰는 것을 의미하죠. 이러한 비전을 내보이면 미래교육을 위해 준비된 교사라는 것을 드러낼 수 있을 겁니다!

(4) 공동체 생활 능력

① 정의: 교육공동체와 협업해 생활할 수 있는 능력

② 필요한 역량: 협업 능력, 의사소통 능력

③ 전문성 신장 방안: 문제 상황 발생 시 혼자 해결하는 것이 아닌 교육공동체와의 협업 생활화

사이다 톡 talk! 공동체와 협력하는 것이 교사의 전문성에 포함되는 이유는 교육이 개인적인 활동을 넘어서 사회적이고 공동체적인 성격을 지니기 때문입니다. 교사는 단순히 지식을 전달하는 역할을 넘어, 학생들의 전인적 성장을 도모하고 학교와 가정, 지역사회 등 여러 이해관계자와 소통하며 학생들이 건강한 사회의 일원으로 성장할 수 있도록 돕는 임무를 수행해야 합니다. 이러한 과정에서 공동체와의 협력 능력은 필수적입니다.

2 교사 핵심 역량

교사가 보유하고 있거나 필요로 하는 여러 역량 중 교직을 수행하고 교원의 전문성을 발달시키기 위해 가장 먼저 갖추어야 할 역량

(1) 교사 핵심 역량과 역량 요소

역량군	핵심 역량	역량 요소
교육과정 역량군	교육과정 역량	교육과정 문해력, 교과 전문성
	수업 운영 및 평가 역량	학생 주도 수업 설계, 평가 설계 및 피드백
생활교육 역량군	생활교육 역량	학생 이해 및 공감, 생활교육 상담 전문성
	진로교육 역량	산업 직업 변화 이해, 학생 맞춤형 진로 설계
학교 공동체 운영 역량군	학교·학급 경영 역량	비전 설정 및 실천, 학교·학급 경영 리더십
	소통 및 협력 역량	참여와 책임의식, 상호 존중 의사소통
	교육생태계 활용 역량	네트워크 참여, 교육생태계 연계 및 활용
자기개발 역량군	변화대응 역량	사회 변화 대응, 디지털 활용·윤리, 글로컬 시민의식
	교직 전문성 개발 역량	학습과 연구, 윤리적 리더십 및 성찰
	자기관리 역량	자기개발 및 교양, 건강·감정 관리

출처: 2023 교원 역량강화 정책 추진 기본 계획

(2) 미래 교사의 역량 기출

① 미래교육에서 교사의 역할 재개념화 기출

- 학생 주도 학습을 위한 수업 설계자
- 학생 삶의 역량을 기르는 교육과정 개발자
- 가르치는 사람에서 학습 코치로의 역할 전환
- 포스트 코로나 시대를 살아갈 학생들의 상담자이자 멘토

사이다 톡 talk! 미래교육을 책임지실 선생님! 교사관은 이러한 방향으로 잡아야 한답니다. 카리스마 있는 강의력을 지닌 교사가 아닌, 학생들이 앎을 통해 삶의 역량을 기를 수 있도록 학생 주도 수업을 기획하는 교사가 돼야 해요.

② 미래 사회 변화와 이에 필요한 교사의 역량

미래 사회의 모습	교사에게 필요한 역량
학습 흥미 저하	학습 동기 부여 역량, 갈등 해결 역량, 상담 등 학생 지도 역량
인구 감소 및 고령화 시대	개인을 공동체의 일원으로 성장시키는 역량, 개별화 교육 역량, 평생교육 지도 역량
세계화·다문화 가속화	다양성 존중 역량
스마트 시대 도래	인공지능(AI) 교육 역량, 학습 테크놀로지 활용 역량
지역사회로 확장하는 교육	지역사회의 다양한 기관 및 인사와 네트워킹을 만들고 유지하는 능력

사이다 톡 talk! 역량과 관련된 경험을 꼭 말씀하셔야 해요. 이러한 역량이 중요한 것은 당연하고, 이를 위해 무엇을 했는지! 이것이 경기도교육청에서 가장 궁금해하는 점이랍니다. 만약, 경험이 없다면 스터디원과 회의해 겪었던 일을 살짝 각색해 보아도 좋아요. 경기도교육청은 경험을 통해 성찰하는 교사를 좋아합니다! 면접 당일에 긴장해서 경험이 없다고 말하지 않도록, 미리 생각을 해두어야 해요.

함께 채워 봅시다

주요 역량과 관련한 경험을 적어보세요.

학습 동기 부여 역량 :

갈등 해결 역량 :

학생 상담 역량 :

개별화 교육 역량 :

평생교육 지도 역량 :

다양성 존중 역량 :

인공지능 교육 역량 :

지역사회와 네트워킹 역량 :

창의적 역량 :

수업의 다양성 역량 :

유연성 :

(3) 생애단계별 중점역량

(교사) 신규교사, 저경력교사, 중경력교사, 고경력교사로 이어지는 중점 역량 제시

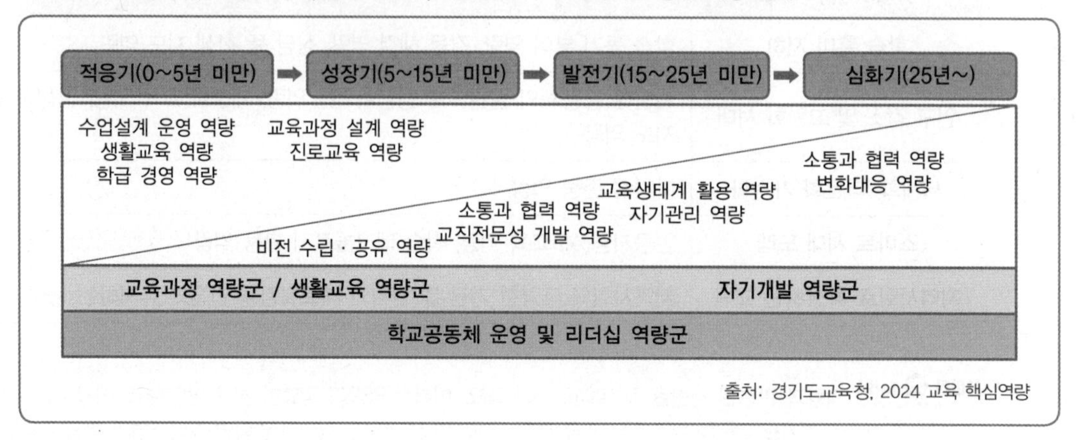

출처: 경기도교육청, 2024 교육 핵심역량

사이다 톡 talk! 경기도교육청에서 제시한 중점 역량을 개발할 방안을 고민해 주세요!

3 전문성 및 역량 강화 노력 (기출)

① 경기도교육청에서 추진하는 지역협력교육을 잘 이해하고, 지역사회와 연대해 다양한 지역 자원을 교육에 활용

② 자기 장학 및 자율 장학, 수석교사 컨설팅, 연수, 대학원 진학 등을 통한 개인 역량 발전

사이다 톡 talk! 경기교육은 디지털 기반의 교실 수업 변화 대응 및 활용을 위한 연수를 강조하고 있어요. AIDT(Artificial Intelligence Digital Textbook) 즉, 인공지능 기반 디지털 교과서 적용 연수 등을 통해 전문성을 발전시키겠다고 이야기하면 교사의 역량을 보여줄 수 있겠죠. 또한 교사는 ▷아동학대 예방, ▷긴급복지 신고 의무교육, ▷장애 이해 교육, ▷성희롱·성폭력 예방, ▷안전교육, ▷자살 예방 및 위기관리 역량 강화 교육을 필수로 받아야 한답니다. 이를 잘 이해하고, 필수연수를 통해 교사가 꼭 알아야 할 것을 공부해 위기 대응을 위한 전문성을 갖추겠다고 이야기하면 준비된 교사라는 것을 어필할 수 있을 것입니다.

③ 전문적 학습공동체, 탐구수업공동체, 교사 네트워크, 교육연구회 등으로 협업해 역량 성장

사이다 톡 talk! 교육연구회는 다양한 영역의 융복합 교육전문성을 갖춘 교원으로서의 성장 기회 제공을 위해 교원의 자율성과 주도성을 기반으로 운영하는 학교 밖 학습공동체를 의미해요. 탐구수업공동체는 '깊이 있는 수업'을 위한 교사공동체를 의미하고요. 깊이 있는 수업은 최근 경기도교육청에서 아주 강조하고 있는 내용이니 꼭 기억해 두세요.

전문적 학습공동체 기출

1. 정의

학교 안팎에서 교사들 스스로 공동체를 구성해 전문성을 키우는 모임, 교사 간 집단 성장을 도모하는 활동

2. 방식: 회의, 투표 등 민주적 방법으로 운영 방식을 결정해야 함

① 1교 1주제 전문적 학습공동체: 학교의 모든 구성원들이 하나의 주제를 가지고 관련 전문성을 발전시키는 방법

② 주제 중심 전문적 학습공동체: 관심 주제가 같은 구성원이 모여 각 주제에 대해 깊이 있게 학습하는 방법 예 생활지도 공동체, 배움중심수업 공동체, 자유학기제 공동체

③ 학년 중심 전문적 학습공동체: 학년별 담임교사와 교과 전담, 담당 교사 중심으로 배움중심수업, 생활지도 방식 등의 주제로 성찰과 나눔을 하는 방법

④ 교과 중심 전문적 학습공동체: 동 교과끼리 모여 수업 성찰 및 수업 나눔을 하는 방법

3. 기대효과

① 동료 교사와 협력적인 관계 형성 가능

② 교사들의 자기 계발 및 전문성 향상 가능

③ 수업 및 생활지도의 내실화로 학생들의 배움과 행복 증대

④ 연구대회에 참여해 연구·학습 역량 강화로 연구·학습을 일상화하는 교직풍토 조성 및 경기교육 발전에 기여

⑤ 학생과의 상호 피드백으로 교사로서 갖춰야 할 역량을 고민·성찰

사이다 톡 talk! 전문성 신장 방안을 묻는 문제가 나온다면 여러 대안 중 하나는 꼭! '공동체'와 함께할 수 있는 방법을 넣어야 해요. 그래야만, 이 역량을 중시하는 경기형 교사에 적합하답니다. 또한 임태희 교육감은 '교원의 역량 강화를 위한 석사학위과정 지원'을 주요 추진과제로 삼았답니다. 특히 에듀테크, IB교육(국제공동 교육프로그램), 디지털 역량 강화를 위한 지원을 아끼지 않겠다고 발표했어요. 뿐만 아니라 교원이 원한다면, 국제교류 프로그램에 참여할 수 있는 길을 열어주겠다고 했으니 이런 것을 언급한다면 준비된 경기 교사의 면모를 보여줄 수 있을 것입니다.

4 경기도교육청 교원 미래교육 전문성 강화 정책

① 목표: 연수받는 교원에서, 학습하는 교원을 넘어 연구하는 경기 교원

② 목적: 수업 전문가로서의 교원 역량 강화, 미래교육을 위한 자율성 기반의 학교 교육력 제고

③ 가치: 자율성, 전문성, 공동체성, 책무성

④ 추진 내용: 자율성 기반 학습 공동체 및 자율장학 내실화, 맞춤 연수 및 교사 네트워크 활성화, 교원 디지털·AI 역량 강화, 교사 석사 학위 지원 및 수석 교사제·경기교사연구년제 운영

경기교사연구년제

1. 정의

교육실천가인 교사가 현장 전문성을 기반으로, 교육 전문성 및 학교 교육력 제고를 위해 일정 기간 주체적으로 심화 연구를 수행하도록 지원하는 정책

2. 목표

교사의 자아 효능감과 전문성 신장 ➡ 학교의 교육력 제고

사이다 talk! 경기도교육청의 교원 전문성 강화 정책을 이해하고, 이 정책에 발맞춰야 합니다.

memo

02 THEME 3~16
2025 교육 이슈

★★★ 빈출주제

- THEME 3. 새로운 경기교육
- THEME 4. 에듀테크 활용 교육
- THEME 5. 디지털 역량
- THEME 6. 정보통신 윤리교육
- THEME 7. 기본·기초학력 보장 교육
- THEME 8. 인성교육
- THEME 9. 경기공유학교
- THEME 10. 세계시민교육
- THEME 11. IB 교육과정
- THEME 12. 진로·진학교육
- THEME 13. 독서교육
- THEME 14. 문해력 향상 교육
- THEME 15. 생태환경교육
- THEME 16. 학교 구성원의 권리와 책임

9개년 출제 유형 분석

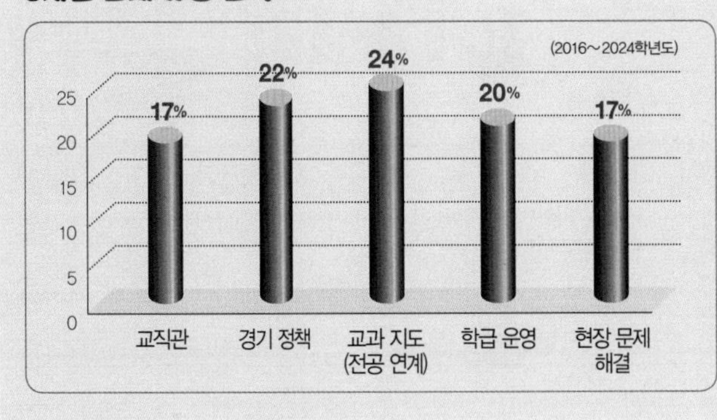

빈출주제 BEST 3(공동)

① 진로·진학교육
② 지역사회 협력 교육(경기공유학교)
② 인성교육

만점 대비 공부법!

교육 이슈는 활성화 배경을 이해하고, 주요 주제들에 대해 교사의 관점에서 바로 실현할 수 있는 현실적인 현장 적용 방안을 세워놔야 합니다. 핵심 주제인 만큼 꼼꼼히 공부해 주세요.

3 새로운 경기교육 공

현장 이야기로 사이다열기

디지털 대전환, 저출산·고령화, 기후위기 등은 미래에 대한 불확실성을 더욱 높이고 있습니다.
이를 위해 경기교육은 변화(Change)를 이끌고, 공평한 기회(Chance)를 제공하며, 지속적인 도전(Challenge)으로 미래사회의 새로운 가치를 만들어 갈 것을 다짐하고 있습니다.
이에 따라 공교육을 확대하는 교육 체제,
즉, 학교는 교육 1 섹터, 경기공유학교는 교육 2 섹터, 경기온라인학교는 교육 3 섹터로 구분하며
언제, 어디서나, 누구에게나 공평한 교육을 위한 방향과 모습을 제시하면서
모든 학생이 인성과 역량을 갖춘 미래인재로 성장하도록 지원할 것이라고 밝히고 있죠.
한편 경기도교육청은 12월 개최되는 '2024 유네스코 교육의 미래 국제포럼' 개최를 위한 준비에 총력을 기울이고 있답니다.
왜 하필 유네스코일까요? 새로운 경기교육과 어떤 연관성이 있을까요?
함께 살펴보면서 경기교육을 이해하고, 여러분의 교육 방향을 경기형으로 다듬는 시간을 가져봅시다.

#미래교육_방향성 #교사의_역할

All 기출 문장 및 빈도 체크

연도	자기성장소개서 (성)			집단토의 (토)			개별면접 (면)		
	초	중	비	초	중	비	초	중	비
2016									
2017				✓				✓	
2018									
2019					✓				
2020									
2021	미시행								
2022									
2023									
2024							✓		

*공통 (공)

[24' 초면] 새로운 경기교육을 실현하기 위해 '균형' 측면에서 학교 현장에서 어떤 학생상이 필요한지 말하고, 그러한 학생을 양성하기 위한 수업 방안과 생활지도 방안을 각각 2가지씩 제시하시오.
[19' 중토] 미래사회 학생들에게 필요한 역량과 경기미래교육 방향에 대한 생각, 학교에서의 구체적인 교육 활동을 논의하시오.
[17' 초토] 4차 산업혁명을 이끌어 나가기 위한 미래 학교 교육의 변화 모습을 논의하시오.
[17' 중면] 제시문의 학생들에게 필요한 미래 핵심 역량(의사소통 역량, 공동체 역량)을 육성할 수 있는 실천 방안을 말하시오.

1 사회 변화와 교육의 시사점 기출

사회·환경 변화		미래사회 전망		교육에의 시사점
• 디지털 대전환 시대 • 초지능·초연결·초융합 사회 • 저출산·고령화·다문화 사회 • 기후위기, 생태환경 변화	➡	• 산업·사회문화·시스템의 변화 • 풍부한 정보 습득 가능 • 인력 부족으로 생산력 부진, 노동 여건의 변화 • 인간 생활·건강, 식량 생산, 자원 등 환경 변화	➡	• 교육 인프라의 디지털 전환 • 지식의 활용과 창출 중심의 역량 신장 • 개인별 맞춤형 기회 제공 • 지속가능성과 세계시민성 지향

2 경기 미래교육의 인재상

예측 불가능한 미래사회에서 새로운 가치를 창출하고 자신의 삶을 스스로 설계하며 공감과 포용, 공존의 가치를 실천하는 세계시민으로 인성과 역량을 갖춘 사람

① **배움으로 삶을 만들어가는 학습인**: 기초학력을 기반으로 삶을 주도적으로 설계하고 새로운 가치를 창출

② **공감하며 실천하는 포용인**: 공감과 포용으로 존중, 배려, 협력, 책임을 실천

③ **함께 미래를 열어가는 세계인**: 사회 변화에 능동적으로 참여하고 세계시민으로의 역할 수행

④ **환경과 공존하는 건강한 생태인**: 지구 환경과의 공존을 위해 개인과 사회적 차원에서 성찰하고 실천

사이다 톡 talk! 경기도교육청에서 밝힌 인재상을 들여다보며, 이러한 인재 양성을 위해 어떤 교육을 하면 좋을지 교과지도(전공 연계), 학급 운영 측면에서 각각 고민해 봐요.

3 경기교육 섹터

(1) 교육 1 섹터: 학교

① **안전한 교육환경 조성**: 학생들이 인성과 역량을 길러 세계시민으로 성장하도록 지원. 새로운 학력관을 바탕으로 주도성을 키우는 교육과정, 삶과 연계된 깊이 있는 수업, 학습으로의 학생평가를 운영하며, 가정과 지역사회와 연계한 성장단계별 인성교육 과정을 통해 전인적 성장을 도모. 또한, 글로벌 역량을 강화하는 세계시민교육과 생태전환 교육을 운영하고, 자율과 책임이 조화를 이루는 인성·생활교육을 강조

② **학교 자율 운영:** 학교가 자율성을 기반으로 문제를 해결하고 발전과제를 도출하며, 교육 공동체의 요구를 반영한 교육과정을 설계·운영. 학교자율과제를 함께 결정하고 실행하며 평가하는 선순환 체제를 운영

③ **공동의 학교 문화 조성:** 교육 비전과 가치를 공유하며, 교육 주체 간 상호 존중과 협력을 기반으로 소통 문화를 조성. 학생은 책임감 있게, 학부모는 협력적으로 교육 활동에 참여. 교사와 경기미래교육을 위해 변혁적 역량을 갖추고 적극적으로 연구·실행

(2) 교육 2 섹터: 공유학교

① **학교 밖 교육자원 활용:** 미래지향적 교육생태계를 조성하고, 지역사회와 협력해 학습 기회를 제공. 생태·환경·경제·문화 등 다양한 공간에서 학습할 수 있으며, 지역사회 학습 네트워크를 통해 전문가들의 학습 지원을 받음. 이를 통해 학생들은 세계시민으로 성장할 수 있는 역량을 키움

② **지역 기반 교육과정 제공:** 지역 자원과 학습 콘텐츠를 맞춤형으로 제공하며, 학교 밖에서도 다양한 학습 콘텐츠를 활용할 수 있는 상호작용 시스템을 구축. 이를 통해 학습의 범위를 확장하고 깊이 있는 배움을 제공

③ **지역협력교육 운영:** 학교와 지역사회가 협력해 양질의 교육환경을 제공하며, 교육격차를 해소하고 학습 복지를 강화. 또한, 평생 학습자로서 주도적인 학습이 가능한 환경을 조성

(3) 교육 3 섹터: 경기온라인학교

① **인공지능 기반 교수·학습 플랫폼 운영:** 유연한 교육과정을 제공하며, 온라인 및 온·오프라인 혼합형 학습으로 맞춤형 교육을 지원. 또한 스마트기기 보급과 디지털 학습환경을 구축해 학습 선택권을 넓히고 진로 연계 교육과정을 제공

② **학습안전망 구축:** 기초학력을 보장하고 교육격차를 해소하며, 맞춤형 학습을 위한 지능형 튜터링 시스템과 디지털 시민 역량 교육을 강화. 또한, 보편적 학습설계를 적용한 디지털 콘텐츠를 보급해 모든 학습자가 공평한 학습 기회를 누릴 수 있도록 지원

③ **학습인정 시스템 도입:** 학생의 다양한 온라인 학습 경험을 수업으로 인정하며, 디지털 인증제도와 학생 포트폴리오를 활용해 진로와 취업을 위한 교육을 강화하고 학교 밖 청소년과 외국 학생의 학습도 인정

사이다 톡 talk! 앞으로 경기교육은 이렇게 세 섹터가 함께 움직일 예정입니다. 면접 문제에 이 주제가 나오지 않더라도, 기대효과나 마지막 맺음말 등에 포함시키면 경기교사로서의 전문성과 역량을 보여줄 수 있을 것입니다.

4 유네스코와 경기교육

경기교육과 유네스코는 교육에 관한 방향성이 비슷해 협력을 모색함

(1) 교육을 바라보는 관점

경기교육	유네스코
• 공동재로서 교육을 위한 공동체 역할 • 지역교육협력 • 인성·시민교육, 학부모 교육	협력, 협업, 연대 기반 교육

사이다 톡 talk! 교육의 책임을 학교 혼자 짊어지는 것이 아닌 협력, 협업을 통한 교육을 지향하고 있습니다.

(2) 교육과정을 바라보는 관점

경기교육	유네스코
• AI 기반 학생 맞춤형 교육 • 디지털 시민교육 • IB 프로그램 • 경기미래교육과정 • 다문화교육 • 창의·융합교육	생태적, 다문화적, 다학제적 학습

사이다 톡 talk! 학생이 자기주도성을 가지고, 자신을 둘러싸고 있는 사회, 문화, 환경 등에 대해서 탐구할 수 있는 융·복합적인 교육과정이 필요하다고 보고 있습니다.

(3) 교사를 바라보는 관점

경기교육	유네스코
• 미래교육 역량 강화 • 자율성 및 전문성 강화 • 교육활동 보장	• 지식 생산자 • 사회 변화 핵심 주체 • 전문성

사이다 톡 talk! 교사를 매우 중요한 주체로 바라보는 것도 동일합니다. 교사를 '교육 변화의 주체'로 보고 있습니다.

(4) 학교를 바라보는 관점

경기교육	유네스코
• 자율역량 강화 • 교육과정을 운영하는 주체 • 건강하고 안전한 교육환경 조성	• 포용, 공정, 개인과 집단의 웰빙 지원 • 정의롭고 공정하며 지속가능한 미래를 위한 변화 촉진

사이다 톡 talk! 주체적이고 활동적인 교육활동이 이뤄지는 장으로서 학교를 보고 있답니다.

5 미래 경기교육을 위해 계속할 것, 중단할 것, 새롭게 만들어 갈 것

① 계속해야 할 것: 기초역량교육, 기본 인성교육, 자율성, 자기주도성, 협력성, 개방적이고 포용적인 자세 함양

사이다 톡 talk! 이런 것들을 길러주기 위해 교사로서 나는 무엇을 할 것인지 고민해야 합니다.

② 중단해야 할 것: 문제 푸는 기술에 집중하는 것, 편향적인 교육 ➡ 나와 다른 생각에 대해서도 포용할 수 있는 개방적인 태도, 나와 다른 것을 인정하는 태도 필요

사이다 톡 talk! 나의 교직관이 문제를 푸는 기술에 집중하진 않았는지 점검해 보세요. 또한 포용적이고 개방적인 태도, 상대를 인정하기 위한 교육을 위해 나는 어떻게 학급 운영을 할 것인지 고민해 보세요.

③ 새롭게 만들어야 할 것: 혼자 살아갈 수 없기에, 자기에게 없는 것은 다른 사람에게 찾아가며 함께 보충하고 결합하며 살아가야 함. 디지털 소통 능력, 고령화 사회를 위한 체력 향상

사이다 톡 talk! 역시 이런 것들을 길러주기 위해 교사로서 나는 무엇을 할 것인지 고민해야 합니다.

4 에듀테크 활용 교육 공

현장 이야기로 사이다열기

미국의 교육학자 하그리브스는 말했습니다.
21세기 교사의 전문성 중 하나는
'자신이 배우지 않았던 방식으로 가르치는 방법을 배우는 것'이라고요.
사회 변화에 따른 교육의 대전환이 요구되고 있습니다.
그중 가장 강력한 요구는 교육에 '에듀테크'를 활용하는 것이지요.
경기도교육청은 인공지능(AI)을 활용한 학생 맞춤형 교육, 1인 1스마트 기기 및 생성형 AI를 활용한 수업 등
에듀테크 활용 교육을 활성화하려고 하고 있답니다.
현장에서도 수업 시수에 반드시 에듀테크 활용 수업을 포함시킬 것을 권고하고 있어요.
이토록 중요한 에듀테크 활용 수업! 최근에 기출문제로도 계속 출제될 만큼 매우 중요한데요.
지금부터 자세하게 살펴보겠습니다.

#교육_방안 #교사의_역할

All 기출 문장 및 빈도 체크

연도	자기성장소개서 성			집단토의 토			개별면접 면		
	초	중	비	초	중	비	초	중	비
2016									
2017									
2018									
2019									
2020									
2021	미시행								
2022									
2023							✓	✓	✓
2024								✓	✓

*공통 공

[24' 비면] 전공과 관련하여 학생 데이터 수집 분석의 필요성을 말하고 데이터를 활용할 방안을 제시하시오.

[24' 중면] 교과별 디지털 활용 수업을 증가하고, 교사의 에듀테크 활용 역량을 강화하여 기초학력을 보장하고, AI 기반 1:1 맞춤 수업을 하기 위한 방안을 제시하시오.

[23' 비면] 에듀테크를 활용하여, 제시문의 학생(늦은 시간까지 스마트폰, 폭식, 비만, 교우관계 좋지 않음)에게 적용할 전공 연계 방안을 제시하시오.

[23' 중면] 제시문을 참고하여(인공지능 등 디지털 테크놀로지 활용) 기초학력 향상을 위한 교과 교육 방안을 말하시오.

[23' 초면] 다음 경기교육의 방향성을 교육적 관점에서 분석하고(에듀테크 활용 교육) 이를 실현할 방안을 교육과정 및 학급 운영 측면에서 설명하시오.

1 에듀테크 활용 교육 기출

(1) 정의

AI 기반 코스웨어 및 교수학습 플랫폼(AI 튜터) 활용 등 최신 기술을 활용해 미래형 교수학습을 구현하는 모든 교육 활동

AI 기반 코스웨어란 학습자 진단 및 수준별 학습 콘텐츠를 제공하는 AI 프로그램 기반의 교육과정 프로그램

(2) 하이러닝

미래교육을 지향하고 교사의 수업 설계와 학생 맞춤형 교육을 지원하는 경기도교육청 AI 기반 교수·학습 플랫폼

① Hi Learning(참여 학습): 언제 어디서나 즐겁게 배움에 참여하며 공동체 구성원으로서 책임감을 나눔

② High Learning(성장 학습): 누구도 소외되지 않는 개인별 맞춤형 교육을 실현하며 교사와 학생이 함께 성장

③ Hybrid Learning(융합 학습): 온·오프라인을 넘나들며 경험을 확장하고 기회를 확대

(3) 하이테크 교육

인공지능, 빅데이터 등과 같은 고도화된 기술인 하이테크의 특징과 장점을 살려 교육 현장에 활용함으로써 교육적 효과를 높이는 것

(4) 방식

① 학생

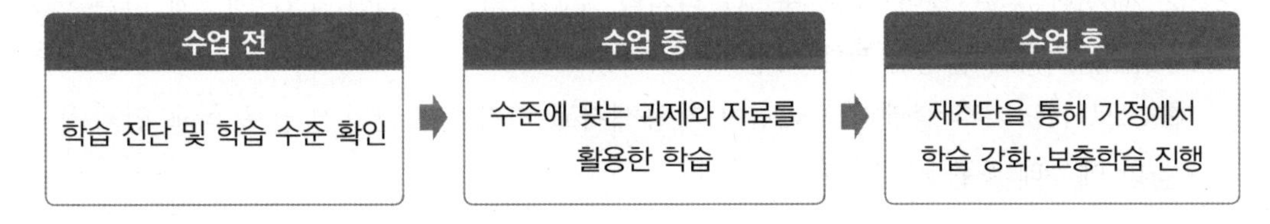

② 교사

- AI를 활용해 학생의 학습 과정과 결과를 빠르고 정확하게 분석하고, 진단 결과를 참고해 맞춤형 교육과정과 평가 설계 후 교수·학습 활동 전개
- 학생의 학습을 촉진하는 개별 상담과 관계 형성에 집중하며, AI가 분석한 학습 결과를 학부모와 공유하고 다음 수업 설계에 반영

사이다 톡 talk! 교사의 에듀테크 활용 방안을 숙지해 주세요. 에듀테크를 단순히 수업 도구로만 활용하는 것이 아닌, 교수·학습 설계에 전반적인 도구로 활용하고, 이를 참고해 학생·학부모와 상담한다는 내용에 주목해야 합니다.

2 도입 목적

(1) 4차 산업혁명 시대에 맞는 교육의 대전환 요구 증대

① 스마트 기기, 디지털 교과서, 디지털 기반 교육환경 조성에 맞는 교수·학습 방법의 활용 요구 증대

② 학생 간 디지털 활용의 격차 발생, 디지털 사회 속 사회문제 등 미래 사회에 예견되는 상황에 대응하기 위한 교육의 필요성 증가

(2) 학생 개인의 흥미와 적성을 반영한 맞춤형 교육 필요

① 기후환경의 변화, 학령인구의 감소 등 미래사회의 변화에 적극적으로 대응할 수 있는 미래 인재 양성의 필요성 대두

② 급격하게 변화하는 미래사회에 경쟁보다는 학생 맞춤형 성장으로, 학생을 중심에 둔 교육과정 운영에 대한 요구 확대

③ AI(인공지능)의 발달, 디지털 환경의 빠른 변화에 따라 학생 맞춤형 교육이 가능한 교육환경 조성

④ 학생 스스로 자신의 삶과 앎을 주도할 수 있도록 하는 학생 맞춤형 교육에 대한 사회적 요구 증대

(3) 디지털 교과서·에듀테크 활용 교육의 확대

① 2022 개정 교육과정 고시에 따른 2022 미래형 교육과정 안착 필요

② 2025년 수학·영어·정보 등 AI 디지털 교과서의 본격적인 도입 예정에 따른 에듀테크 활용 교육의 활성화 토대 마련

③ 코로나19 이후 블렌디드 러닝이 가능해지고 디지털 기술의 발달로 학교 안팎에서 다양한 에듀테크 활용 교육 활동 확대

3 1인 1스마트 기기를 활용한 교과 지도 방안

사이다 톡 talk! 현장에서는 스마트 기기를 활용한 수업을 적극 지원하고 있습니다. 학생들에게 1인 1태블릿을 제공하기도 하고, 각종 연수를 통해 교원들의 스마트 역량을 강화하기 위해 노력하고 있죠. 배움중심수업을 내실화하기 위해 교과 특색이 담긴 스마트 기기 활용 방안을 꼭 짜보세요. 교과 지도 방안을 설계할 때에는 '교육과정 성취기준'을 다운받아, 성취기준 실현을 위한 방안을 세워야 합니다. 2~3가지를 암기해 적용하면 좋아요. 또한 스마트 기기를 잘 활용할 수 있도록 사전 안내와 교육을 해야 한다는 점도 잊지 마세요!

(1) 특성

① **동시성**: 모든 학생의 학습 참여의 기회가 동시에 주어짐
② **즉시성**: 모든 학생의 학습 수준과 과정에서 개별 피드백이 가능함
③ **주도성**: 학습 주제 선택과 과제 수행 등에서 학생의 주도성이 돋보임
④ **적기성**: 학습 결손을 적기에 발견해 책임 교육 실천이 가능함
⑤ **누적성**: 온라인 기반의 개별 학생 학습 이력을 누적 관리할 수 있음

(2) 교과 연계 방안

① **국어**: 인터넷으로 다양한 지문 조사 발췌, 문학작품 감상문을 온라인으로 공유, 스토리텔링 앱 활용 학생 주도의 웹툰·웹소설 제작
② **영어(제2외국어)**: 사이버 원어민 활용, 구글협업 프로그램 등을 활용한 공동 시나리오 작성, AI 활용 퀴즈 프로그램 도입, 스스로 발음 교정 및 실시간 번역 학습, 메타버스 활용 타국 중학교와 국제교류 활동
③ **수학**: 학습자 수준에 맞는 온라인 과제 제공, 개별 맞춤형 피드백 제공, 스마트 펜을 활용한 문제 풀이, 문제 풀이 상호 공유, 게이미피케이션 앱 활용 학생이 제작하는 방탈출 게임 및 퀴즈 기반 협력적 도전과제 문제 해결
④ **사회·역사·도덕**: VR 기술을 활용한 박물관 관람, 문화재 체험, 현장답사
⑤ **과학**: 3D 뷰어를 활용한 암석 등 관찰, 생물의 다양성이나 기후변화 관련 자료 제작
⑥ **기술·가정·정보**: 온라인 건강 식단 구성, 3D 공간 구성, 코딩
⑦ **체육**: 개인 포트폴리오 제작, 학생 개별 및 모둠에서 선택한 선수들의 영상 분석을 통한 전략 수립
⑧ **음악**: 보이는 라디오 제작, 악기 앱을 활용한 합주
⑨ **미술**: 스마트 펜을 활용한 디지털 드로잉 수업, 공유 문서를 활용한 온라인 작품 전시 및 감상

사이다 톡 talk! 이 방안은 〈교사교육과정 구현을 위한 도움자료 즐겨찾기 4호〉에서 발췌했어요. 원문을 직접 보시면 실제 수업 모형도 상세히 나와 있으니 큰 도움을 받으실 거예요. 앞서 말했듯이 교육과정 성취기준에 근거한 방안이어야 해요. 만능으로 적용할 수 있는 성취기준 2~3개를 선정해 암기해 두면, 전문성을 드러내기에 좋아요.

4 인공지능 활용 교육

(1) 정의

① **인공지능**: 인간의 지능으로 할 수 있는 사고, 학습, 자기개발 등을 컴퓨터가 할 수 있도록 하는 방법을 연구하는 컴퓨터 공학 및 정보기술의 한 분야 ➡ 컴퓨터가 인간의 지능적인 행동을 모방할 수 있도록 하는 것

② **인공지능 교육**: 인공지능의 혜택을 누리기 위해 필요한 지식과 기능, 인공지능과 함께 살아가기 위해 필요한 가치와 삶의 방식을 배우는 교육

예 AI 이해 교육(기법·기술 이해), AI 활용 교육, AI 윤리 교육 등

(2) 활용 방안

① 맞춤형·개별화 교육

- 학생이 조건을 선택하면 추천 콘텐츠를 제공하던 방식에서 벗어나 인공지능 자체 분석으로 학생 맞춤형 교육 코스 도입
- 문제 풀이, 수강 형태 등을 인공지능이 분석해 사용자의 학습 형태·수준에 맞는 맞춤형 학습 콘텐츠 제공 ➡ AI가 제시한 학습 분석 결과는 학생의 전체가 아닌 일부 데이터만 분석, 진단, 예측, 처방한 것이기에 무조건적으로 신뢰해서는 안 됨. AI 예측 결과를 그대로 활용하기보다 교사의 적극적인 진단과 개입을 통해 AI가 파악하지 못한 내면적 변화와 잠재성을 확인하고 이를 이끌어낼 수 있어야 함

② **진로교육**: 학생 특성을 분석해 진로 추천 ➡ 단, 청소년기 변화가 많은 학생들을 인공지능을 활용해 과거 데이터만으로 예측하면 위험성이 있음에 주의

③ **기초학력 보장**: 하이테크 기반 시스템으로 기초학력 부진 원인을 다각도로 분석, AI 튜터를 활용해 맞춤형 학습 제공

④ 교과 지도 방안

사이다 톡 talk! 교육과정 성취기준에 근거해 교과 지도 방안을 수립해 보세요.

- **체육**: 메타버스 스포츠 교실(환경에 영향을 받지 않는 체육활동 가능), AR·VR 등을 활용한 스포츠 교실 운영
- **국어·영어·제2외국어**: 인공지능과 협업해 요약문·발표문 제작
- **음악**: 인공지능 작곡 프로그램을 활용해 노래 제작
- **기술·가정·과학**: 로봇청소기, 인공지능 스피커, 스마트 냉장고, 자율주행 등 인공지능이 활용되고 있는 사례 조사 후 생활 속 인공지능 발명
- **도덕**: 자율주행 사고 시 발생할 수 있는 윤리적 딜레마와 사고의 법적 책임 문제에 대한 자신만의 도덕적 기준 수립 후 토의 활동

⑤ 인공지능 윤리 교육
- 딥페이크(Deep learning + Fake) 기술을 직접 활용한 후 딥페이크 기술을 활용하기 위한 올바른 태도에 대해 토의 활동
- 인공지능으로 변화하는 직업 세계 조사 후 미래 역량과 노력 방안 고민
- 보이스피싱 등 인공지능 오남용 사례 탐색 후 예방 방안 토의

5 챗GPT(생성형 AI) 활용 교육

(1) 챗GPT(ChatGPT)

OpenAI社의 초거대 언어 모델인 GPT-3.5, GPT-4를 기반으로 동작하는 인공지능 챗봇 서비스로 질문을 구체적으로 하거나 추가 질문을 통해 상세한 답변 유도가 가능함

(2) 수업 활용 방안

사이다 톡 talk! 교사는 학생들에게 다음과 같은 상황에서 챗GPT를 활용할 것을 추천하면 좋아요. 학생들이 능동적으로 수업에 참여할 수 있거든요. 단 이때, 어떤 문제 상황이 생길 수 있는지, 이 경우 교사에게 필요한 역량은 무엇인지 고민하며 읽어주세요. 답은 조금 뒤에 알려드릴게요.

① 정보 탐색
- 아이디어 탐색: 학습, 교육 활동에 필요한 의견이나 아이디어를 수집하고자 하는 경우

질문 예시

초등학교 안전교육에 대한 캠페인에 참여하려고 해. '전동 킥보드 금지'를 주제로 4컷 만화를 그리고 싶은데, 한 컷 한 컷 어떤 내용을 그리면 좋을지 아이디어를 부탁해.

- 자료 조사: 프로젝트 학습에 필요한 자료, 통계 등을 수집하고 싶은 경우

질문 예시

공식적 자료를 활용해 애플의 스마트폰 매출액과 삼성전자의 스마트폰 매출액을 2019년 1분기부터 2020년 3분기까지 비교해줘. 해당 자료의 출처도 말해줘.

② 언어 능력 활용
- 초안 작성

질문 예시

중학교 국어 수업에서 '인상 깊은 경험 말하기 대회'를 개최한다고 해. 나는 어렸을 때 가족들하고 시골에 놀러가서 휴대폰을 사용하지 않고 일주일간 자연 체험과 대화만으로 시간을 보냈던 경험이 인상 깊어서 그 이야기를 하고 싶어. 친구들이 집중하기 쉽도록, 이 경험을 중학교 친구들 눈높이에 맞게 작성하고 싶은데 초안을 적어줘.

• 자료 요약

질문 예시

아래에 첨부한 내용을 3줄 이내로 요약해줘.

• 번역

질문 예시

아래에 첨부한 내용을 한국어로 번역해줘.

③ 컴퓨터 능력 활용: 엑셀, 코딩

질문 예시

엑셀을 사용할 거야. 셀에서 '수박'이 들어간 단어가 몇 개 있는지 세고 싶은데, 관련 함수를 알려줘.

(3) 수업 활용 시 유의 사항

① 표절 등 논란이 붉어졌다고 해서 무조건 프로그램을 배척하는 것보다는 더 잘 가르치고 더 잘 배우기 위한 도구로 사용할 수 있도록 학생들의 이용 역량을 길러줘야 함

② 챗GPT(생성형 AI)의 답변을 무조건적으로 수용하는 것이 아닌 비판적 수용, 검토 능력을 함께 교육해야 함. 하이테크를 활용한 자기주도적 학습은 단순히 생성형 AI에게 질문하고 답을 찾는 것이 아님. 스스로 목표와 계획을 수립하며 그에 따른 학습 자료를 탐색한 후 자신의 속도에 맞게 학습하며 학습 방법을 성찰한 후 그 결과를 학습 계획에 반영해 수정하는 과정을 거치는 것임

③ 한 번에 원하는 답이 나오지 않아도 포기하지 않고 답변을 유도할 수 있는 질문 능력을 길러주는 데 힘써야 함

④ 어린 학생들은 자신의 결정보다 AI 결정을 우선함으로써 AI에 의존하는 인간으로 성장할 수 있음. 따라서 자기 자신을 잘 알고 스스로에 대한 자아정체성과 자존감이 정립된 이후에 사용할 수 있도록 하며, 사전 교육을 충분히 해야 함

(4) 장점

① 학생에게 맞춤형 학습 및 완전 학습을 가능하게 함

② 명령어가 입력되지 않으면 어떤 업무도 수행하지 못한다는 점에서 올바른 질문을 할 수 있는 역량을 길러줄 수 있음

③ 교사의 수업을 듣고 받아 적는 수업을 넘어 학생이 주도권을 갖고 능동적으로 수업에 참여할 수 있음

(5) 문제점(한계)

사이다 톡 talk! 교사는 다음 문제점에 유의하며 챗GPT를 사용해야 하며, 학생들에게도 이러한 점을 공유하고 학생들이 이것을 비판적으로 사용할 수 있는 역량을 길러줘야 해요.

① **저작권·개인정보 보호:** 챗GPT가 저작권자의 사용 허가 없이 인터넷 기사, 웹사이트 게시글 등을 학습용 데이터로 이용하는 경우 저작권 문제 논란이 있을 수 있음

② **답변의 신뢰성, 윤리성, 편향성:** 챗GPT는 비윤리적인 질문에 답변을 거부토록 훈련됐으나, 우회적 질문으로 비윤리적(또는 범죄)으로 활용할 가능성이 있음

6 시사점: 하이터치·하이테크 수업 지향

인공지능이 최적화된 학습 경로와 맞춤형 콘텐츠를 훌륭하게 제시할지라도 학생 스스로 학습 동기가 없다면 무용지물이므로 교사는 소통을 통해 동기 부여를 위해 노력하고 인간적 유대감 형성, 사회성 제고, 정서 관리, 생각하는 힘을 길러주는 데 초점을 맞춰야 함

(1) 하이터치 교육

인간을 존중하고 공감을 이끌어낼 수 있는 감성적 작용인 하이터치와 교육을 결합한 따뜻하고 인간적인 교육을 의미

(2) 필요성

인공지능은 사람과 유사하거나 더 뛰어난 수준으로 판단하고 실행하며, 인간과 사물의 생각하는 능력을 획기적으로 높여 인간의 의사결정을 돕고 데이터 중심의 자동화를 통해 생활 편의를 도모할 수 있음. 그러나 인공지능으로 인해 다양한 윤리 문제가 등장하면서 이전보다 더욱 인간 중심의 맥락과 가치가 중요해짐. 고도화된 지능정보 사회일수록 기술 자체를 강조하는 교육이 아니라, 인간의 존엄성을 강조하는 하이터치 교육이 필요함

(3) 방법

① **교사와 학생의 정서적 교류 촉진:** 그동안 교사가 처리했던 단순 반복 업무를 인공지능이 대신할 수 있어, 교사의 업무 부담이 줄어들기에 수업을 준비하거나 학생을 살피는 데 더 많은 시간을 할애할 수 있음. 교실의 상황은 데이터화할 수 없기에 교사의 안목, 관심, 지도가 필요함

② **학생 간 협업 촉진:** 학생들은 인지적 성장뿐 아니라 정서·사회적 성장이 함께 이루어져야 함. 인공지능은 개별 학습에 효과적일 수 있으나 공동 학습에 한계가 있음. 따라서 협력 학습이 필요함. 서로 도와가며 과제를 해결한다면 다양한 지식을 통합할 수 있고 소통 능력과 사회성을 키울 수 있음

③ 긍정적 인간관계 형성을 위한 교육: 학습 데이터만으로 성취도에 따른 편견을 갖거나 성적에 따라 낙인찍지(낙인효과) 않도록 하고, 교사와 학생, 학부모 간의 긍정적 관계가 형성될 수 있도록 지원해야 함

④ 학습에 대한 자기주도성과 학생들의 다양성을 보장하는 교육: 교육 내용·방법, 학습 진단 등에 인공지능이 활용됨으로써 학생들의 주도성이 억압되지 않도록 유의해야 하며, 인공지능을 통해 교육의 다양성을 지향하고 학생들의 개별 요구와 필요에 맞는 교육을 지원할 수 있어야 함

사이다 톡 talk! 하이테크! 하이터치! 에듀테크 활용 교육에서 교사에게 무척이나 강조하고 있는 부분이니, 꼭 기억해 두세요.

7 하이터치·하이테크 교육에서 교사의 역량

(1) AI·디지털 이해 역량

AI·디지털 기술의 기본적인 특징 및 활용 방법과 개인·공동체 및 사회에 미치는 긍정적·부정적 영향, AI·디지털 기술이 필요한 이유와 그것이 미치는 영향, 이를 교육에 활용하는 방법을 설명할 수 있어야 함

(2) AI·디지털 활용 역량

① 성취기준을 고려해 AI·디지털을 효과적으로 활용할 수 있도록 교육과정을 재구성하고, 학습자의 특성과 학습 수준을 고려해 개별화 학습을 설계할 수 있어야 함

② 교육 내용, 교수학습, 평가 등에 적합한 AI·디지털 기술, 데이터, 서비스, 콘텐츠를 평가해 선정하고 이를 개선하고 개발할 수 있어야 함

③ AI·디지털을 활용한 평가 데이터를 이해 및 해석해서 이를 교수학습에 활용해 AI·디지털을 활용한 데이터를 바탕으로 학생에게 피드백을 제공하고 교수학습 개선에 적용하는 역량을 갖출 필요가 있음

(3) AI·디지털의 윤리적 활용 역량

① AI·디지털 사회와 교육에 미칠 수 있는 영향에 대해 이해하고 비판적으로 수용할 수 있어야 함

② AI·디지털 활용 시 취급하는 개인정보를 이해하고 올바르게 관리 및 사용해야 함

③ AI·디지털 이용 시 창작자의 권리를 준수하는 방향으로 자신과 타인의 창작물을 활용 및 공유하는 역량이 필요함

5 디지털 역량 (공)

현장 이야기로 사이다열기

우리는 오프라인에서 활동하는 것 못지않게 온라인에서 많은 시간을 보내고 있습니다.
쇼핑하거나, 정보를 찾거나, 대화하는 것도 온라인에 접속해서 하죠.
따라서 이젠 필수적으로 디지털인으로서의 소양과 역량을 기르면서
디지털 사회 속에서 지켜야 할 예절 역시 몸에 익혀야 합니다.
포노 사피엔스(Phono sapiens), 즉 스마트폰을 신체의 일부처럼 사용하는 인류인 우리 학생들은
유튜브 등 미디어를 통해 공부하고 취미생활을 하며, 유튜버를 꿈꾸기도 합니다.
일상 속에 많은 시청물이 보편화된 만큼
영상 시청에 대한 자신만의 기준과 유해 콘텐츠를 판단할 수 있는 감식안을 길러주는 교육도
매우 중요하게 강조되고 있습니다.
학생들에게 어떤 교육이 필요할까요? 함께 고민해 봅시다.

#필요한_역량 #교육_방안

All 기출 문장 및 빈도 체크

연도	자기성장소개서 (성)			집단토의 (토)			개별면접 (면)		
	초	중	비	초	중	비	초	중	비
2016									
2017									
2018									
2019									
2020									
2021	미시행								
2022									
2023								✓	
2024									

*공통 (공)

[23' 중면] SWOT을 분석하고(교육공동체 인성교육 필요, 교과 연계 인성교육 프로그램 미비, 미디어에 무분별하게 노출, 기초생활습관 부족 등) '_를 통한_'의 빈칸을 채워 자율과제의 필요성과 구체적인 교육 방안을 말하시오.

1 필요성

① 디지털 시대를 주도적으로 살아가기 위한 디지털 역량 함양 요구
② 디지털 전환에 따른 에듀테크 기반의 학교 교육 환경 변화 대응

〈2022 개정 교육과정 총론 주요 개정 방향 및 내용〉 중 디지털 관련 부분
초·중학교 교육과정의 공통 개정 사항
(4) 디지털 소양 함양 교육 및 정보 교육의 강화
디지털 지식과 기술에 대한 이해와 윤리의식을 바탕으로, 정보를 수집·분석하고 비판적으로 이해·평가하여 새로운 정보와 지식을 생산·활용하는 능력

〈초등 과학과 주요 개정 방향 및 내용〉 중 디지털 관련 부분
삶과 연계하여 미래 역량으로서 과학적 소양을 함양하는 초등 과학
(2) 미래 역량으로서 과학적 소양 함양 강조
– 디지털 소양, 민주시민 교양 교육 관련 성취기준 제시 예 ~스마트 기기를 활용하여~

2 디지털 역량

자율·균형·미래의 경기교육 원칙을 반영하고 기존 디지털 시민성과 디지털 리터러시를 포괄한 개념으로, 시민 역량과 창의 역량으로 구분됨

(1) 디지털 시민 역량

디지털 사회에 대한 이해와 윤리의식을 바탕으로 안전하고 책임감 있게 디지털을 이용하고 정보를 분별력 있게 수집, 분석, 이해, 평가하는 역량

(2) 디지털 창의 역량

디지털 기술에 대한 이해를 바탕으로 새로운 정보와 지식을 생산, 활용, 공유해 사회경제적 가치를 창출하는 역량

영역			요소
기본 소양	디지털 안전	1. 디지털 사회의 이해와 자아정체성 확립	디지털 사회에 대한 이해
			디지털 사회에서의 자아정체성 확립
	디지털 윤리	2. 디지털 기술의 이해와 활용	디지털 기술의 이해
			디지털 기술의 주체적 활용

	디지털 책임	3. 정보·콘텐츠의 관리와 활용	정보·콘텐츠에 대한 권리와 책임
			정보·콘텐츠 탐색, 분석 및 평가
			정보·콘텐츠 생산
실천 역량	디지털 소통	4. 디지털 의사소통과 협력	디지털 정보공유
			디지털 협업
			디지털 관계 형성
	디지털 창작	5. 디지털 창작 및 향유	디지털 문화 향유
			디지털 표현과 창작
			디지털 문화 성찰
	디지털 참여	6. 디지털 시민 참여	디지털 환경의 사회문제 성찰
			디지털 사회 참여

(3) 인성 기반의 디지털 역량

디지털 기술에 대한 이해를 바탕으로 디지털 사회를 주도적으로 살아가기 위한 인성 기반의 기본 소양과 실천 역량

디지털 안전	디지털을 안전하게 활용하기
디지털 윤리	디지털 윤리의식 갖추기
디지털 책임	디지털을 책임감 있게 활용하기
디지털 소통	디지털 세상에서의 올바른 소통과 관계 형성하기

디지털 시민교육 5분 실천 예시

주제	내용	사례
디지털 안전	• 스마트폰 안전하게 사용하기 • 디지털 미디어 식별하기 • 디지털 발자국 관리	• 스마트폰 건강하게 사용하기 • 가짜 뉴스 판별하기 • 바람직한 SNS 사용법
디지털 윤리	• 사이버폭력 • 온라인 학교폭력 • 사이버범죄 • 디지털 성폭력 • 인공지능·메타버스 사용방법	• 사이버폭력 예방교육 • 온라인 계정 도용 • 사이버 스토킹 대응방법 • 메타버스 윤리 / 인공지능 윤리 • 온라인 에티켓

디지털 책임	• 사이버 명예훼손 • 저작권보호 • 디지털 리터러시	• 사이버 명예훼손 • 초상권 침해예방 • 저작권 준수
디지털 소통	• 디지털 기기를 활용한 소통 • 디지털 사회 소통 문제 • 디지털 관계 형성	• 디지털 공간에서 협력 소통하기 • 온라인상의 문제 발생 예방하기 • 온라인 미디어에 의견 제시하기 • 디지털 사회에서 관계 형성하기

사이다 톡 talk! 이 사례들에 대한 교육 방안을 꼭 생각해 두세요. 사이다에서도 디지털 관련 주제에 교육 방안을 적어 두었으니 참고해 주시고요!

3 교육 방안

(1) 내용

① 디지털 기술 활용 교육

② 기술적 능력뿐 아니라 참여와 가치 및 윤리에 대한 교육 시행

③ 비판적 정보 수용 능력, 관리와 책임 인식, 의사소통 능력 함양을 통해 사회 참여로 이어질 수 있도록 조력

(2) 스마트폰을 통한 디지털 시민성 향상 방안

① 스마트폰의 기능과 편리한 조작법을 습득하는 기술적 활용 능력 함양

② 스마트폰을 올바르게 사용하는 방법이 무엇인지 인지

③ 유용한 앱과 좋은 콘텐츠를 선별하고 이를 적용해 스마트폰 이용의 긍정적인 결과 도출

사이다 톡 talk! 교육과정과 연계한 디지털 시민교육 운영 방안과 학교자율과제·학교자율시간과 연계한 프로젝트 학습 방안을 꼭 구안해 주세요. 이때, 지역사회 내의 자원을 활용하고 가정과 연대해 함께 교육할 수 있는 방안을 모색한다면 경기도교육청의 교육 방향성과 일치한답니다.

(3) 미디어 리터러시 교육

다양한 맥락 안에서 미디어에 접근하고, 비판적으로 이해하며 창의적으로 창조할 수 있는 능력으로 미디어를 통한 참여와 실천을 포괄하는 개념(이용자이자 생산자로서의 교육)

미디어를 비판적으로 읽기
미디어를 깊이 읽어 내기

미디어를 비판적으로 쓰기
자신만의 콘텐츠를 제대로 만들기

① 도입 배경

- 각종 미디어에서 콘텐츠가 홍수처럼 쏟아져 나오는 요즘, 무분별한 미디어 이용을 지양하고 미디어를 제대로 이해하고 사용하는 능력의 필요성 대두
- 디지털 세대인 아이들 안에서 경험의 차이, 정보에 접근할 수 있는 자원 및 능력 차이 존재 ➡ 미디어 격차를 줄여서 디지털 시민으로서 활동하는 어린이·청소년 지원의 필요성 제기

② 지향점

- **삶의 경험을 중심으로 한 교육:** 어린이·청소년이 자신이 경험하고 있는 미디어에 대해 이야기하고 서로의 미디어 경험 비교 ➡ 미디어가 자신의 삶과 사회에서 의미하는 바가 무엇인지 성찰하고 미디어의 발전 방향에 대해 함께 고민
- **성찰 중심의 교육:** 지식 전달 교육이 아닌, 성찰 중심, 질문 중심의 교육
- **교사와 학생이 함께 성장하는 교육:** 교사가 학습자에게 일방적으로 지식을 전달하는 교육이 아닌, 교육자와 교육 참여자가 서로를 가르치고 함께 배우는 교육 ➡ 교사와 학습자는 서로의 미디어 이용문화에 대해 더 잘 이해할 수 있고, 미디어에 대해 함께 배울 수 있음

③ 교육의 핵심 내용

- 적절한 정보를 찾고, 믿을 수 있는 정보를 선택하는 능력을 길러주어야 함
- 미디어의 정보가 올바른 것인지 판단하는 눈을 길러주어야 함
- 저작권과 초상권, 개인정보 보호에 대한 교육을 병행해야 함
- 디지털 환경에서 어린이·청소년의 '권리'도 가르쳐야 함

④ 교육 사례

사이다 톡 talk! 교직관을 담아 미디어 리터러시 교육을 하는 방안을 고민해 주세요. 교과 연계 수업 방안도 꼭 생각해 주세요. 교과 연계 수업은 내용 측면에서의 주제를 심도 있게 다룰 수 있는 동시에, 미디어 리터러시 교육을 위해 필요한 기술적, 윤리적 측면 등도 균형 있게 교육할 수 있다는 장점이 있거든요. 또한 주제 중심으로 연결되는 다양한 교과 활동을 통해 학생들의 지식과 경험을 유효하게 확장할 수 있다는 장점도 있으니, 방안 중 하나는 꼭 교과 연계를 생각해 주세요!

- **유튜브를 활용한 미디어 리터러시 교육:** 학생들은 유튜브를 TV보다 많이 시청하며, 유튜브 크리에이터를 장래희망으로 꼽기도 함. 유튜브 제작 활동을 통해 정보의 생산과 소비 방식을 비판적으로 이해할 수 있으며, 디지털 환경에서의 책임 있는 사용법을 익히는 기회가 됨

1단계 이해하기	학생들이 좋아하는 유튜브를 함께 시청하기
2단계 분석하며 판단하기	• 영상을 비판적으로 시청하며, 유해성에 대한 의견을 토론하기 • 콘텐츠 선택 기준 및 영상 시청 규약, 영상 제작 규약 등을 정하기
3단계 제작하기	• 규약을 고려하며 영상을 직접 제작하기 • 좋은 영상을 제작하며 생산 능력 함양하기

- **정보 검색 수업·팩트 체크 수업:** 디지털 미디어의 다양한 정보에는 진위를 알 수 없거나 편향되고 왜곡된 정보가 다수 포함돼 있으며, 단기간에 확산되므로 적절한 정보를 찾고 그중 신뢰할 수 있는 정보를 선택할 수 있는 능력이 필요함

정보 검색에 대한 교육: 각 분야별 신뢰 있는 사이트 안내 → 태블릿을 통해 관심 있는 주제에 대해 정보 조사(혹은 기사 및 댓글을 신뢰 있는 사이트를 통해 팩트 검증) → 모둠별 토의 과정을 거쳐 결론 도출

- **패러디 콘텐츠에 대한 비판적 성찰 교육:** 메시지를 비판적으로 분석하고, 창의적이고 윤리적인 미디어 사용 방식을 익힐 수 있음

1단계 패러디 콘텐츠의 이해	패러디의 개념과 사례 소개
2단계 비판적 성찰 활동–비판적 질문에 대한 모둠 토론	• 패러디는 어떤 메시지를 전달하는가? • 패러디는 특정 개인이나 집단에 부정적인 영향을 미치는가? • 모욕적이거나 혐오스러운 콘텐츠는 패러디로서 용인될 수 있는가?
3단계 패러디 콘텐츠 제작 실습	• 주제 선택: 학생들이 패러디할 주제를 스스로 선택 예 광고, 드라마, 정치 등 • 콘텐츠 분석: 원작이 전달하려는 메시지 분석, 어떤 부분을 패러디할지, 어떻게 비틀어서 새로운 의미를 전달할지 구상하게 함 • 제작: 소모둠으로 나누어 패러디 영상 제작
4단계 비평 및 성찰	제작한 패러디 콘텐츠 공유, 동료 평가 및 토론, 자기 성찰

사이다 톡 talk! 요즘 SNS 인기 콘텐츠의 주제는 '패러디'인거 같아요. 사회·문화적으로 유명세를 탄 인물들은 곧잘 패러디의 대상이 되곤 하더라고요. 당사자도 함께 웃어넘기는 패러디도 있지만, 어딘가 보면 묘하게 불편한 감정이 드는 패러디도 있어요. 인터넷으로 문화를 접하는 우리 학생들에게 패러디 관련 교육이 꼭 필요하다고 생각합니다.

2

- 디지털 관계 맺기 수업
  - _ 사이버불링(왕따) 예방: 사이버폭력과 괴롭힘의 예를 들고, 이를 방지하는 방법과 대응 전략을 토론하게 함 ➡ 사이버불링에 대한 경각심을 갖게 하고, 피해자뿐만 아니라 목격자로서의 책임 강조
  - _ 가상 시나리오 해결: 부정확한 정보가 퍼지거나 사이버 괴롭힘 상황에서 어떻게 대처할지 구체적인 계획을 세우고 논의하게 함
  - _ 자신의 소통 방식 성찰: 학생들이 자신의 디지털 소통 습관을 성찰하고, 개선할 부분이 있는지 돌아보게 함 ➡ 이후 학생들이 디지털 소통 시 지켜야 할 실천 규칙을 작성하게 하고, 이를 반영해 디지털 시민으로서의 윤리적인 행동 방침을 정리하게 함
  - _ 소셜 미디어와 개인 브랜딩: 학생들이 긍정적인 온라인 정체성을 형성하고, 이를 유지하고, 관리하는 법을 배우도록 함

4 디지털 교육에 필요한 교사의 노력 방안

① 디지털 시민교육 정책 이해를 통한 현장 중심 전문성 신장

② 학생 맞춤형 교육 적용을 위한 디지털 시민 역량 교육과정 설계, 수업 역량 강화

③ 디지털 기술 활용에 대한 순기능 강화와 역기능 예방을 위한 교육 강화

태블릿PC를 활용한 미디어 리터러시 교육

" 좋은 영상을 찾아주는 것이 아닌,
그런 영상을 찾을 수 있는 능력을 길러주자. "

온라인 콘텐츠 선도학교에서 근무하며 태블릿PC를 사용한 수업 모델을 구안했어요. 기술 사용과 윤리성을 모두 고려했을 때, 가장 먼저 떠오른 것이 미디어 리터러시 교육이었죠. 다음 제가 기획한 내용을 참고하셔서 선생님들의 교육 방안을 고민해 주세요.

수업 의도 및 필요성

수행평가를 검토하다 보면 블로그, 유튜브 등에서 언급하고 있는 무분별한 지식을 사실인 듯 적는 경우가 있어 놀랄 때가 많다. 특히 오랜 시간 디지털 환경에서 살아가는 학생들에게 인터넷 정보의 신뢰성에 대한 자기만의 기준과 유해 콘텐츠를 판단할 수 있는 감식안이 필요하다. 교사는 목적에 맞게끔 수업 영상을 찾아 보조자료로 활용한다. 하지만 이러한 기회를 학생들에게 넘겨준다면 시간은 더디지만, 더욱 질 좋은 수업을 만들 수 있다. 학생들은 스스로 영상을 찾아볼 일이 매우 많고, 다양한 영상을 검색할 수 있는 능력을 갖추고 있다. 질 좋은 영상을 선별하기 위한 교육이 뒷받침된다면 이러한 능력을 더욱 강화할 수 있다. 이를 위해 직접 유튜브에서 수업 주제와 관련된 정보성 영상을 찾아보며, 신뢰가 있는 자료인지 소모둠 토의를 한 후, 영상을 선별하는 감식안을 기르고 올바른 영상물을 선택할 수 있는 능력을 길러주고자 2차시에 거쳐 미디어 리터러시 교육을 기획했다.

도입

신항로 개척에 관한 상기 학습 및 오늘의 활동 내용 소개한다.

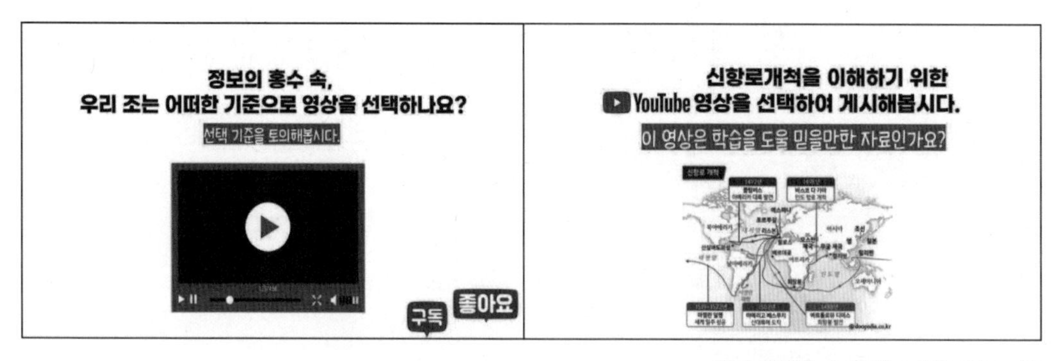

▲ 활동 내용을 소개하는 파워포인트 자료

1차시 활동

태블릿PC 카메라 기능 중 QR코드 읽기 기능을 선택해, 교실 모니터 화면에 보이는 QR코드를 읽어 띵커벨 보드에 입장하도록 지도한다. 소모둠 토의로 우리 조가 영상을 선택하는 기준에 관해 이야기를 나눈다. 그 후 서기가 정리해 띵커벨 보드에 작성한다.

학생들은 영상을 선택할 때 '조회 수', '구독자 수', '댓글의 반응', '썸네일' 등을 통해 신뢰를 얻는다고 답변했다. 미디어 리터러시 교육이 반드시 도입돼야 하는 이유이다. 이때 교사는 '촉진자'로서의 역할에 초점을 맞추며, 학생 스스로 사고할 수 있는 발문을 통해 생각을 자극해 이 척도들이 진짜 신뢰도의 기준이 될 수 있는지 고민하게 한다. 이후 각 조에서 게시한 글을 읽고 댓글, 좋아요 기능으로 상호 피드백하며 올바른 영상 선정 기준을 주제로 토의해 정리하게끔 한다.

2차시 활동

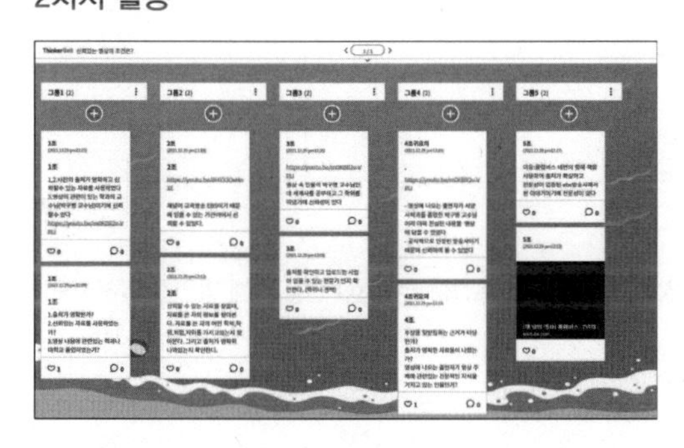

1차시에 활동한 띵커벨 보드를 공유해 전시 학습을 상기한다. 이후 댓글 및 토의를 통해 얻은 비판적 궁금증을 다시 소모둠이 해결하며, 최종적으로 띵커벨 보드를 통해 신뢰 있는 영상이란 무엇인지 고민해 글을 게시하게 한다. 그 후 새롭게 정립한 기준에 근거해 신항로 개척을 설명할 수 있는 신뢰도 있는 영상을 찾아 게시하게 한다. 이 과정을 통해 학생들은 '자료의 출처', '유튜버의 경력 및 학력, 직업' 등을 기준으로 신뢰도를 정립한 후 영상을 선정해야 함을 스스로 깨닫게 됐다.

정리

띵커벨 보드를 활용해 미디어 리터러시 활동 소감을 나누며, 활동 내용을 정리한다. 학생들은 신뢰도 있는 영상 선택의 중요성, 무분별한 영상 선택의 문제점 등을 깨닫게 됐다고 응답했다.

6 정보통신 윤리 교육 공

현장 이야기로 사이다 열기

학기 초 가장 먼저 학생들에게 보내는 가정통신문이 있어요.
바로 '개인정보 활용 동의서'예요. 학교생활을 하다 보면 개인정보를 활용할 일이 참 많은데요.
그 정보를 사용하기에 앞서 동의를 구하고 수집하는 것이죠.
또한 인터넷 사용이 일상화되며, 사이버 공간에서의 정보 보호가 매우 중요해지고 있어요.
이를 위해 현장에서는 개인정보 보호 교육을 실시한답니다.
그 모습은 어떠한지 살펴보고,
우리가 현장에 나아가서 어떤 교육을 할지 함께 생각해 봅시다.

#내용 #교사의_역할

All 기출 문장 및 빈도 체크

연도	자기성장소개서 (성)			집단토의 (토)			개별면접 (면)		
	초	중	비	초	중	비	초	중	비
2016									
2017									
2018									
2019									
2020									
2021	미시행								
2022								✓	
2023									✓
2024									

*공통 공

[23' 비면] 제시문과 관련한(학생의 게임 과몰입·기본적 습관이 형성되지 않음, 지역사회 프로그램 부족 등) 전공 연계 방안을 말하시오.
[22' 중면] 각 사례별 개인정보 보호법 위반 여부를 말하시오.

1 개인정보 보호법 제1조 기출

다음 목적을 위해 처리하며, 처리하고 있는 개인정보는 목적 이외의 용도로 사용하지 않음

개인정보	목적	근거	항목
학교생활기록부	학생의 학업성취도 평가를 통한 내실화 도모	「초·중등교육법」 제25조, 「학교생활기록 작성 및 관리 지침」 제5조, 「초·중등교육법 시행령」 제106조의3	사진, 인적사항(성명, 성별, 주민등록번호, 주소, 보호자 성명, 보호자 생년월일, 특기사항), 학적사항 등
학생건강기록부	학생건강관리 기록	「학교건강검사규칙」 제9조, 「학생건강기록부 전산처리 및 관리지침」 제14조	성명, 성별, 주민등록번호, 혈액형, 보호자 성명, 학교, 학년, 반, 번호, 담임 성명, 전염병 예방접종, 키, 몸무게, 신체적 능력, 건강검진 현황
학교운영회명부	학교운영위원회 구성 및 운영 관리	「초·중등교육법」 제34조, 「초·중등교육법 시행령」 제62조	성명, 주소, 전화번호
스쿨뱅킹 정보	학교에서 고지되는 각종 납부금의 자동이체	정보 주체 동의	학생 성명, 학년, 반, 번호, 생년월일, 보호자 성명, 보호자 생년월일, 연락처, 계좌번호
발전기금 기탁자 관리	학교발전기금 기탁자 및 내역 관리	「초·중등교육법 시행규칙」 제45조, 제52조	성명, 상호, 사업자번호, 주민등록번호, 대표자 성명, 주소, 전화번호

사이다 톡 talk! 기출문제로 출제된 부분이니 주목합시다! 목적에 따라 개인정보를 사용한다는 내용의 법 조항이에요. 즉, 이러한 목적이라면 개인정보를 활용해도 무방하답니다. 동의를 받았다면요! 개인정보를 사용했다고 해서 무조건 위반이 아니랍니다. '사용한 목적'은 무엇이고 '동의'를 받았는지 2가지 포인트가 매우 중요해요.

2 개인정보 처리 유의 사항

(1) 최소 정보 수집

업무처리 목적에 필요한 최소한의 정보만 수집하고 그 목적에 맞는 용도로만 활용해야 함 (개인정보 보호법 제16조)

학사업무와 무관한 학부모의 직업, 학력 등 개인정보를 수집하는 사례 ➡ 개인정보 최소 수집 위반

(2) 이메일 발송 유의

이메일을 이용해 개인정보가 포함된 파일을 전송할 경우 파일 암호설정 여부 및 파일 수신자(개인·단체)를 반드시 확인해야 함

개인정보 취급자가 개인정보가 포함된 파일을 이메일을 통해 다수의 사용자에게 무분별하게 발송하는 사례 ➡ 개인정보 유출

(3) 홈페이지 게시, 메신저 이용 주의

① 홈페이지에 파일(한글, PDF 등)을 탑재하거나 강당 벽면·교내 게시판에 자료 공지 시 개인정보 포함 여부 확인 ➡ 개인정보 처리자는 정보 주체의 사생활 침해를 최소화하는 방법으로 최소한의 개인정보를 이용해 처리해야 함(개인정보 보호법 제3조)

반 편성 정보를 알리는 과정에서 다수에게 공개되지 않아도 될 성적 등 개인정보가 포함된 자료를 강당 벽면 혹은 온라인 게시판에 게시 ➡ 개인정보 유출

② 상호 실시간 정보 공유가 가능한 기관 메신저 등을 이용해 업무정보를 주고받는 경우 개인정보 탑재를 지양함

메신저를 통해 직원이 다수 학생에게 공지 사항을 안내하며 파일(개인정보 포함) 공유 시 회수 불가 ➡ 개인정보 유출

(4) 제3자 제공 개인정보 보호법 준수

기 수집한 개인정보를 수집한 목적 내로 제3자에게 제공하거나 목적 외로 제3자에게 이용 또는 제공할 경우 「개인정보 보호법」을 준수해야 함

(5) 개인정보 보호 교육 실시

교내 업무 처리 시 학생·학부모의 개인정보는 물론 교직원의 개인정보도 「개인정보 보호법」이 적용됨을 인식시켜야 함

졸업앨범 제작 시 교직원(정보 주체)의 개인정보가 포함되는 경우 「개인정보 보호법」 제15조에 따라 정보 주체의 동의를 받고 제작해야 함

3 인터넷·스마트폰 과의존 예방 교육

(1) 인터넷·스마트폰 과의존 정의

인터넷·스마트폰을 과도하게 사용하며 인터넷·스마트폰이 없을 때 불편과 불안, 정신적인 긴장감을 보이고 일상생활에 어려움을 느끼는 상태

(2) 인터넷·스마트폰 과의존 학생에게 나타나는 어려움

① 스마트폰의 청색광은 호르몬 분비를 교란시키고 수면장애를 유발해 성장을 저해하고 질병 발병률을 높일 수 있음

② 인터넷·스마트폰을 과도하게 사용하면서 숙제를 반복적으로 미루거나 학습에 집중하지 못해 성적이 떨어지기도 함

③ 스마트폰에 매몰돼 친구와의 약속을 자꾸 미루거나 가족과의 대화 시간이 줄어드는 등 대인관계에서의 손상을 경험하기도 함

(3) 경기도교육청 교육 방향

① **학생 주도 예방 교육 활동:** 학생들의 자율적인 규칙 제정과 운영으로 스마트폰 바른 사용법을 스스로 찾아 실천하도록 하며, 스마트폰 이외의 다양한 또래문화를 즐길 수 있는 환경을 조성해 스마트폰 과의존 예방

② **스마트폰 바른 사용 캠페인 운영:** 스마트폰의 올바른 사용 방법과 과다 사용의 위험을 경고하는 다양한 문구를 게시해 스마트폰 바른 사용에 대한 의식 제고 ➡ 스마트폰 바른 사용을 위한 웹툰·표어·포스터 행사 개최 ➡ 우수 작품은 학생 생활공간에 게시

③ **인터넷·스마트폰 이용 습관 진단조사:** 인터넷·스마트폰 이용 습관에 대한 자가진단을 통해 중독 위험성에 대한 경각심을 제고하고 자율적인 이용 습관 개선 유도

2

(4) 인터넷·스마트폰 과의존 상담 방안

① 학생의 상황 알아보기

- 학생들은 자신이 인터넷·스마트폰 과의존이라는 것을 모르거나 개선하려는 의지가 부족해 교사와의 변담에 소극적이거나 부정적인 태도를 보일 수 있음
- 학생이 흥미를 갖고 있는 게임, 동영상, 새로운 용어 등에 대한 주제로 상담을 시작하면 보다 자연스럽게 대화를 이어나갈 수 있음
- 처음 접한 시기, 사용 시간 및 용도(게임, 동영상, 채팅 등) 인터넷·스마트폰 사용으로 인해 겪은 신체적·심리적 불편함, 얻게 되는 만족감의 종류 등을 확인함
- 며칠 동안 일기장이나 알림장 등에 인터넷·스마트폰 사용 시간과 용도, 사용 장소를 적어오도록 해 눈으로 직접 확인할 수 있도록 하면 도움이 됨

② 학생 스스로 조절의 필요성을 인식하도록 돕기

- 학생에게 지시적으로 조절하라고 말하는 것은 반감을 일으킬 수 있음
- 상담 과정에서 학생 스스로 자신의 인터넷·스마트폰 과의존 상황을 깨닫고 개선할 필요가 있음을 느끼도록 함
- 교사의 걱정스러운 마음과 함께 인터넷·스마트폰 조절에 대해 학생의 생각을 물어보는 것도 좋은 방법임 예 "○○이가 밤에 잠을 잘 못 자서 낮에 힘들어하고 성적도 떨어지니 선생님이 걱정돼. ○○이 생각은 어때?"

③ 학생과 함께 실천 목표를 정하고 목표 달성을 돕기

- 인터넷·스마트폰에 대한 자기조절능력을 키워주는 것에 목표를 두어야 함
- 실천할 수 있는 작은 목표부터 도전하도록 하며 결과에 따라 목표를 조금씩 상향 조정하면서 장기간에 걸쳐 진행하도록 함

④ 목표 설정 시 유의할 점

- 학생들이 무리한 목표를 설정하는 경우, 실천 가능한 수준의 목표로 다시 설정하도록 유도해야 함 ➡ 추후 실천 결과를 학생과 함께 평가하고 목표를 다시 정해야 함

- 사이버 세상 속에서 학생이 궁극적으로 얻고자 하는 것(게임 실력 향상을 통한 자신감 획득 및 친구의 인정, 채팅을 통한 외로움 극복 등)이 무엇인지 확인해 실제 생활 속에서도 충족할 수 있도록 함
- 인터넷·스마트폰 사용 시간을 줄임으로써 생기는 여가 시간 동안 할 수 있는 활동들을 정해 실천하도록 함
- 인터넷·스마트폰 과의존 학생들이 사이버 세상이 아닌 실제 생활 속에서도 만족감과 자신감을 느끼는 경험을 하는 것이 매우 중요함
- 학생이 스마트폰 대신 흥미를 느낄 수 있는 놀잇감이나 만들기 용품 등을 준비해 놓고 상황에 따라 여러 가지 선택지를 제시하면서 주의를 전환하는 것도 효과적임
- 단 한 번이라도 실천했거나 변화를 위해 노력한 점이 있다면 그것에 큰 격려와 지지를 보내주도록 함

⑤ 그 외 도움이 되는 방법 알려주기
- 디지털 기기를 침실에 가져오지 않도록 함
- '사용 종료시간' 알람을 정해 수면시간을 확보함
- 스마트폰 사용 관리 앱을 활용해 사용 습관을 기름
- 스마트폰을 보관할 특정 장소를 정해 그곳에 둠
- 진로와 학업에 유용한 앱이나 사이트 등을 이용하도록 함

(5) 인터넷·스마트폰 과의존 예방 교육 방안

① 사용 규약 제정

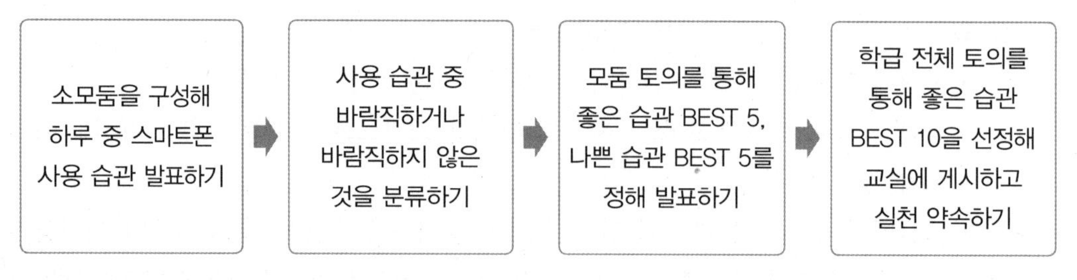

② **디지털 디톡스 챌린지:** '스마트폰 없는 날' 또는 '디지털 프리 타임'을 정해 그 시간을 독서, 놀이 등 다른 활동으로 채우기

③ **미디어 사용 일지 작성:** 소모둠을 구성해 일주일간 모둠원들의 스마트폰 사용 시간을 기록한 후, 이 데이터를 바탕으로 사용한 용도를 분석하는 시간을 가지면서 과도한 사용 여부를 스스로 점검하고 개선 방안 토의하기

④ **지역사회와의 연계:** 용인시 '청소년 인터넷 스마트폰 중독 예방 상담센터' 등 시·도에서 실시하는 프로그램 활용·치유 캠프와 연계하기

⑤ 가정과의 연대: 학부모와 협력해 지도하는 방법

- **학부모의 어려움에 공감하기**: 학부모는 인터넷·스마트폰 사용 문제로 이미 자녀와 갈등을 겪고 있거나 지도에 어려움을 느낄 수 있음
- **자녀가 인터넷·스마트폰에 빠진 이유를 찾아보도록 하기**: 학부모의 인터넷·스마트폰 사용 습관과 양육 태도 및 자녀에 대한 신뢰도나 관심을 확인함 예 "○○이가 언제부터 인터넷·스마트폰을 많이 사용하게 됐을까요?"
- **자녀를 도울 수 있는 방법 안내하기**
  _ 자녀가 인터넷·스마트폰으로 하는 것에 대한 호기심을 표현하며 대화를 시작할 수 있음
  _ 가족 여가 활동 횟수를 늘리고 변화를 위한 자녀의 작은 행동에도 칭찬과 격려를 하도록 안내함
  _ 인터넷·스마트폰 사용을 조절하는 과정에서 자녀가 스트레스로 인해 반항적 태도를 보이더라도 자녀의 힘든 점을 공감하고 변함없는 믿음을 표현해 신뢰를 회복하도록 함
- **가정에서 인터넷·스마트폰 사용 규칙 만들기**
  _ 잠자기 전이나 식사 시간에는 인터넷·스마트폰을 사용하지 않음
  _ 스스로 인터넷·스마트폰 사용을 끝내도록 함
  _ 무조건 사용을 금지하기보다 대체할 수 있는 활동을 제안함
  _ 일주일 중 인터넷·스마트폰 쉬는 날을 정함
- **인터넷·스마트폰 과의존으로 일상생활에 지장을 주는 경우**: 전문기관에서 적절한 도움을 받을 수 있도록 안내함

(6) 기대효과

① 학생 스스로 스마트폰에 대한 문제의식을 느낄 수 있으며, 학교와 가정에서의 도움으로 스마트폰 사용에 대한 자제력 함양
② 교육 대상별 예방 교육 역량 강화로 건강한 학교 문화 조성
③ 다양한 예방 교육 활동으로 학교 현장의 정보통신 윤리 교육 활동 지원
④ 미래 사회의 자기관리 역량 함양으로 디지털 시민 육성

7 기본·기초학력 보장 교육 (공)

현장 이야기로 사이다열기

"괜찮아. 느려도 넌 할 수 있어!"
마라톤과도 같은 장거리 레이스인 학습!
마라톤에서는 가장 먼저 들어온 1등 선수만큼이나 많은 박수를 받는 참가자가 있습니다.
바로, 느리지만 끝까지 포기하지 않고 맨 마지막에 들어오는 선수입니다!
공평한 배움을 위해, 조금 느리더라도 해낼 수 있도록 격려하고 지원하기!
이를 위해 현장에서 많은 교사와 정책전문가들이 힘을 합치고 있답니다.
특히 임태희 교육감은 기초학력 진단·지원을 위한 하이테크 기반 시스템을 구축하고,
AI 튜터를 활용해 맞춤형 학습을 지원하겠다고 밝혔어요.
기초학력 진단 및 지원 시스템을 더욱 체계적으로 구축해 학습부진의 원인 등을 다양하게 분석하고,
아이들에게 맞는 방법으로 학력격차 해소법을 지원하겠다는 것이지요!
이러한 방향성을 고려해 기초학력 보장을 위한 교사의 역할을 고민해 봅시다.

#필요성 #방안 #교사의_역할

All 기출 문장 및 빈도 체크

연도	자기성장소개서 (성)			집단토의 (토)			개별면접 (면)		
	초	중	비	초	중	비	초	중	비
2016									
2017									
2018									
2019									
2020									
2021	미시행								
2022									
2023				미시행				✓	
2024								✓	

*공통 (공)

[24′ (중)(면)] 학교 ERRC를 분석하여 기초·기본학력을 보장하고, AI에 기반한 학생 1:1 맞춤형 교육을 하기 위한 방안을 담임교사와 교과 교사 측면에서 각각 2가지 제시하시오.

[23′ (중)(면)] 제시문을 참고하여(지역교육 협력체제 구축) 기초학력 향상을 위한 교과 교육 방안을 말하시오.

1 기초학력 부진

보통 또는 그 이상의 지능을 가지고 있음에도 기초학습 능력 및 교과학습 능력이 부진한 상태

학력이란 학교 학습의 성과 또는 성공적인 학습 경험의 지표로서, 지식을 구성하고 활용해 스스로 삶의 문제를 해결하는 능력

기본학력이란 '모든' 학생들이 초등학교 또는 중학교를 졸업할 때, 반드시 알고 할 수 있어야 하는 것으로서 배운 것을 활용해 실제 삶의 맥락에서 문제를 해결할 수 있는 능력

예 기초학습 3R's(읽기, 쓰기, 셈하기) 부진학생 및 다문화, 탈북학생 등(특수교육 대상 학생 ×) ➡ 정서·신체·환경적으로 다양한 요인에 의해 학습 부진 발생

2 기초학력 미달 실태

최근 3년간 3R's 기초학력 미달 비율 추이

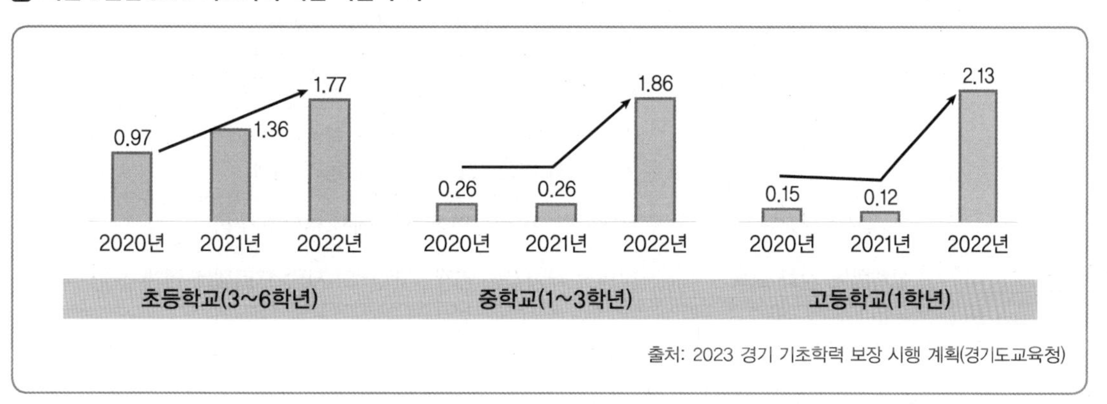

출처: 2023 경기 기초학력 보장 시행 계획(경기도교육청)

3 기초학력 보장 교육 필요성

(1) 개인의 삶과 사회발전을 위한 기초학력 중요성 부각

① 기초학력은 개인이 존엄을 지키며 사회적 삶을 유지할 수 있는 필수적 전제 조건, 근래에는 인권으로서의 의미 부각

② 모든 학생이 기초학력을 갖출 수 있도록 지역 간 격차 해소, 지원 사각지대 해소 필요

(2) 기초학력 미달 학생의 지속적 증가

학교의 지속적인 노력에도 기초학력 미달 학생이 증가하는 추이를 보여 사회적 우려 증대

(3) 코로나19로 인한 기초학력 저하 및 학습 결손 누적

장기간 비대면 수업 상황과 제한된 학습 활동의 여파가 학습 결손 및 학습 격차로 이어졌으며, 단기간 회복에 한계가 있음

4 경기도교육청 추진 내용

(1) 교육과정

① 학생의 주도성을 키우는 교육과정

- 초등 1~2학년 '성장이음과정' 운영: 초등학교 1~2학년 통합교과를 중심으로 교과 및 창의적 체험활동을 활용해 기초학력과 기본생활습관을 형성할 수 있도록 유-초, 학년 간 연계를 고려한 교육과정 설계 모형

주제	내용
기초소양교육	한글 해득, 기초 수학 습득, 놀이교육 등
유·초 및 학년 연계교육	1학년 입학초기 학교생활 적응, 3~4학년 연계교육
인성교육	바른생활, 국어(바른 언어습관 형성), 즐거운생활(놀이를 통한 공동체 관계 형성), 창의적 체험활동과 연계
생태전환교육	생태환경, 자연의 변화, 자연에서 놀이하기 등
신체활동 강화 교육	창의적 체험활동 연계, 더(T.H.E) 자람 프로젝트 연계

- 학생의 문제해결력을 기르는 교육과정: 학생의 삶 속에서 문제를 인식하고 사회적 주체로서 삶의 문제를 학생 스스로 주도적으로 실천하는 역량을 키우는 교육과정 운영

② 학생의 학력 향상을 지원하는 교육과정

다양한 진단 도구를 활용해 학생들의 성취 수준을 진단하고, 학생의 학력을 향상시키고 균형 있는 성장을 위해 노력

(2) 수업: 사유하는 학생, 깊이 있는 수업

① 질문과 탐구가 있는 깊이 있는 수업

② 초등 저학년(1~2학년) 한글 해득, 읽기 유창성 지원 강화: 초등 1~2학년 성장이음과정 연계 한글해득교육 운영 방안 안내 및 연수, 한글 미해득 학생 대상 지속적인 한글 학습 지원(한글 또박또박, 찬찬한글 등 활용)

③ 지자체 연계 지역 향토사 교육 활성화

④ **AI 튜터 활용 맞춤형 학습 멘토링 운영:** 언제, 어디서나 학습이 가능한 디지털 기반의 맞춤형 학습 환경 조성
⑤ **학년별 발달단계에 맞는 안정적인 학교생활 적응 지원:** 초1 신입생 학부모 대상 학교적응 도움자료 개발 보급 및 연수 운영
⑥ 학생 학년별 발단단계에 맞는 놀이활동 활성화 지원

(3) 평가: 성장이 있는 교실, 학습으로의 평가

① **지식의 이해와 통합적 사고를 위한 논술형 평가 강화:** 사고력을 신장하는 논술형 평가 문항 및 루브릭 개발·보급(5~6학년), 지식을 이해하고 적용하는 수행평가 문항 개발·보급(1~4학년)
② 학생 주도성을 신장하는 과정중심평가
③ 에듀테크 활용 학생의 학습 성취수준 진단
④ 학생 맞춤형 피드백

5 교사의 역할

① 가정 연계 및 에듀테크를 활용해 개별 학생의 정확한 원인 파악
② 개별 상담 후 맞춤형 대면 지도 및 학급 멘토링 프로그램 실시
③ 관련 프로그램 및 지역사회 자원과 연계

6 기초학력 보장 프로그램

사이다 톡 talk! 프로그램을 단순 나열하는 것이 아닌, 취지를 이해하고 관련 학생과 프로그램을 연계하겠다는 등 '교사의 역할'이 드러나게 답변해야 해요.

(1) 체계적인 기초학력 진단검사

구분	내용	
진단 시기	2024년 3월, 12월(결과 제출 공문 안내)	
진단 영역	3R's 진단(읽기, 쓰기, 셈하기)	교과학습 진단(국어, 수학 필수)
진단 대상	초1~	초4~

3R's(읽기, 쓰기, 셈) 진단
- 목적: 학습 결손 보정 지도를 통한 지속적 학습 결손 누적 방지
- 대상: 초등 3학년~중학교 3학년 기초학력 부진학생
- 평가 영역: 초등 1~2학년 전 범위의 읽기, 쓰기, 셈하기

(2) 진단 후 학생 맞춤 지원: 학교맞춤선택제

학생 맞춤형 교육 선도학교, 두드림학교, 맞춤형 학습관리 튜터링, 교과보충 집중 프로그램 중 단위학교 특성에 맞는 사업을 선택해 운영하도록 함

영역	선택 사업명	내용
기초학력 보장 지원	학생 맞춤형 교육 선도학교	학습지원대상학생 지원을 위한 학습 지원 및 통합 지원 체계
	두드림학교	
더(T·H·E) 자람 프로젝트 (책임교육학년 지원)	맞춤형 학습관리 튜터링	전체 학교급·학년을 대상으로 지원하되, 책임교육학년(초3)은 반드시 포함해 학습 및 성장의 결정적 시기에 기초학력 향상 집중 지원
	교과보충 집중 프로그램	

① 두드림 프로그램(학교 안 기초학력 보장 프로그램)
- 정서행동장애 등 복합적 요인으로 학습에 어려움을 겪는 부진학생들을 위해 학생 중심의 다중지원체계 구축
- 학생 스스로 성장 동력을 회복할 수 있도록 돕는 개인별 맞춤형 프로그램 제공

예시

두드림학교 프로그램
- 학습코칭·학습상담 프로그램 운영
- 두드림 정서심리 지원: 전문기관 연계 상담 지원
- 놀이치료 및 사회성 함양 프로그램 운영
- 자존감 향상 프로그램, 개인별 독서 프로그램, 생태 프로젝트, 인성 프로그램 등 운영
- 학교 밖 문화체험학습 프로그램 운영

② 배·이·스캠프(기초학력 학습지원시스템)
- 온라인으로 자율적으로 진단하고 학습할 수 있도록 진단검사 기출 문항, 늘품이의 실력 다지기 문항 등 다양한 자료가 있는 웹사이트

- 읽기·쓰기·셈하기·국어·수학·사회·과학·영어 진단 학습 콘텐츠(문항 18,600개, 강의 영상 약 200개)

③ 더(T·H·E) 자람 프로젝트

- 정의: 장기간의 감염병 대유행 기간에 직접적인 영향을 받은 학년에 대한 학습 공백을 최소화하고 기초학력 보장과 요인별 학생 맞춤 성장을 지원하기 위해 교사 중심의 학습지원(Teaching), 신체 건강(Health), 사회성 및 심리·정서(Emotion)를 집중 지원하는 프로젝트 ➡ 지역과 학교의 여건을 고려해 맞춤형 책임교육학년(군)제로 지속 운영
- 운영 방안

Teaching 학생 맞춤형 학습 지원	Health 체육활동 지원	Emotion 사회성·심리·정서 지원
• 더 자람 프로젝트 학년제 운영 • 학습 공백기 없는 맞춤형 기초학력 보장 • AI 활용 맞춤형 학습 대학생 온라인 멘토링 • 학부모와 함께하는 기초학력 책임지도 강화	• 신체활동 중심의 체육활동 기반 조성 • 365 + 체육온활동 맞춤 프로그램 • 에듀테크 기반 영상 공모전 • PAPS 기반 체력 향상 챌린지	• 학생상담 및 심리 지원 강화 • 심리·정서 회복 상담 프로그램 운영 • 위기 예방을 위한 가족 상담 지원

_ Teaching: 담임교사의 진단 및 요인 분석 ➡ 학습 지원 ➡ 향상도 검사 ➡ 맞춤형 피드백의 선순환 구조, 학습지원대상학생에게 AI 학습 기기를 대여하고 교대 예비교사들과 연계해 온라인 1:1 맞춤형 학습 진행

_ Health: 틈새시간을 활용해 신체활동 활성화, 학급 전체가 참여하는 도전 활동 중심 육상 프로그램 장려, 수업 전·틈새시간에 할 수 있는 기지개 체조 영상을 제작·안내해 학교에서 즐겁게 참여하는 영상 공모전 실시

_ Emotion: 자신과 타인의 정서를 이해하고 사회적 관계기술을 배우는 데 초점

사이다 talk! 초등학생은 성장단계별 교육이 중요해요. 이것을 언급하며 3~4학년을 맡게 됐을 경우 '더 자람 프로젝트'의 취지에 맞는 교육을 실시하겠다고 말한다면 경기형 교사로서 전문성을 드러낼 수 있겠죠?

④ 교과보충 집중 프로그램

- 학습지원대상학생 또는 학습진단 결과 결손을 입은 학생을 대상으로 학생의 수준·희망을 고려한 맞춤형 학습 지원
- 맞춤형 교과보충 지도 및 학습컨설팅, 방학 중 학습 도약 계절학기 운영

⑤ 외부 기관 연계(지역 기초학습지원센터): 학습종합클리닉센터의 역할을 확대해 지역 중심의 기초학력 보장 지원을 강화한 센터

8 인성교육 공

현장 이야기로 사이다열기

경기도교육청은 "처방식 인성교육으로는 한계가 있다. 삶의 주인이 되어 자기 책임을 질 수 있는 예방적 차원의 경기인성교육을 추진하겠다."라고 강조하며
"가정, 학교, 지역사회 모두가 함께하는 인성교육으로 학생들의 긍정적 자질 함양이 이루어지도록 노력하겠다."라고 밝혔어요.
다양한 사회 문제, 교내 교육공동체의 관계 속 갈등 문제 등을 보고 있노라면
인성교육이 그 어떤 교육보다 중요함을 알 수 있기도 하죠.
미래 사회 변화에 디지털, AI 활용 교육을 강조하면서도
그에 못지않게 학생의 인성교육, 관계 문제에 신경 쓰고 있다는 사실을 절대 잊지 마시고요!
경기도교육청의 추진 방향성에 걸맞은 선생님만의 인성교육 방안을 꼭 수립해 둡시다.

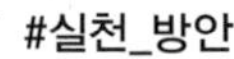

All 기출 문장 및 빈도 체크

연도	자기성장소개서 성			집단토의 토			개별면접 면		
	초	중	비	초	중	비	초	중	비
2016									
2017									
2018									
2019									
2020									✓
2021	미시행								✓
2022									
2023								✓	✓
2024	✓							✓	✓

*공통 공

[24' 비면] 존중, 배려, 협력, 책임 중 한 가지를 선택하여 그 이유를 말하고, 가정과 연계한 교육 방안을 말하시오.

[24' 중면] 우리 반 인성교육 브랜드를 제작하고자 한다. 존중, 협력, 책임, 배려 중 하나를 선정하여 브랜드를 만들고 제작 이유와 그 의미를 설명하시오. 또한 학급 자치 활동 시간에 학생들이 직접 실현할 수 있는 구체적인 방안 2가지를 제시하시오.

[24' 초성] 경기교육은 모든 학생이 인성과 역량을 키워가며 꿈을 실현할 수 있도록 자율, 균형, 미래와 함께한다. 교사로서 학생의 인성과 역량을 신장할 수 있는 방안을 각각 하나씩 제시하시오.

[23' 비면] 경기인성교육 목표를 참고하여 전공과 연계한 실천적 인성교육 방안을 말하시오.

[23' 중면] SWOT을 분석하고(교육공동체 인성교육 필요, 교과 연계 인성교육 프로그램 미비, 미디어에 무분별하게 노출, 기초생활습관 부족 등) '_를 통한_'의 빈칸을 채워 자율과제의 필요성과 구체적인 교육 방안을 말하시오.

[21' 비면] 역량중심 교육과정을 바탕으로 한 실천형 인성교육 방안을 말하시오.

[20' 비면] 신체적 폭력보다 정신적 폭력이 증가하는 요즘, 이를 줄일 교육 방안을 제시하시오.

1 정의

자신의 내면을 바르고 건전하게 가꾸며 타인, 공동체, 자연과 더불어 사는 데 필요한 인간다운 성품과 역량을 기르는 것을 목적으로 하는 교육

2 필요성

① 글로벌 지식기반 사회가 요구하는 타인과 협력하며 더불어 살아가는 바른 인성을 갖춘 인재 육성
② 기술이 대체할 수 없는 인성 함양이 필요하며 상호연결성이 커지고 정보량이 급증하는 미래사회에는 상대방을 존중·배려하면서 소통하는 인성 덕목 필수
③ 펜데믹과 디지털 사회로의 급격한 전환으로 인한 사회적 관계 소외 및 사회·정서적 결핍을 회복하고 공감과 배려 등 공동체 가치를 지향하는 인성교육에 대한 요구 증가
④ 인성 함양의 결정적 시기에 맞는 학생 생애단계별 인성교육 필요
⑤ 디지털 범죄, 기후변화 등 새로운 사회문제 해결을 위해 타인·공동체·자연과 더불어 살아갈 수 있는 인성 가치·덕목의 내면화 필요

3 목표

학교급	인성교육 목표
유치원	자신을 존중하고 다른 사람과 더불어 생활하는 능력과 태도를 기른다.
초등학교	학생의 일상생활과 학습에 필요한 기본 습관 및 기초 능력을 기르고 바른 인성을 함양하는 데 중점을 둔다.
중학교	학생의 일상생활과 학습에 필요한 기본 능력을 기르고 바른 인성 및 민주시민의 자질을 함양하는 데 중점을 둔다.
고등학교	학생의 적성과 소질에 맞게 진로를 개척하며 세계와 소통하는 민주시민으로서의 자질을 함양하는 데 중점을 둔다.

4 경기인성교육 방향성

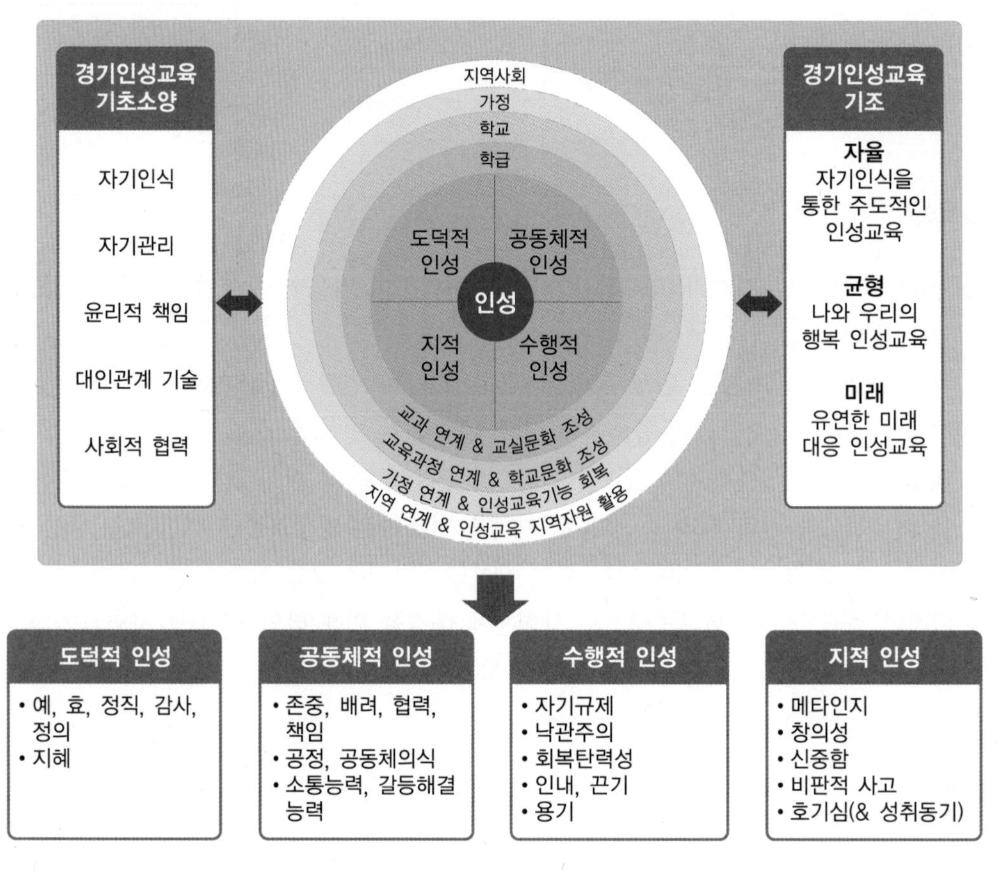

출처: 경기도교육청 인성교육 리플릿(2023)

(1) 기초소양

경기인성교육 소양	내용
자기인식	감정이 어떻게 생각과 행동에 영향을 미칠 수 있는지를 포함하여, 자신의 생각, 감정, 사고방식과 개인적인 감정을 인식, 이해, 표현하는 능력
자기관리	다양한 상황에서 자신의 충동, 감정, 생각, 행동을 일관되게 관리하고 조절하는 능력
윤리적 책임	자신과 다른 사람에 대한 존중, 자신의 결정에 따른 결과를 고려하여 개인적 행동과 사회적 상호작용에 대해 건설적인 선택을 할 수 있는 능력
대인관계 기술	다양한 개인 및 집단과 건강하고 보람 있는 관계를 맺고 유지하며 명확한 의사소통, 적극적인 경청, 협력을 통해 갈등을 건설적으로 관리하고 필요할 때 도움을 구하고 동료의 부적절한 압력에 저항하는 능력
사회적 협력	문화적 차이에 대한 인식과 존엄에 대한 존중을 포함하여 타인의 관점을 공감하고 받아들이는 능력

출처: 경기도교육청 인성교육 리플릿(2023)

사이다 톡 talk! 이러한 인성교육 소양을 '성장단계별'로 단계를 고려해 맞춤 교육을 하는 것이 관건이에요. 각 단계에 필요한 인성 역량을 함양할 것! 이것이 포인트랍니다. 출처로 제시한 〈인성교육 리플릿〉에 단계별 교육 내용이 상세히 수록돼 있으니 꼭 참고하세요.

(2) 경기인성 범주

인성 범주	특징과 내용
도덕적 인성	• 도덕적 선과 원칙을 추구하는 인성 • 윤리적 가치가 성품화된 자질(덕) • 디지털 환경과 인공지능 시대 필수적인 인간다움의 핵심
공동체적 인성	• 자기중심성에서 벗어나 타인과 협력하는 가운데 공동선의 증진에 기여하는 인성 • 시민으로서 자신의 역할과 책임을 갖는 데 필요한 자질(덕)
수행적 인성	• 도덕적 가치나 판단을 실행하기 위한 인성 • 과업 완수 지향적 능력(덕) • 학업이나 직업처럼 노력이 필요한 영역에서 우수성을 실현하기 위해 필요한 자질(덕)
지적 인성	• 빠르게 변화하는 지식과 정보로 인해 점차 예측이 어려운 불확실성 사회에서 강조되고 있는 인성 • 복잡한 문제를 합리적이고 책임감 있게 해결하기 위해 필요한 덕

사이다 톡 talk! 앞 글자를 따서 '도·공·수·지'로 외워요. 인성의 범주 안에 있는 가치들을 보고 학생들에게 어떤 부분을 강화해 주고 싶은지 고민해 보세요. "현 시대 학생들에게는 지적 인성의 메타인지력이 중요해. 평생학습 시대에는 자기주도학습이 매우 중요한데, 이를 위해서 자기가 뭘 잘하고, 잘하지 못하는지 메타인지력을 발휘하는 것이 첫 출발이기 때문이야." 이런 식으로 말이죠.

5 경기도교육청 추진 과제: 인성 친화적 학교 문화 조성

사이다 톡 talk! 경기도교육청에서 제시한 '인성교육 과제'를 살펴보고, 그 방향에 맞게 나만의 인성교육 방안을 수립해 보세요.

(1) 존중과 배려의 학교 만들기

비폭력 대화 및 갈등 조정을 통한 관계 개선 프로그램 운영, 교실 내 존중어 쓰기, 학교 언어문화 개선 언어폭력 예방 활동, 언어습관 자기진단 앱 활용, 칭찬 릴레이, 갈등 해결 방법 학습 후 실천 연습, 따뜻한 아침맞이, 친구 사랑의 날·친친 데이·고사리 데이 등 마음 표현 활동 확대

(2) 협력과 책임의 학교 만들기

선후배 의형제 맺기, 식물 기르기 활동, 사제동행 아침 독서, "어서와, ㅇ학년은 처음이지" 활동(1년 후배들에게 진급하는 학년에 대한 정보 전달)

(3) 참여와 소통의 학교 만들기

① 우리학교 인성 브랜드 정하기(예시)

인성가치	브랜드 주제	실천 활동
존중	힘이 나는 말을 쓰는 학교	응원의 말, 기쁨을 주는 말, 용기를 주는 말 공모 활동 후 우리 학교 '최고의 말'을 선정해 하루에 한 번 쓰기 프로젝트
배려	욕하지 않고, 욱하지 않는 학교	언어문화 개선 캠페인 활동으로 언어습관 점검 후 자기행동 서약서 쓰고 실천하기 프로젝트
협력	같이 가는 가치 있는 학교	"어서와, ㅇ학년은 처음이지" 활동으로 1년 후배들에게 진급하는 학년에 대한 정보를 학년말에 정리해 설명해 주는 활동
책임	지구 원정대	재활용 분리수거, 일회용품 사용금지, 탄소중립 급식 운영을 하는 활동

② **학교 종소리에 담긴 인성교육:** 인성 메시지를 담은 학교 종소리 보급 및 활용 ➡ 학생자치회가 선정한 '이달의 학교 종소리' 운영

③ **사회·정서적 인성교육 강화:** 협동학습, 협력학습, 프로젝트수업, 토의·토론수업, 역할극, PBL(문제해결학습), 놀이교육 등의 수업 활성화

(4) 인성교육 기반 수업 내실화

① 자신의 적성과 소질을 발견하고 서로 협력, 배려하는 체험 활동을 위한 다양한 예술체험(뮤지컬, 연극, 무용 등) 등을 학생이 기획하고 실연

② 교내 스포츠리그, 건강체력교실 참여를 통한 학생의 자존감, 인내력, 자기 통제력, 협동, 존중, 배려 등의 인성 함양

③ 1인 1예술동아리 등 학생 주도의 학교 안과 밖 예술동아리 활성화

④ 학교 유휴공간을 활용한 다양한 장르의 예술을 체험할 수 있는 복합예술공간 조성 및 온라인 예술 향유 공간 활성화

⑤ 일과 중 사제동행 독서 시간 30분 및 교과 연계 학교도서관 활용수업 운영

⑥ 독서마라톤 대회, 월별 프로그램 등 더불어 성장하는 독서 프로그램 운영

⑦ 교과 내, 교과 간 연계를 통해 기후변화, 생태·환경, 일회용품 사용 줄이기, 학교숲 등을 주제로 한 프로젝트 수업(지구 지킴이 일일 프로젝트) 운영

(5) 인성 중심 디지털 시민교육

① 디지털 세상에서 남과 비교하기보다 나를 존중하자는 메시지를 담은 메신저 프로필 제작
② 학생 간 협력을 통해 키오스크 활용 방법 숏폼 영상 촬영 후 조부모님께 전송
③ 언어습관 자기진단 앱 활용 교육 후 선플 달기 캠페인

(6) 가정 연계 인성교육 강화

① 부모님과 함께 하는 가훈 제작
② 가정에서 가족 구성원과 「가정 생활 협약」 규정
③ **밥상머리 인성교육 운영:** 기본 생활 습관 지도, 예절 교육. 주 1회 온 가족과 함께 식사
④ **가정의 달(5월) 연계:** 어버이날 감사 편지 쓰기, 영상 편지 쓰기, 세족식 진행 등
⑤ **효행·경로의 달(10월) 연계:** 부모·조부모께 손 편지 쓰기, 조부모님 자서전 만들기 등
⑥ **학부모와 함께 하는 체험활동:** 가족 단위 봉사활동, 가족 참여 현장 체험학습 등
⑦ **가족과 함께 하는 인성 프로그램:** 가족과 함께 하는 캠핑, 생태체험, 가족 운동회 등

(7) 지역사회 자원을 활용한 방과 후 인성교육

① 경기공유학교, 경기이룸학교를 통한 지역사회 연계 인성교육 프로그램 연계
② 마을 환경 가꾸기, 마을 어르신 관련 봉사활동 연계
③ 경기도 지역 도서관 인문학 특강 등 각종 문화행사 참여 독려
④ 경기학교예술창작소 '몸으로, 소리로, 손으로, 융합으로, 무대로' 등 프로그램 연계

6 교육 사례 (기출)

(1) 학급 운영 방안

① **나의 가치 찾기 활동:** 나의 강점, 가치를 탐색해 보고 그림으로 표현하는 과정을 통해 자신을 사랑하는 마음 갖기
② **다른 생명 돼보기 활동:** 동물원의 동물이 돼보고 동물이 원하는 세상은 어떤 것인지 상상해 보며 인간 중심을 넘어 지구 중심적 생각하기
③ **말!말!말! 활동:** 상처받은 말, 힘이 된 말, 즐거운 말을 들었던 경험을 교류하며 생활 속에서 바르고 고운 말의 중요성 인식하기
④ **책 속 인물 상담 활동:** 독후 활동으로 주인공의 마음을 이해하고, 힘이 되는 응원의 말을 통해 주인공을 상담하는 과정에서 타인과의 긍정적 소통 방법 익히기

(2) 교과 연계 방안

① **미술**: 마음을 표현하는 창작물 만들기
② **국어**: 상대방을 고려하는 행동에 대한 토의하기
③ **수학**: 협력 중심 문제해결 활동으로 모둠 간 갈등을 조정하고 임무 완수하기
④ **사회**: 우리 지역 문제를 해결하기
⑤ **정보**: 저작권법 OX 퀴즈 만들기(디지털 콘텐츠 생산자로서 책임감 함양), 인공지능이 인권에 미치는 영향에 대해 토론하기
⑥ **과학**: 자연재해 및 지구 온난화 현상 해결 방안 모색하기
⑦ **일반사회**: 소년법 개정에 대한 토론하기
⑧ **한문**: 사자성어를 통해 삶의 자세를 인식하고 현 세대에 필요한 성어 모음집 만들기

사이다 톡 talk! 교과 연계 방안은 성취기준에 근거해야 해요. 자기 교과의 성취기준을 계속 들여다 보는 습관은 수업 방안을 구안하는 데에도 도움이 된답니다!

2025학년도에 나는교 사이다 — 나만의 [인성교육] 방안 만들기

교과 지도 방안:

학급 운영 방안:

★★★
9 경기공유학교 공

현장 이야기로 사이다 열기

경기도교육청에 관심이 있거나, 지원 경험이 있는 분은 마을교육공동체란 말이 익숙하실 거예요.
하지만, 교육감이 바뀐 이후로 마을교육공동체의 취지는 유지하면서도 용어 자체는 잘 쓰지 않아요.
그럼에도 지역사회와의 협력과 연대를 중시한다는 것은 꼭 기억해 주셔야 해요.
이런 취지에서 새롭게 만들어진 것이 '경기공유학교'입니다.
여러분의 교육 방안 곳곳에 지역사회와의 연대를 꼭 포함해 주셔야 해요!
이번 테마에서는 이와 관련된 경기 정책들을 살펴볼게요.

#교육_방안

All 기출 문장 및 빈도 체크

연도	자기성장소개서 성			집단토의 토			개별면접 면		
	초	중	비	초	중	비	초	중	비
2016									
2017									
2018					✓				
2019									
2020							✓		
2021	미시행								✓
2022									
2023							✓	✓	✓
2024									

*공통 공

[23' 비면] 교육공동체 중 하나를 골라 이들을 대상으로 할 교육 방안을 말하시오.
[23' 중면] 제시문을 참고하여(지역교육 협력체제 구축) 기초학력 향상을 위한 교과 교육 방안을 말하시오.
[23' 초면] 다음 경기교육의 방향성을 교육적 관점에서 분석하고(지역사회 협력 교육) 이를 실현할 방안을 교육과정 및 학급 운영 측면에서 설명하시오.
[21' 비면] 청소년 수련관, 미술관, 행정복지센터 중 선택하여 자신의 전공과 관련해 하고 싶은 교육 활동 프로젝트를 제시하시오.
[20' 초면] '온 마을이 학교다.'라는 의미를 경험에 비추어 말하고, 교실에서 실현할 수 있는 방안을 말하시오.
[18' 중토] 지역 인프라를 활용하여 사교육비 절감을 고민하는 학부모의 고민을 해결할 수 있는 교사의 역할을 논의하시오.

1 정의

지역사회와의 협력을 기반으로 학생 개인의 특성에 맞는 맞춤교육과 다양한 학습 기회를 보장하기 위한 학교 밖 교육 활동과 시스템을 포괄하는 지역교육협력 플랫폼

예 지역 맞춤형 프로그램, 학생 기획형 프로그램(경기이룸학교), 대학연계형 프로그램(경기이룸대학), 지역기관(단체) 공헌 프로그램, (시범)학점인정형 프로그램, (시범)지역위탁형 프로그램이 있음

(1) 지역 맞춤형 프로그램

학생, 학부모, 학교의 수요를 기반으로 지역교육자원을 활용해 교육장이 개발하고 교육감이 인정한 8차시 이상의 프로그램

(2) 경기이룸학교

① 정의: 기획워크숍을 통해 학생이 희망하는 주제를 학교 밖 자원과 연결해 학교에서 경험하기 힘든 주제에 대한 학생의 자율적 도전과 주도적 성장을 지원하는 학생주도 프로젝트

② 기초 역량

- 기초 체력(체육, 댄스 등)·기초 학력(글쓰기, 고전 문학, 경제 등)·기초 소통 능력(외국어 소통 능력, 언어 등)
- 기본 인성(스포츠, 미술, 요리, 음악, 영상, 영화, 뮤지컬, 연극 등)
- 미래 역량(IT, 인공지능, 진로, 생태, 과학, 창업, 로봇 제작 등)

사이다 톡 talk! 지역 연계, 즉 발표회에 마을주민을 초청한다거나 음식을 만들어 근처 노인정, 보육원에 나눔을 한다거나 마을 합창단과 연계해 같이 노래를 한다거나 지리적으로 소외된 곳으로 가서 음악 심리치료를 하는 형식으로 진행하고 있어요.

(3) 경기이룸대학

① 정의: 중3, 고등학생을 대상으로 대학 및 전문 기관과 협력해 학생의 진로 개척과 전문 학습 역량을 지원하기 위한 맞춤 강좌를 개설하고 운영하는 학교 밖 프로그램

경기도 고등학생 및 동일 연령대 학교 밖 청소년	경기도 중학교 3학년 학생 및 동일 연령대 학교 밖 청소년
• 방문형: 학생이 해당 대학 또는 기관을 직접 방문해 수강하는 형태 • 거점형: 지역의 고등학교 또는 지정 시설에서 수강하는 형태 • 온라인형: 전체 강의를 실시간 쌍방향 온라인 수업으로 진행하는 형태	• 방문형: 학생이 해당 대학 또는 기관을 직접 방문해 수강하는 형태 • 온라인형: 전체 강의를 실시간 쌍방향 온라인 수업으로 진행하는 형태

② 강의 주제

- 중3 및 고등학생의 수준에 적합한 교육적인 주제 선정
- 강사와 학생이 함께 연구해 만들어 갈 수 있는 융합 주제 권장
- 학생들의 진로와 흥미를 고려해 다양한 계열의 강의 주제 선정
- 학생들의 자기주도적 학습 및 사고력을 신장시킬 수 있는 주제 선정

③ 교사가 할 일: 중·고교 교원이 학생들에게 적극적으로 안내해 의미 있는 학생 참여 지원

④ 기대효과

- 학생 스스로 선택하고 경험하는 교육 기회를 제공해 자율적 미래 인재 양성
- 학교, 지역사회를 넘나드는 학습 경험으로 모든 지역의 균형 있는 학생 성장 지원
- 맞춤형 진로활동 지원을 통한 학생의 자기주도성 및 진로 개척 역량 신장

사이다 톡 talk! 지역사회와 연계할 수 있는 방안은 이 외에도 무척이나 많아요. 도서관, 박물관 등 지역자원을 수업에 활용하거나 현장체험학습을 통해 체험중심교육을 하는 방안도 있고요. 예술교육 측면에서 지역사회의 인적 자원을 활용하는 방안도 있습니다. 임태희 교육감은 한 인터뷰에서 '휴먼 라이브러리'를 언급했는데요. '휴먼 라이브러리'는 사람이 한 권의 책이 돼 전문 지식과 생생한 경험을 나누는 지식 공유 플랫폼을 의미해요. 전 이재정 교육감 시절의 '사람책'과 같은 것이라고 보면 됩니다. 지역 직업인 누구든 인적 자원으로서 등록할 수 있고, 필요시 연계 교육하겠다는 방향성을 꼭 기억하고 활용해 주세요.

(4) 지역기관 공헌 프로그램

지역사회 기관이 지역 학생 맞춤 교육을 위해 학생 요구에 맞는 프로그램을 인증 과정을 거쳐 교육 자원을 기부하거나, 자체 운영하는 학교 밖 프로그램

(5) 학점인정형 프로그램

학교 내 개설이나 학교 간 공동교육과정 운영이 어려운 과목을 중심으로 지역사회 전문기관과 연계해 과목을 개설, 운영해 고등학교 교육과정이 학점 기반으로 내실 있게 운용될 수 있도록 연계, 협력 운영하는 프로그램

(6) 지역위탁형 프로그램

심리적, 환경적, 언어적 요인으로 소속학교에서 학업을 지속하기 어려운 학생의 회복과 적응을 돕는 인성교육 기반의 위탁 프로그램

❷ 장점

공유학교를 통해 학교 안에서 여건상 배울 수 없었던 다양한 관심 분야를 학습할 수 있는 기회를 제공받을 수 있음. 기초, 심화, 전문 과정 프로그램이 8차시 이상 운영돼 학생들은 더 넓고 더 깊게 배울 수 있음

❸ 기존 학교 밖 교육활동과의 차이점

기존 학교 밖 활동은 공급자 중심의 프로그램이 운영됐지만 경기공유학교는 학습자, 수요자 중심의 학교 밖 교육활동으로 재구조화해 지역교육협력 플랫폼으로 통합 운영하게 됨. 또한 자원 제공자와 자원 이용자의 상시적 연결, 참여를 통해 교육프로그램에 참여할 수 있음

❹ 학교·교사의 역할

① 교육 자원 제공
② 지역과 학교 상황을 고려한 프로그램 제안
③ 학생의 개별성을 고려한 프로그램 추천
④ 홍보 및 참여 안내

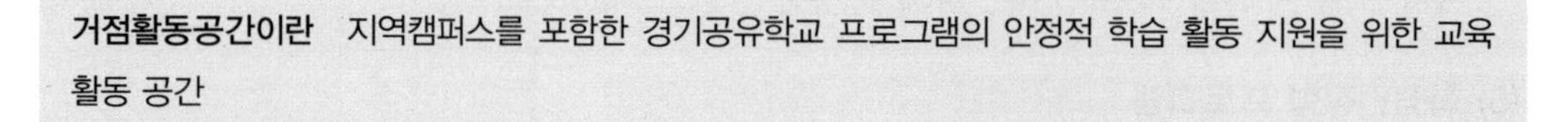

거점활동공간이란 지역캠퍼스를 포함한 경기공유학교 프로그램의 안정적 학습 활동 지원을 위한 교육 활동 공간

10 세계시민교육 공

현장 이야기로 사이다열기

경기도교육청은 글로벌 역량을 갖춘 시민·세계시민 육성을 목표로 하고 있어요.
기출문제를 보면 알겠지만, 전 교육감이 '민주시민교육'에 초점을 맞추었다면
현 교육감은 조금 더 '세계화'에 초점을 두고 있답니다.
민주시민교육은 과거에 중시됐던 것이므로 기출 관점은 참고만 해주세요.
'글로컬' 인재를 강조하는 만큼 지역 중심의 세계시민교육, 그리고 학생의 실천·활동 중심 세계시민교육을
지향한다는 것을 잊지 마시고, 이 취지에 걸맞은 교육 방안을 함께 고민해 봐요.

#학생_중심_방안 #교과_연계_방안

All 기출 문장 및 빈도 체크

연도	자기성장소개서 ⓢ			집단토의 ⓣ			개별면접 ⓜ		
	초	중	비	초	중	비	초	중	비
2016									
2017									
2018									
2019								✓	
2020					✓				
2021	미시행								✓
2022	미시행								✓
2023									
2024									

*공통 공

[22' 비면] 민주시민으로 성장할 수 있도록 생활중심교육을 어떻게 실현할지 구체적인 방안을 말하시오.
[22' 비면] 비대면 상황에서 시민적 역량이 매우 중요하다. 비판적 사고, 책임과 권리, 의사소통 중 한 가지를 선택하여 구체적인 교과 연계 방안을 말하시오.
[21' 비면] 학교민주시민공동체 문화를 공고히 하고, 체험 중심 민주시민교육을 활성화하여 민주시민교육 역량을 강화할 수 있도록 노력한다는 원칙에 입각하여 교사로서 사회참여 동아리를 어떻게 지원할 것인지 말하시오.
[20' 중토] 자신의 교과와 연계한 민주시민교육 방안과 학생 주도 민주시민교육 방안을 논의하시오.
[19' 중면] 민주시민교육을 위해 학생과 함께하는 방법을 말하시오.

1 필요성

전 지구적 차원의 문제 해결과 공생 방식을 모색하기 위한 세계시민교육(Global Citizenship Education, GCED)의 필요성 대두

〈지속가능발전 목표(Sustainable Development Goals, SDGs)〉(2015.9.유엔), 〈교육 2030(Education 2030)〉에서는 세계시민교육(Global Citizenship Education, GCED)을 핵심 주제로 포함(2015.11.유네스코 총회)

2 목표

(1) 유네스코

더 정의롭고, 평화로우며, 관용적이고, 포용적이며, 안전하고, 지속가능한 세상을 만드는 데 앞장설 수 있도록 필요한 학습자의 지식과 기술, 가치와 태도를 계발하는 것

출처: 「글로벌시민교육: 21세기 새로운 인재 기르기(Global Citizenship Education: Preparing Learners for the Challengers of the 21st Century)」(유네스코)

(2) 경기도교육청

① 교육과정과 연계한 시민·세계시민교육으로 글로벌 역량 강화
② 학생 참여·실천을 통한 시민·세계시민교육 활성화

3 추진 방향

Curriculum 교육과정 연계	Culture 문화조성	Community 지역사회 연계
❶ 교육과정 연계 시민·세계시민교육 운영	❷ 일상적 실천을 통한 시민·세계시민의식 제고	❸ 지역사회 연계 시민·세계시민교육 운영
가. 학교교육과정 연계 – 교과 내, 교과 간 주제별 융합수업 – 동아리, 학생자치 활동 나. 교원 수업역량 강화	가. 학생참여 중심 시민·세계시민교육 실천 나. 학생중심 세계시민교육 실천학교 다. 다양한 가족형태에 대한 사회적 인식개선 교육	가. 지역중심 세계시민교육 운영 – 지역특색 반영 – 지역 내 네트워크 구성 및 인적·물적 인프라 활용 나. 관련 부서 및 유관기관 협업

(1) 교육과정 연계 시민·세계시민교육 운영

① 미래교육 실현을 위한 학교자율과제 연계 등 세계시민교육 실행 계획 수립 권장
② 학교교육과정 연계 운영(범교과, 창의적 체험활동 등)
③ 교과 내·교과 간 교육과정 재구성을 통한 융합형 수업, 학교자율과정·자유학기제와 연계해 시민·세계시민교육 관련 주제 편성 및 운영

④ 동아리, 학생자치회 활동 등 창의적 체험활동과 연계한 학생주도 활동 운영(토의·토론 활동, 사회참여, 캠페인 등)

(2) 일상적 실천을 통한 시민·세계시민의식 제고

① 학생 참여 중심 시민·세계시민교육 실천

예시

프로젝트 학습 주제

- 초: 전쟁/가난/가족의 부재/기후변화로 인한 식량 부족/그 밖의 어려움에 관한 동화책을 읽은 후 토론하기
- 중·고: 지속가능성·평화 등에 관한 환경스페셜·다큐멘터리 관람 후 개인, 사회적 차원의 노력에 관한 토론하기

② 학생중심 세계시민교육 실천학교 운영

예시

학생중심 세계시민교육 실천학교 운영 과제

- (교육과정) 학교 교육과정과 연계해 교과 및 창제 내에서 세계시민교육
- (수업실천) 교과 교육과정 내 세계시민교육 주제별 융합 수업
- (학생주도) 학생이 기획·주도하는 세계시민 주제 활동 지원(동아리, 토의·토론, 캠페인, 학생자치 연계 활동 등)
- (교원역량) 교원 세계시민교육 수업역량 강화 연수 및 전문적 학습공동체 운영
- (지역연계) 지역사회 인적·물적 인프라를 활용한 세계시민교육 프로젝트 활동
- (성과확산) 관내·외 학교 대상 세계시민교육 수업 공개 등 실천 사례 나눔 운영

③ 다양한 가족형태에 대한 사회적 인식개선 교육: 다양한 가족 형태를 자연스럽게 이해해 사회적 편견과 차별 예방 ➡ 입양가족, 한부모가족, 재혼가족, 조손가족 등 다양한 가족 형태에 대해 이해하고 인식을 개선하는 교육을 세계시민교육과 연계해 종합적이고 체계적으로 수립·시행

(3) 지역사회 연계 시민·세계시민교육 운영

① 지역 특색을 반영한 세계시민교육 운영 계획 수립
② 지역사회 인적·물적 인프라 활용한 세계시민교육 활동 및 체험처 발굴
③ 지역 내 세계시민교육 관련 인력풀 구축 및 강사 파견 지원
④ 세계시민교육 우수사례 확산을 위한 네트워크 구축 및 실천사례 나눔 지역별 공유회 운영

예시

지역중심 세계시민교육 운영

• 세계시민(문화다양성, 지속가능발전, 인권, 평화 등) 관련 도서 학생 주도 토론활동 지원
• 세계시민교육 관련 관내 학교 동아리 부스 운영(체험활동 등)
• 세계시민교육 축제 및 박람회 개최
• 세계시민교육 학생 캠프 운영
• 학생자치회 주도 세계시민교육 토의·토론 활동
• 지역 청소년의회 세계시민교육 정책 제안 등
• 지역자원 활용 지역문화유산 프로젝트형 탐구활동 지원
• 세계시민교육 교사 역량강화 연수 및 학부모 연수 지원
• 지역 내 학교급별 실천사례집 제작 및 공유 등

4 세계시민교육 교수학습 방법 개발 및 적용 지향점

(1) 지향점

① 질문을 통해 비판적 사고력 함양
② 글로벌 이슈의 복잡성을 이해하고 다양한 시각을 통해 분석
③ 배움을 실제 세계 문제와 맥락에 적용
④ 학습자가 현명하고 성찰적인 행동을 취하고 자신의 의견을 밝힐 수 있는 기회 제공

(2) 주의 사항

① 사고와 행동의 방향을 지시하지 않음
② 복잡한 문제에 대해 간단하게 해결책을 제시하지 않음
③ 추상적 내용을 가르치느라 실제 생활에 대한 적용을 소홀히 하지 않음
④ 일회성, 단기성 이벤트로 운영하지 않음

5 기대효과

① 교육과정 연계 지역 기반의 세계시민교육 내실화
② 미래 사회에 요구되는 글로벌 역량을 갖춘 세계시민 육성
③ 학생 참여를 통해 균형과 실천을 강화한 시민·세계시민교육 내실화

2025학년도에 나는교 사이다 – 나만의 [세계시민교육] 방안 만들기

시민교육 방안:

세계시민교육 방안:

11 IB 교육과정 공

현장 이야기로 사이다열기

임태희 교육감은 취임 이전부터 IB 프로그램 정착에 대한 의지를 내비쳤습니다.
교육정책국 학교정책과에는 IB 프로그램 운영 기반을 마련하기 위한 IB 담당팀이 신설되기도 했죠.
2023년부터는 IB 관심학교를 모집하기도 했는데요.
IB 프로그램의 취지와 기대효과가 무엇이기에 강력한 의지를 내보이고 있는 것인지, 그 지향점을 함께 살펴봅시다.

#지향점

1 IB(국제 바칼로레아 · International Baccalaureate) 프로그램

① 스위스 비영리 교육재단인 IB 본부에서 개발·운영하는, 어느 국가에서나 적용 가능한 국제인증 학교 교육 프로그램

② 탐구–실행–성찰 학습을 통한 학습자의 자기주도적 성장을 추구하는 교육 체제

③ 초·중학교 프로그램은 프레임워크(골조)만 제공하고, 우리나라 교육과정 그대로 교육

④ 고등학교 프로그램인 DP(Diploma Programme)는 대입과 연계된 평가 시스템으로 90개국 3,300여 개 대학에서 IB 점수를 입학시험 성적으로 사용 가능

⑤ 운영 절차

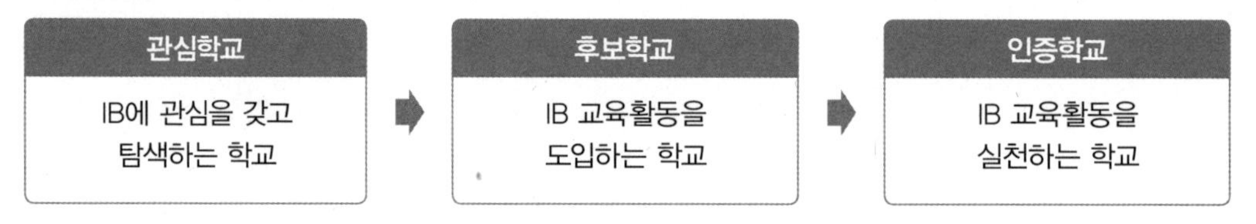

- **관심학교**: IB 교육철학을 바탕으로 IB 프로그램을 탐색하는 학교
- **후보학교**: IB 수업·평가를 적용하는 학교
- **인증학교**: IB 교육활동을 실천하는 학교

2 도입 배경

① 4차 산업혁명 시대에 세계적 동향을 읽어내는 동시에 지역사회에서 자기주도 역량을 갖춘 글로컬 인재 육성에 대한 공감대 형성

② 단편적 지식 암기와 출제자 의도에 맞는 정답을 찾는 교육에서 벗어나, 창의적이고 비판적인 사고력을 키우는 미래형 학습체제로의 전환 필요

③ 미래 사회를 살아가는 데 필요한 사고력과 창의력을 평가하는 미래형 대학 입시체제의 패러다임 변화 요구

3 교육 목표

① 교사: IB 수업·평가 전문가로 성장
② 학생: 배움을 즐기는 자기주도적 평생학습자로 성장

4 목적

① '탐구–실행–성찰' 중심 수업 설계에 대한 교사의 자율성과 평가 전문성 신장으로 수업의 질 제고
② 논·서술형 평가 확대에 따른 타당도와 신뢰도를 갖춘 공정한 평가 시스템 운영으로 공교육의 만족도 제고
③ 창의적·비판적인 역량을 키우는 수업–평가 확산으로 경기형 IB 프로그램 운영 기반 마련

사이다 톡 talk! 교사의 역할·역량을 고민해 주세요. 학생이 탐구하고, 성찰하는 창의적·비판적 수업을 위해 교사는 어떤 능력이 필요할까요? 이것을 갖추기 위해 어떤 노력을 할 것인지 계획 수립도 필요하답니다.

5 학습자상

① 탐구하는 사람(Inquirers)
② 지식을 갖춘 사람(Knowledgeable)
③ 생각하는 사람(Thinkers)
④ 의사소통을 잘하는 사람(Communicators)
⑤ 원칙을 지키는 사람(Principled)
⑥ 마음이 열린 사람(Opened–minded)
⑦ 배려하는 사람(Caring)
⑧ 위험을 감수하는 사람(Risk–takers)
⑨ 균형 잡힌 사람(Balanced)
⑩ 성찰하는 사람(Reflective)

사이다 톡 talk! 공감하는 2~3가지를 선정하고 이 학습자상을 실현하기 위한 교육 방안을 고민해 두면 좋아요.

6 IB 프로그램의 교육과정–수업–평가

(1) 교육과정

① 연계: 폭넓고 균형 있으며 학교급별 연결성(초–중–고)을 지닌 프로그램

② **특징:** 핵심 개념 탐구 및 학문 간 유기적 통합 추구
③ **원리:** 자기주도성 기반 문제 발견력(해결력)을 신장시키는 교수·학습 설계

(2) 수업-평가

① **목표:** 사고력, 의사소통 능력, 사회성, 자기관리 능력, 탐구조사 능력 신장
② **수업:** 지속적 '탐구-실행-성찰'을 통해 학생의 생각을 꺼내는 수업
③ **평가:** 수업 밀착형 평가 및 교사의 피드백을 통한 과정 중심 논·서술형 평가

(3) IB와 기존 수업-평가 간 유사점과 차이점

① **유사점:** 학생의 생각을 키우는 학생중심수업과 과정 중심 논·서술형 평가 지향
② **차이점**
- **기존 교육:** 초·중학교에 주로 적용. 논술형 평가 채점의 공정성에 대한 부담으로 고등학교로의 확산 한계
- **IB 프로그램:** IB 본부가 양성한 채점관이 고등학교의 내부·외부 평가를 교차 채점하고 학교별 점수를 조정함으로써 공정한 평가 시스템 운영 가능

사이다 톡 talk! 기존 면접문제를 보면 특정 제도가 도입됐을 때 '예상되는 반론에 대한 설득'이나 '기대효과' 등을 묻는 문제가 출제되곤 했어요. IB 프로그램에 대해서는 사교육을 조장할 수 있다는 우려가 제기되고 있다고 합니다. 그러나 한국어판 IB의 경우, 초등학교와 중학교는 모든 과목을 한국어로 진행하고, 고등학교의 경우 영어와 연극 수업을 제외한 모든 과목을 한국어로 수업, 평가하므로 영어 사교육 과열은 발생하지 않을 것으로 예상된다고 해요. IB는 탐구, 토론, 발표 중심의 학습자 주도 수업, 교사의 지속적 피드백, 과정 중심의 논·서술형 평가 등 학교 교육으로 이루어져 단기적인 사교육으로 교육성과를 보장받기는 어려워요. 또한 IB가 가장 중요하게 생각하는 것이 '학업 정직성'이므로 남의 생각을 자신의 생각인 것처럼 쓰거나, 보고서에 참고문헌 하나만 인용하지 않더라도 디플로마가 박탈되기에, 학생들 스스로 사고할 수 있는 능력이 강화될 수 있다는 점을 이해해 주세요.

7 IB 학교 운영 과제

(1) 교원 역량

① IB 워크숍 참여로 국내외 교원들과 수업 설계 및 토론
② IB 수업·평가 중심의 전문적 학습공동체 운영으로 수업 공개 및 참관
③ IB 국제공인 전문 강사 및 채점관 양성, 대학 연계 IB 교원 인증 프로그램 참여

(2) IB 교육 환경 구축

① 교과 연계 탐구학습 강화를 위한 에듀테크 기반 구축
② IB 수업-평가 지원을 위한 학습 교구 및 기자재 구비
③ 도서관, 융합교과실, 과학실, 다목적실 등 학교 환경 개선

★★★

12 진로·진학교육 공

현장 이야기로 사이다열기

"학생들 개개인의 꿈과 행복을 찾아주는 교육"
누구나 알아주는 좋은 학교에 가서 좋은 직업을 가져야 한다는 패러다임을 깨고
개개인이 행복한 삶을 위한 맞춤형 진로·직업교육이 현장에선 중요한 이슈입니다.
획일화되고 똑같은 꿈과 직업을 강요받는 것이 아닌, 개인의 재능을 고려한 진로 탐색이 매우 중요해지고 있습니다.
선생님들은 현장에서 어떤 진로교육을 하고 싶으신가요?
관련 내용을 살펴보며, 함께 고민해 봅시다.

#지도_방안

All 기출 문장 및 빈도 체크

연도	자기성장소개서 성			집단토의 토			개별면접 면		
	초	중	비	초	중	비	초	중	비
2016									✓
2017									
2018									✓
2019									
2020		✓	✓			✓			
2021	미시행								✓
2022									
2023							✓		
2024									

*공통 공

[23' 초면] 요즘 급격하게 변화하는 사회 현상 속에서 학생 맞춤형 진로교육이 필요한 이유를 3가지 설명하시오. 또 이에 필요한 교사의 자질을 말하시오.
[21' 비면] 역량중심 교육과정을 바탕으로 한 진로 맞춤형 진로 탐색 교육 방안을 말하시오.
[20' 비토] 학교 진로교육 방향에 대한 생각, 교과와 연계한 진로교육 실천 방안, 학생 중심의 진로교육 방안에 대해 논의하시오.
[20' 중비성] 학생이 진로 상담을 요청했을 때, 자신의 삶의 경험을 바탕으로 상담 메시지를 작성하시오.
[18' 비면] 1일 진로 체험 운영 방안을 말하시오.
[16' 비면] 교직관, 교과 전문성을 바탕으로 한 진로교육 방안을 말하시오.

❶ 정의

학생들 개개인의 성향에 적합하게 진로를 설계하는 데 도움을 주는 교육

❷ 진로교육의 방향

개별 학생 중심, 체험 중심, 체험 시 직업 안전 교육 병행, 다양한 자원 활용(온·오프라인)

2020년 초·중등 진로교육 현황조사(교육부, 한국직업능력개발원)에 따르면 중학생과 고등학생의 진로 정보 획득의 주요 경로로 온라인 매체 활용 비율 증가 ➡ 다양한 자원을 활용한 진로교육의 중요성 강조

❸ 개별 맞춤형 진로교육의 필요성 기출

(1) 다양한 진로 선택 가능

① **필요성:** 온라인 기반 사업, 창업, 자영업, 해외 취업 등 보편적인 기업 입사나 전문직 종사를 넘어 진로 선택 폭이 다양해짐 ➡ 학생들이 자기 관심과 능력에 맞는 다양한 진로를 탐색하고 체험할 수 있도록 해야 함

② **교사에게 필요한 역량:** 직업 탐색 역량 ➡ 다양한 직업의 세계를 이해하고, 추천할 수 있어야 함

(2) 개성이 강한 학생 특성 고려

① **필요성:** 어렸을 때부터 SNS에 자기의 생각과 개성을 표출하는 것이 자연스러운 요즘 학생들은 관심, 성향, 능력 등에서 다양성을 보여줌 ➡ 학생 맞춤형 진로교육을 통해 학생들의 다양성을 존중하고 그에 걸맞은 직업을 가질 수 있도록 조력해야 함

② **교사에게 필요한 역량:** 관찰과 공감을 바탕으로 한 학생 이해 역량, 개별화 지도 능력

(3) 자기주도적 진로 설계 역량 필요

① **필요성:** 평생학습 시대의 도래로 끊임없이 자기의 적성과 재능을 연마하며 여러 가지 직업을 선택하게 됨 ➡ 학생 스스로 자신을 알아가고 진로 설계 역량을 체득해야 함

② **교사에게 필요한 역량:** 자기주도학습 코칭 역량

4 사례 (기출)

(1) 교사의 역할

① 1:1 상담

- 진로적성검사 결과 및 학생 관심사 바탕의 상담
- 학생의 성장단계에 맞춘 진로 탐색 및 진로 설계 지원 교육과정 운영
  - 초-중-고 학교급 전환기 교육 활동의 연계성을 고려한 상담
  - 초-중 연계: 중학교 1학년 대상 중학교 교육과정 첫 학기 적응 지원을 위한 상담
  - 중-고 연계: 중학교 3학년 대상, 고교학점제(선택중심 교육과정) 준비를 위한 진로 상담

성장단계별 진로연계교육 운영(예시)

1학년: 자기이해 및 진로탐색기	2학년: 적성탐색 및 진로설계준비기	3학년: 학교급 전환준비기 및 진로설계기
• 진로성숙도검사 실시 • 지역 연계 진로탐색활동 • 자기이해 및 자기관리 역량 강화 • 학생 맞춤형 학습 지원	• 학생 맞춤형 선택교과 운영 • 지역 연계 진로체험활동 • 교과 연계 진로탐색 교육활동 • 기초 진로설계 및 준비	• 고교학점제 이해 UP 주간 운영 • 학교 간 연계 진로체험활동 • 고교선배와의 진로상담 • 나의 꿈 로드맵 작성·발표

- 학생이 직접 찾아보고 고민할 수 있는 다양한 자원 추천

② K-MOOC 활용: 해당 분야 전문가들의 깊이 있는 강좌를 시청하고, 같은 관심사를 가진 사람과 토론할 수 있어 학교생활과 쉽게 병행 가능하며 내실 있는 진로탐색활동 가능

(2) 지역사회와의 연계

① 지역학교 및 지역사회와의 연계

- 학교 간 연계: '중-고가 함께 하는 ㅇㅇ마을 고등학교 설명회', '미리 보는 고등학교 교육과정', '선배와의 대화', '학교 방문 및 학과 체험' 등
- 학교-지역사회 간 연계: 지역 명인 인터뷰, 찾아가는 직업 체험프로그램 등
- 공유학교 연계: 경기이룸학교, 공동교육과정을 통해 진로 관련 과목 수강

② 한국 잡월드 체험: 2012년 개관한 고용노동부 산하 기관 ➡ 직업 체험의 기회 및 근로 의식 형성을 유도해 진로 및 직업 선택을 할 수 있도록 도와주는 공공 기관 ➡ 시뮬레이션 프로그램, 미래 직업 로드, 숨겨진 직업 등을 확인

③ 오감체험의 '경기 학교예술창작소' 활용: 체험 중심 통합예술교육 ➡ 예술교육의 커뮤니티 허브 역할 예 용인 성지초등학교: 유휴 교실을 활용해 목공예, 신체 청각 표현실, 흙물영상의 공간 스튜디오, 공연장, 상상공간 구성

④ **특성화고 유휴 시설을 활용한 평생직업교육센터 운영:** 메이커 스페이스(수공예 공방, 장인 명장교육), 징검다리 체험교실(중학생 직업학과 체험)

(3) 제도적 노력

① **학생 중심·안전 중심 현장실습 운영:** 산업체 현장실습 운영 방법과 절차 개선, 현장실습생의 산업 안정 및 노동인권 보호 강화

② **초·중·고 노동인권교육 강화:** 교과 시간을 활용한 노동인권교육

③ **직업계고 그린 랩(Green Lab) 학습 공간 조성:** 안전하고 쾌적한 실습환경 구축, NCS 기반 교육환경 구축, VR/AR 기반 실습환경 구축

④ **AI 기반 취업 지원 플랫폼 구축:** AI 기반 기업 발굴 및 매칭 지원, AI 기반 취업지원센터 역할 강화, AI 기반 언택트 직무 역량 지원 시스템 구축

사이다 톡 talk! 지역사회 연계나, 제도적 노력보다 앞서야 할 것은 '교사의 관심과 상담'입니다. 면접에서 몇 가지 방안을 언급하실 때도 교사의 노력을 가장 먼저 말씀하셔야 진정성 있는 교사임을 어필할 수 있습니다. 진짜 우리 학생을 대상으로 진로 상담을 한다고 생각해 보세요. 가장 먼저 할 일은 관심사를 묻거나, 진로 시간에 실시한 진로적성검사 등을 토대로 이야기를 나누는 거겠죠? 그 다음 관련 기관을 연계하거나 제도로 도움을 주어야 합니다!

2025학년도에 나는교 사이다 – 나만의 [진로교육] 방안 고민하기

학급 운영 방안

교과 연계 방안

교육생태계 연계 방안

온·오프 연계 방안

연계할 수 있는 경기 정책 및 기관

13 독서교육 공

현장 이야기로 사이다열기

르네 데카르트는 “좋은 책을 읽는 것은 과거 몇 세기의 가장 훌륭한 사람들과 이야기를 나누는 것과 같다.”라고 말했습니다.
책 안에는 현인들의 지혜가 담겨 있을 뿐만 아니라
책을 읽는 과정을 통해 인내, 참을성을 기를 수 있고 정서 안정에도 효과적이죠.
그뿐인가요? 자기의 취향을 알아가고 상상력과 통찰력도 생기죠.
하지만 책보다 영상물이 더 익숙한 요즘 학생들에게 독서 습관을 길러주는 것은 힘든 일이기도 해요.
4차 산업혁명 시대에 무엇보다 인간의 존엄과 가치를 중시하는 인문교육만큼은
미래 사회의 주인공인 학생들에게 꼭 필요할 것입니다.
학생이 주도할 수 있는 방안으로 독서교육 방안을 구안해야 합니다!
올바른 독서문화와 그 환경을 조성하는 방안을 함께 고민해 봅시다.

#교과_연계_방안 #학생_중심_방안

All 기출 문장 및 빈도 체크

연도	자기성장소개서 성			집단토의 토			개별면접 면		
	초	중	비	초	중	비	초	중	비
2016									
2017									
2018									
2019								✓	
2020									
2021	미시행							✓	
2022									
2023									
2024									

*공통 공

[21′ 중면] 학생이 자신의 경험을 매체로 표현하는 독서교육을 한다고 할 때, 자신의 교과와 연계한 독서교육 방안을 말하시오.
[19′ 중면] 독서교육의 필요성과 교과 연계 독서교육 활성화 방안을 말하시오.

1 필요성

① 미디어 및 영상 중심의 사회에서 읽고 쓰는 능력이 감소됨
② 학생 스스로 자기 삶을 지적·정서적으로 풍요롭게 영위할 수 있도록 올바른 독서문화와 환경 조성이 필요함

2 학교 독서교육 목표

① 기초 역량을 위한 독서 습관 정착으로 독서 시간 확보 및 학생 독서문화 조성
② 디지털 기반 독서교육 확장으로 한 학기 한 권 읽기 및 학교 도서관 활용수업 확대
③ 지역 독서자원과 연계한 교육공동체의 독서 연구 및 독서문화 확산
④ 학교교육과정 지원을 위한 학교 도서관 운영 체계 및 공간의 변화

사이다 톡 talk! 경기교육에서는 '기초 역량 확보'를 위해 독서교육을 중시하고 있어요. 즉, 읽고 생각하는 능력을 기르기 위해 독서교육이 중요하단 것이죠. 또한 '디지털 기반', '학교 도서관 활용', '지역 자원 연계' 독서교육을 중시한다는 것을 잊지 마세요. 나만의 교육 방안에 이 키워드가 들어가야 합니다!

3 독서교육의 원리

① **자발성의 원리**: 자발적으로 독서하고 싶게끔 동기유발을 해야 함
예 필요성 설명, 기대효과 제시, 취향 및 진로와 연계
② **독자 수준의 원리**: 학생의 성장과 발달 정도, 개인차에 맞는 지도를 위해 일정한 책을 일률적으로 정하는 것이 아닌 자기 수준과 흥미에 맞는 책을 스스로 골라 읽도록 함
③ **책 선택의 원리**: 자기 수준에 맞는 책을 선정해 읽도록 지도하며, 가이드라인을 제시하기 위해 학급 게시판에 권장 도서를 붙여놓는 것도 좋은 방법임
④ **환경 조성의 원리**: 독서에 관심을 갖게 하기 위해 생활 주변에 책을 접할 수 있는 환경을 조성해야 함 예 학급문고 비치
⑤ **통합의 원리**: 내용, 교과, 가정과 학교의 통합 등 범교과적이고 범매체적으로 통합할 수 있어야 함

사이다 톡 talk! 독서교육의 원리를 고려해 독서교육 방안을 마련해 보아요.

4 경기교육 중점 정책

(1) 교육과정 전반 학생 독서 습관 정착

① 일과 중 독서 시간 30분 운영

- 목적: 학교에서 독서의 중요성에 대한 인식을 바탕으로 일과 중에 이루어질 수 있도록 협의
- 시간: 아침·점심시간 등을 포함해 매일 일과 시간표에 독서 시간 30분 이상 편성
- 방법: 사제동행(담임 또는 교과 교사와 학생) 독서

사이다 talk! 사제동행 독서교육 방안으로 '하부르타 질문 만들기'를 생각해 볼 수 있어요. 같은 책을 읽고 서로 질문을 만들며 독서내용을 강화하는 것이죠. '누가, 언제, 어디서, 무엇을, 어떻게, 왜 했나요?', '이 책을 간단히 요약하면 어떤 내용일까요?'와 같은 내용 위주의 질문도 좋고, '~부분에서 어떤 느낌이 들었나요?', '나라면 어떤 선택을 할 것인가요?', '이 책에서 얻을 수 있는 교훈은 무엇인가요?' 등 감상과 관련된 것도 좋겠죠. 학생들과 함께 책을 읽는다면 구체적으로 어떤 교육을 하고 싶은지 깊게 고민해 주세요.

② 교과 연계 학교 도서관 활용 수업

- 수업 장소: 학교 도서관 권장
- 사전 준비: 학년협의회 또는 교과협의회를 통해 도서관 활용 수업 안내
- 사서교사: 도서관 활용 수업 시간표 작성 및 운영

사이다 talk! 학기 초 교과운영계획서를 쓸 때, 교과 연계 독서교육 방안을 꼭 수립해야 해요. 선생님들이 가르칠 과목의 교과서를 펼치고, 어떤 부분에 독서교육을 병행하면 좋을지 꼭 고민해 두세요. 사서 선생님들은 도서관 활용 수업 시, 담임(교과)교사와 상호존중을 바탕으로 협의하겠다는 것을 내비치셔야 해요. 또한, 담임(교과)교사가 요청하는 수업 자료를 제공하고, 교과수업 시 수업을 적극 지원하겠다는 포부를 넣으시면 좋습니다. 또한, 독서교육을 위해 단독 수업 계획을 수립해 두시는 것도 좋아요.

③ 독서 프로젝트 수업: 독서 마라톤 대회, 작가와의 만남, 온라인 독서 모임, 한 학기·한 교과·한 권 읽기, 나도작가 프로젝트 등 독서 관련 공모전 및 프로젝트 학습 운영

사이다 talk! 안양 관양초에서는 1학년에게 '책 10권 읽어주기'를 하고 있다고 합니다. 도서실 주관으로 사서 선생님이 직접 책을 읽어주는 프로그램입니다. 원래는 '책 읽는 학부모회'가 매주 화요일 아침 1~2학년 대상으로 시행하다 코로나19로 외부인 출입이 제한되자 사서 선생님이 진행하고 있는 것인데요. 학부모와 연계한다면, 학생들의 책 읽는 습관 형성에도 도움이 되고, 아직 글을 읽는 데 익숙지 않은 학생의 성장을 배려하는 성장배려학년제의 취지에도 적합한 사례입니다.

(2) 학교 도서관 운영 기반 강화

① 학교 도서관 공간 재구조화 사업: 설치(리모델링) 15년 이상 경과 노후 학교 도서관 등의 공간 혁신을 통해 미래형 학교 도서관 플랫폼을 구축하고, 미래교육 지원을 위한 학교 도서관 인프라를 확충하는 사업

② 추진 방향

- 책과 미디어를 융합한 창작 공간 조성으로 디지털 시민 역량 강화
- 미디어·독서·글쓰기·토론과 연계해 다중문해력 향상 지원
- 인쇄매체 외 전자정보원, 멀티미디어 등 다양한 정보자료원 제공
- 교과·연계 수업 활성화를 위한 무선인터넷 환경 구축·개선

③ 학교 도서관 정보 활용 다양화

- **학교 도서관 이용 및 정보활용교육 실시:** 도서관 정보 이용 및 정보화 기자재 활용법, 과제해결 방법 지도, 저작권법, 개인정보 보호 등 올바른 정보윤리의식 교육
- 경기교육도서관 통합전자도서관(https://lib.goe.go.kr/elib) 온라인 콘텐츠 활용
- 전자잡지, 전자책, 오디오북, 이러닝(e-learning) 자료 등

사이다 톡 talk! 도서관 공간 재구조화에는 '교과 연계 수업이 용이할 것', '디지털 인프라를 구축할 것', 이 두 가지 내용이 꼭! 포함돼야 합니다.

(3) 학교 독서교육, 도서관 역량 강화

① **학교 안 교사 독서교육 역량 강화:** 독서 관련 전문적 학습공동체, 독서 관련 교사 학습 동아리

② **지역 및 도 단위 교육연구회 활성화:** 책 읽는 학교 모델, 담임(교과)교사 학교 도서관 활용 수업 유형 개발 및 공유

사이다 톡 talk! 학교 독서교육 강화를 위해 교사로서 전문적 학습공동체와 교육연구회에 참여해 전문성을 향상하겠다는 의지를 드러냅시다.

5 기대효과

① 성장기부터 독서 습관 형성 가능

② 암기 위주의 학습에서 벗어나 창의성, 사고력 향상 가능

2025학년도에 나는교 사이다 - 나만의 [독서교육] 방안 고민하기

14 문해력 향상 교육 공

현장 이야기로 사이다 열기

《인스타 브레인(안데르스 한센)》에 따르면, 스마트폰의 일상화로 학생들의 학습 능력이 저하되고 있다고 합니다.
현장에서도 기본적인 단어의 뜻을 모른다거나 문항의 의미 자체를 이해하지 못하는 학생들이 많아 당황스러웠던 적이 많아요.
또, 논술형 수행평가나 학생들의 생각을 확인할 수 있는 짧은 글을 읽을 때
주술 호응이 되지 않는다거나 단어의 의미를 잘못 알고 쓰는 학생도 많아 걱정이 컸어요.
그런데, 이것이 학생들만의 문제일까요?
어쩌면 우리는 한글을 깨치고, 읽는 것을 '당연하게 습득할 수 있는 능력'으로 생각하고 있는 건 아니었나
반성하는 계기가 되기도 했습니다.
인간은 태어날 때부터 말을 할 수 있지만, 글을 읽고 쓰는 것은 배우고 익혀서 얻게 되는 후천적 능력이라고 합니다.
노력하면 좋아질 수 있지만, 그렇지 않으면 퇴화할 수도 있죠.
이번 테마는 《EBS 당신의 문해력》이라는 책을 많이 참고했습니다.
학생들의 문해력 위기 속에서 학교와 교사의 역할을 함께 나눠봅시다.

#필요성 #지도_방안

All 기출 문장 및 빈도 체크

연도	자기성장소개서 성			집단토의 토			개별면접 면		
	초	중	비	초	중	비	초	중	비
2016									
2017									
2018									
2019									
2020									
2021	미시행								
2022									
2023									
2024								✓	

*공통 공

[24' 중면] 문해력 저하로 인한 기초학력 부족 문제를 해결하기 위해 담임교사와 교과교사로서의 방안을 제시하시오.

1 문해력 정의

① 현대 사회에서 일상생활을 해나가는 데 필요한 글을 읽고 이해하는 최소한의 능력
② 다양한 내용에 대한 글과 출판물을 사용해 정의, 이해, 창작, 해석, 의사소통, 계산 등을 할 수 있는 능력
③ 읽은 글을 바탕으로 새로운 것을 창조하고, 이미 존재하는 다른 것과 연결하고 중요한 정보와 그렇지 않은 것을 골라낼 수 있는 능력

2 중요성

① 새로운 정보와 지식을 받아들이는 도구로서 학습 능력을 좌우하는 가장 기초적이면서 중요한 역량 ➡ 문해력을 제때에 키우지 못한 채 성장할 경우 모든 과목에서 학습 부진을 겪게 됨
② 정보의 홍수 속에서 이를 읽고 해석할 수 있는 사람과 그렇지 않은 사람의 격차 발생 ➡ 성인이 돼 공지문, 설명서, 계약서 등을 접할 때 이해하지 못하면 불이익을 겪을 수 있음

3 필요성

① 학생들은 인스턴트 메신저를 많이 활용하며, 완성된 문장 형태에 익숙한 것이 아닌 이모티콘, 짤, 주술이 호응하지 않은 표현에 자주 노출됨
② 영상 콘텐츠에 노출, 콘텐츠의 시각화·화려함 등에 의해 문자와 멀어지고 줄글이나 교과서 해독에 어려움이 생김
③ 낮은 디지털 문해력은 인터넷에 넘쳐나는 가짜 뉴스를 접하거나 피싱문자 등을 받았을 때 사실을 검증하고 적절하게 대처하는 능력을 떨어트림

4 초등학생 교육 방안

(1) 중요성

① 만 8세 이전 초기 아동기 문해력이 중요함. 초기 문해력을 갖추지 못한 학령기 학생들은 공부 기초체력의 부족으로 공부 자신감을 잃어버림 ➡ 기초학력 부족이 누적되며 학습 격차가 벌어짐
② 특히 초등학교 2학년은 문해력 발달의 골든타임, 3학년 때부터 본격적인 읽기가 시작되기 때문임. 읽기 능력 격차는 공부에 대한 흥미를 잃게 하며 자존감 형성에도 악영향을 미침

(2) 교육 방안

① **읽기 흥미 유도 및 독서 습관 형성:** 초등학생들은 아직 문해력의 기초를 다지는 단계이므로, 다양한 주제의 책을 접하게 해 읽기의 즐거움을 느끼도록 유도함. 일기, 독서록, 간단한 글쓰기 활동을 통해 읽고 난 후 자신의 생각을 표현하도록 지도함

② **놀이를 활용한 어휘 학습:** 초등 놀이 활성화 정책에 발맞추어 단어 카드, 퍼즐, 퀴즈 등 놀이 요소를 도입해 어휘를 자연스럽게 익힐 수 있도록 함

③ **그림책 및 시각적 자료 활용:** 그림책이나 만화책 등 시각적 자료를 활용해 이야기 구조나 내용을 쉽게 이해하도록 함

④ **소리 내어 읽기 교육:** 읽기 능력에 주목. 눈으로만 읽다 보면 중간중간 글자를 빼먹거나 틀리게 읽기 때문 ➡ 소리 내어 읽으면 단어를 꼼꼼하게 읽으려 노력하기 때문에 읽기 능력을 키워줄 수 있음

⑤ **개별화 수업:** 읽기 능력이 부족한 학생들에게 맞춤 개별화 수업을 도입함

5 청소년 교육 방안

(1) 학습도구어(교과서를 읽고 이해하는 데 필요한 어휘)부터 학습하기

중학생 어휘력은 학습도구어와 연결되기에 교과서에 등장하는 핵심 어휘들의 뜻을 정확히 알아두는 과정이 필요

① **핵심 어휘 공부하기:** 사회, 국어, 도덕, 역사, 체육 등 각 과목 해당 단원에 등장하는 어려운 용어를 먼저 공부한 후 수업

② 배운 단어를 활용한 한 문장 쓰기 연습

(2) 요약 및 정리하는 능력 훈련

중학생에게는 복잡한 글을 읽고 핵심 내용을 요약하는 능력이 중요 ➡ 글의 구조를 파악하고 주요 내용을 간결하게 정리하도록 지도

(3) 문학 작품 및 시사 자료 분석

문학 작품을 통해 문체, 상징, 주제 등을 분석하는 능력을 기르고, 시사 자료를 읽으며 사실과 의견을 구분하고 현재 이슈에 대한 이해도 향상

6 학급 문해력 교육 방안

(1) 문제 출제

① 읽고 싶은 책 선정: 학년별, 학급별 권장 도서가 아닌 독서에 대한 긍정적 인식을 심어주기 위해 학생이 읽고 싶고 학생 수준에 맞는 책을 먼저 읽어야 함
② 함께 독서: 친구들과 함께 읽으며 긍정적인 독서 경험을 쌓음
③ 문제 출제: 학생이 자신이 읽은 책 속에서 퀴즈를 내게 함 ➡ 시간이 갈수록 수준 높은 문제를 출제하게 되고, 질문거리를 찾기 위해 독서에 몰입하는 효과를 냄

(2) 신문 및 이야기 나누기 게시판 운영(온라인, 오프라인)

학생들이 각자 읽은 책이나 글의 내용을 요약하고, 이를 온라인 혹은 오프라인 게시판에 붙여 서로의 생각 공유 ➡ 학급 내에서 다양한 읽기 자료를 서로 공유하며 문해력과 의사소통 능력을 함께 발전시킬 수 있음

(3) 프로젝트 기반 글쓰기 및 연구 활동

학급에서 지역사회 혹은 교내의 문젯거리를 하나 선정해 이에 대해 조사하고 해결 방안에 대한 글을 작성하는 프로젝트 학습 진행 ➡ 학생들은 다양한 자료를 읽고 분석하며 결과물을 작성하는 과정에서 정보 처리 능력과 글쓰기 능력을 키울 수 있으며 발표를 통해 다른 학생들과 의견을 나누고 피드백을 주고받으면서 비판적 사고와 문해력이 함께 향상됨

단어를 가르치는 게 아닌, 단어의 의미를 고민하는 과정을 가르치자!

온라인 콘텐츠 선도학교에서 운영을 담당하며, 태블릿PC를 활용한 문해력 교육을 진행해 보았어요. 학생들에게 익숙한 매체를 활용하면서 학습에 도움이 될 수 있는 '학습도구어' 교육인데요. 특히 한자로 된 용어의 뜻을 모른 채 그냥 암기한다거나 그로 인해 틀린 단어를 사용하는 문제를 해결하면서도 사고력을 길러주기 위한 시도였어요. 사진과 함께 살펴보시며, 선생님들의 교육 방안 수립에 도움을 얻어 보세요.

도입

소모둠으로 나누어 교과서를 함께 읽으며, 이해가 안 되는 단어를 띵커벨 보드에 공유한다.

전개

학생들은 역할을 나누어 네이버 어학사전 등을 통해 학습도구어를 검색해 띵커벨 보드에 게시한다. 이때, 인터넷에 나온 내용을 그대로 베껴 적는 것이 아닌 모둠원들과의 토의 활동을 통해 중학교 2학년이 이해할 수 있는 쉬운 수준으로 해설해 게시한다.

▲ 태블릿PC를 통해 학습도구어를 검색하고 있는 학생들

개항, 사절단, 최혜국 대우, 영사재판권 등 어려운 학습도구어는 뜻을 그대로 암기하게 하는 것이 아니라 한자 뜻을 찾아보게끔 지도한다. 이를 통해 학생들이 단어의 의미를 이해하는 것과 한자 공부의 중요성을 깨닫고 더욱 몰입할 수 있게 된다. 이후 띵커벨 보드에 있는 학습도구어 사전을 보며 소모둠끼리 교과서를 다시 읽어 보고 키워드를 찾게 한다.

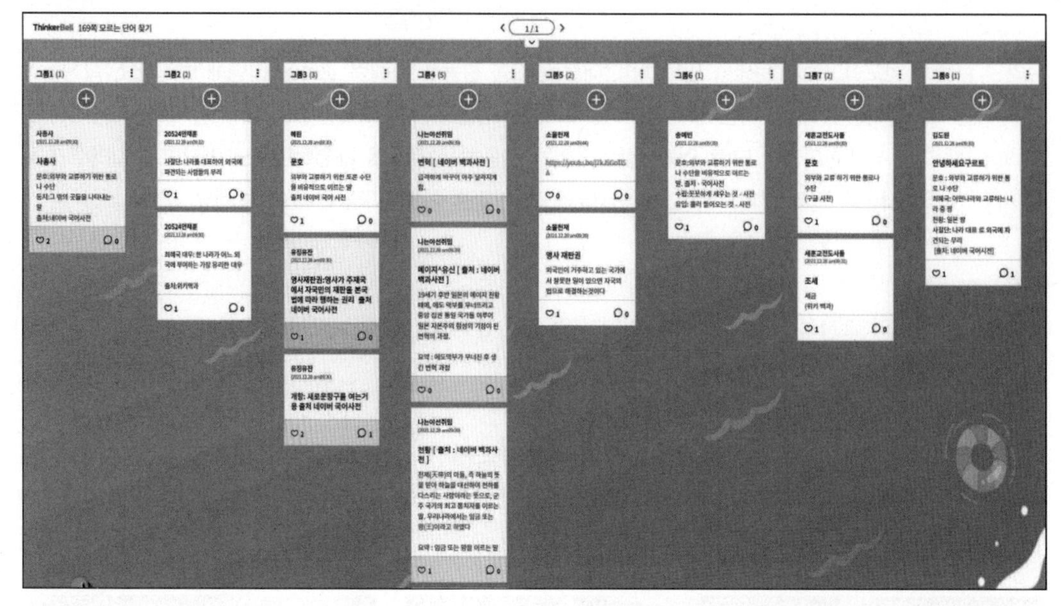

▲ 어려운 단어 게시와 뜻풀이 활동

정리

교사의 강의식 설명을 덧붙여 교과서를 재구성한 후 필기 노트에 내용을 정리한다.

15 생태환경교육 공

현장 이야기로 사이다열기

기후위기와 탄소중립은 전 세계적으로 중요한 이슈입니다.
각 나라와 기업들은 2050년까지 RE100(재생에너지 100% 사용) 캠페인을 이행해야 한다고 해요.
이에 따라 기업, 지자체, 국가들은 온실가스 감축 정책을 개발하는 등 사회·문화적 변화에 따른 노력을 하고 있습니다.
경기도교육청은 이에 발맞춰 '기후변화 대응 탄소중립 환경교육 진흥 조례'를 제정해
환경교육을 강화하고 학교들이 생태적 전환을 이루도록 촉진하고 있습니다.
유치원부터 고등학교까지 학생들의 발달 단계에 맞춘 탄소중립 생태환경 교육과정을 운영하고자 하는데요.
유치원과 초등학교에서는 놀이와 체험을 중심으로, 중학교에서는 과학적 이해와 탐구 체험활동 중심으로,
고등학교에서는 문제 해결과 진로연계교육을 실시하려고 한답니다.
또한, 지역 특성에 맞는 환경교육을 추진할 수 있도록 지원할 예정이라고 해요.
이런 방향에 걸맞은 생태환경교육 방안을 함께 모색해 보아요.

#지도_방안

All 기출 문장 및 빈도 체크

연도	자기성장소개서 성			집단토의 토			개별면접 면		
	초	중	비	초	중	비	초	중	비
2016									
2017									
2018									
2019									
2020									
2021	미시행						✓		
2022									
2023									✓
2024								✓	✓

*공통 공

[24' 비면] 환경교육을 에듀테크 활용, 지역사회 연계, 학생중심 교육의 방안으로 2가지 제시하시오.
[24' 중면] 생태환경교육이 중시되고 있다. 아래를 참고하여(사유하는 학생, 깊이 있는 학습, 질문이 자유로운 수업, 서로 다른 생각을 존중하는 수업) 교과교사로서 생태환경교육을 실현할 수 있는 방안을 2가지 제시하시오.
[23' 비면] 전공 연계 에코데이 운영 방안을 말하시오.
[21' 초면] 교육과정과 연계하여 기후변화와 관련해 하고 싶은 교육활동 방안을 말하시오.

1 정의

자연 환경과 인간의 상호 관계를 이해하고, 지속 가능한 방식으로 환경을 보전하며 사용하는 방법을 배우는 교육으로 자연과 환경을 존중하고 보호하는 마음을 기르는 동시에, 기후변화, 생물 다양성 손실, 자원 고갈 등의 환경 문제에 대한 인식을 높이고 이를 해결할 수 있는 실천 방법을 배우는 데 중점을 둠

2 목표

① **환경 문제 인식**: 기후변화, 대기 및 수질 오염, 생태계 파괴 등 환경 문제 이해
② **지속 가능한 생활 방식 학습**: 자원을 절약하고, 재활용을 실천하며, 에너지를 절감하는 등의 지속 가능한 생활 방식 학습
③ **책임감 있는 행동 함양**: 환경을 보호하기 위한 책임감과 윤리적 가치 습득
④ **문제해결 능력 개발**: 환경 문제에 대한 창의적인 해결책을 찾는 능력을 키우고, 실천할 수 있는 방법 연구 및 실행

3 필요성: 학교 현장에서 생태환경교육이 필요한 이유

① **환경 문제의 심각성 인식**: 기후변화, 생물 다양성 감소, 자원 고갈 등 전 세계적으로 환경 문제 심각 ➡ 학생들이 이러한 문제를 인식하고 이해해야만 미래 세대가 지속 가능한 해결책을 모색할 수 있음
② **환경 감수성 함양**: 학생들이 어릴 때부터 자연과 환경에 대한 감수성을 키우면 환경 보호에 대한 책임감을 갖게 됨 ➡ 일상생활에서 환경친화적인 행동을 실천하는 데 중요한 밑거름이 됨
③ **지속 가능한 미래 준비**: 학생들이 자원 절약, 재활용, 에너지 절감 등을 실천하는 방법을 배우면, 미래 세대가 자연을 보전하며 살아갈 수 있는 능력을 갖추게 됨
④ **비판적 사고 및 문제해결 능력 배양**: 환경 문제는 복잡하고 다양한 요인이 얽혀 있음 ➡ 문제의 원인을 분석하고 해결책을 찾아가는 과정에서 비판적 사고 능력과 문제해결 능력을 키울 수 있음
⑤ **책임감 있는 글로벌 시민 양성**: 현대 사회는 환경 문제를 해결하기 위해 글로벌 협력이 필요함 ➡ 환경 문제를 전 지구적인 관점에서 바라보고, 국제적 차원에서 협력해야 한다는 책임감을 기르는 데 도움이 됨

4 환경교육 방안

(1) 학생발달 단계에 따른 탄소중립 생태환경교육

'환경의 날(6월 5일)'을 포함한 1주간의 환경교육주간에 시행

유·초	중	고
지구의 아름다움/생태감수성 놀이·체험 중심	과학적 이해/실천 확산 탐구체험 프로젝트 중심	문제 해결 및 제안 주제·진로 중심

(2) 주제 통합 '지구 지킴이 일일 프로젝트' 실시

지구온난화에 대한 이해를 바탕으로 이산화탄소 배출을 줄이기 위한 교육과 실천 활동 ➡ 한 학년 1주제 이상 프로젝트 구성 및 실시

① **국어**: 환경 추천 도서 읽고 글쓰기
② **수학**: 자동차 탄소 배출량 구하기
③ **음악**: 환경 캠페인 노래 만들기
④ **미술**: 에너지 절약 관련 표어와 포스터 만들기
⑤ **영양**: 지구 환경 지킴이 채식의 날 ➡ 채식 식단으로 급식하기

(3) 기후위기 대응 탄소중립 환경교육: 일회용품 줄이기, 텀블러 사용 캠페인

탄소중립이란 이산화탄소를 배출한 만큼 이산화탄소를 흡수하는 대책을 세워 이산화탄소의 실질적인 배출량을 '0'으로 만든다는 개념 ➡ 이산화탄소는 지구온난화의 주범이기 때문에 현재 전 세계적으로 이산화탄소 배출량 조절을 위한 노력이 강조됨

(4) 교과 수업 방안

① **과학**: 미니지구 제작, 빛을 활용한 샌드아트로 환경 보존 표현, 재활용품을 활용한 빛 포착 수업, 지구를 살리는 식물의 광합성 관련 수업, 생식과 유전을 통한 인류의 식량문제 접근
② **음악**: 자연의 소리를 표현하는 드럼 수업
③ **미술**: 우리 지역 생태도시 로드 스케치(생태도시로의 변화가 필요한 곳을 찾아 스케치), 에코백 제작
④ **체육**: 올림픽 마스코트로 알아보는 세계의 동물 탐색
⑤ **기술·가정**: 텃밭에서 키운 작물 기부
⑥ **도덕**: 환경 보존을 위한 4컷 만화, 환경 친화적 삶을 실천하기 위한 홍보자료 제작

⑦ 사회: 이산화탄소 다이어트를 실천하는 세계 음식문화 조사
⑧ 국어: 생태와 관련된 독서 후 글쓰기

사이다 톡 talk! 이 방안은 〈교사교육과정 구현을 위한 도움자료 즐겨찾기 3호〉에서 발췌했어요. 원문을 직접 보시면 실제 수업 모형도 상세히 나와 있으니 큰 도움을 받으실 거예요.

(5) 기후 행동 1.5℃ 앱 활용

가정, 마을, 학교에서의 환경 보전 활동 전개

사이다 톡 talk! 이 앱은 기후행동 실천 일기, 퀴즈, 챌린지 등을 통해 상품을 받거나 웹툰과 짤툰으로 학생들이 기후에 대해 쉽게 이해할 수 있도록 만들어졌어요. '조회시간에 함께 사용하며 기후환경교육을 해보겠다.'고 언급한다면 실천성 있는 교사임을 어필할 수 있을 거예요!

(6) 학생주도 생태·환경 중심의 실천 프로젝트

학생자치회 중심의 기후변화 대응 실천 약속 마련 및 실천, 학생주도 환경 동아리 운영 활성화, 학급 식물 가꾸기 활동 등

2025학년도에 나는교 사이다 – 나만의 [환경교육] 방안 만들기

① 교과 연계 방안

② 융합교육 방안

③ 학생주도 방안

16 학교 구성원의 권리와 책임 공

현장 이야기로 사이다열기

학교 구성원이 자신의 권리뿐만 아니라 책임에 대한 인식을 통해 상호존중하는 문화 조성을 위해
경기도교육청은 '학교구성원의 권리와 책임에 관한 조례안' 추진을 앞두고 있습니다.
우선 교권보호 5법으로 교육 활동을 보호하고자 하고요.
하지만 이러한 시도는 문제행동 학생을 벌하려는 것이 아닌, 모든 학생의 학습권을 보장하려는 것입니다.
서로 대립각을 세우며 갈등이 만연하고 법의 잣대로 서로 목소리를 높이는 학교가 아닌,
존중하며 소통할 수 있는 학교 문화를 소망하며 학교 구성원 모두 책임감 있게 행동하기 위한 방안을 고민해 봅시다.

#상호존중_방안

1 학교 구성원의 상호존중 필요성

(1) 건강한 교육 환경 조성

서로를 존중할 때 교사, 학생, 학부모 간 협력이 이루어져 더 나은 학습 환경이 조성됨 ➡ 교육의 효과성을 높이고, 모든 구성원이 만족할 수 있는 학교 문화 형성에 필수임

(2) 학생의 성장과 발달에 긍정적 영향

교사와 학부모가 서로 존중하는 태도를 보이면, 학생들은 모델링 효과를 통해 타인을 존중하는 방법을 자연스럽게 배우며, 갈등 상황에서 어떻게 해결할지, 협력하는 태도가 무엇인지 익히게 됨 ➡ 학생의 사회·정서적 성장에 큰 영향을 미침

(3) 교사의 업무 만족도와 정신적 건강 향상

교사가 존중받는 환경에서는 심리적 안정감이 높아지고, 업무 만족도가 향상됨 ➡ 창의적이고 효과적인 교육을 제공할 수 있음

(4) 갈등의 예방과 해결

상호존중 문화가 자리 잡으면 불필요한 갈등이 줄어들고, 갈등이 발생하더라도 평화롭고 건설적인 방식으로 해결할 수 있음 ➡ 학교 구성원 간의 장기적인 관계 개선에 기여함

2 학교 구성원의 상호존중 방안

(1) 학교 전체의 권리와 책임 문화 확립

① 상호존중 학교 문화 조성 협의체 개최
② 존중과 배려의 생활공동체 구축
③ 상호존중과 회복적 관점에서의 갈등 해결 방안 모색을 위한 서약식 진행

(2) 교사

① **가정과의 연대로 원활한 의사소통의 창구 마련:** 학부모 상담 주간, 공식 온라인 플랫폼 등을 통해 학생 성장을 위한 의사소통 활성화
② **건강한 사제관계 형성:** 솔선수범하는 태도를 지니며, 학생 개개인을 존중하고 정서적 지지 제공, 상호존중을 바탕으로 한 규칙 설정 등
③ **교사 자존감을 바탕으로 상처를 방치하지 않고 회복하고자 노력:** 상담, 교원 힐링 프로그램 참여

(3) 학생

교사를 존중하며 공동의 학교 문화를 만들기 위한 주체적이고 책임감 있는 자세 정립, 타인의 학습권 존중

(4) 학부모

교사를 인정하고 협력하는 마음 갖기, 정기적인 학부모 회의나 학교 행사에 참여해 학교의 비전과 목표를 공유하고 존중하는 자세 정립

(5) 교육 방안

① 학생 토론 교실 동아리, 교육공동체 생활규약 협의 등을 통해 교육공동체의 상호존중 방안 토의
② 인간 존엄 교육 실시
③ 교육과정과 연계한 시민교육 실시 및 시민적 인성교육 실천
④ 학부모 교육을 통한 교육공동체 협력의 중요성 강조

사이다 톡 talk! 경기도교육청에서 학생의 인권조사 설문 결과(2023) 학생 인권 향상이 교권 증진에 도움이 될 것이라는 의견에 대해서 학생과 보호자는 85% 이상 높은 동의 수준을 보인 반면, 교원의 경우 65% 수준으로 인식 차이가 상당히 큰 것으로 나타났어요. 어느 한쪽만 편한 것은 상호존중과는 거리가 멀다고 할 수 있지요. 상호 간의 소통과 진솔한 대화 창구가 필요함을 시사합니다.

(6) 교사 보호와 지원 체계 구축

① 교사의 정신적, 심리적 건강을 보호할 수 있는 상담 지원 시스템 구축
② 교사들이 스트레스나 문제 상황에서 도움을 받을 수 있는 안전망 제공
③ 교사 보호를 위한 법적 제도를 강화해, 학부모의 부당한 요구나 민원으로부터 교사를 보호할 수 있는 시스템 마련

사이다 톡 talk! 문제가 벌어진 후 시스템이나 법의 보호를 받는 것보다 이러한 일이 발생하지 않도록 상호존중 문화가 마련되는 게 더 중요하죠. 일이 벌어진 후면 이미 상처가 가슴에 남을 테니까요. 우리도 예방 방안에 초점을 맞춰 좋은 방안을 생각해 둡시다.

THEME 17~24
교육 정책 이해 및 적용

★★★ 빈출주제

- THEME 17. 학교자율과제·학교자율시간·성장이음과정
- THEME 18. 교사교육과정
- THEME 19. 자유학기·생각의 힘을 키우는 학기·진로연계교육
- THEME 20. 고교학점제·공동교육과정
- THEME 21. 연계 교육과정
- THEME 22. 경기형 공간 재구조화
- THEME 23. 건강하고 안전한 학교
- THEME 24. 교육복지

9개년 출제 유형 분석

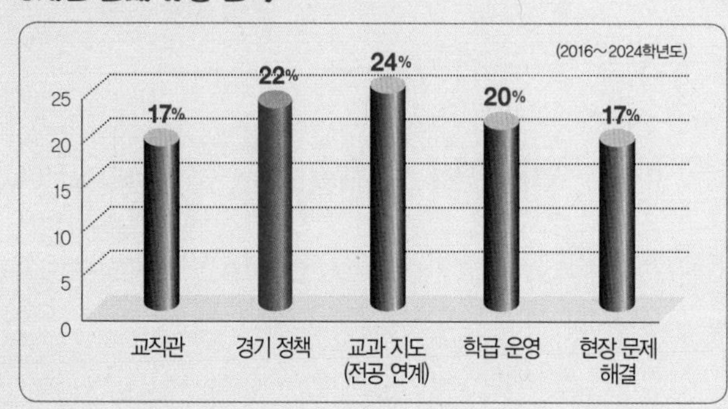

빈출주제 BEST 1(공동)

① 고교학점제·공동교육과정

① 경기형 공간 재구조화

만점 대비 공부법!

경기 정책을 이해하는 데 필요한 개념을 다룹니다. 경기 지역 특색이 담긴 만큼 꼼꼼하게 공부하고, 역시나 현장 적용 방안에 대해 고민해야 합니다. 정책의 맛을 느끼되, 어떻게 교사로서 현장에 적용할지 고민하며 읽어주세요.

17 학교자율과제·학교자율시간·성장이음과정 공

현장 이야기로 사이다열기

학교자율과정, 학교자율과제, 학교자율시간, 성장이음과정은
단위학교의 다양하고 특색 있는 교육과정, 교과목 운영을 위해
과도한 규제나 간섭을 최소화하고 교육과정의 지역화 및 자율화를 정착시키기 위한 시도입니다.
경기도교육청에서 강조하고 지속적으로 추진해 오고 있는 만큼! 우리도 반드시 숙지해야겠죠?
그 취지와 방향성을 함께 살펴봅시다.

#개념 #교사의_역할_확대 #교사에게_필요한_역량

All 기출 문장 및 빈도 체크

연도	자기성장소개서 성			집단토의 토			개별면접 면		
	초	중	비	초	중	비	초	중	비
2016									
2017									
2018									
2019									
2020									
2021	미시행								
2022									
2023								✓	✓
2024									

*공통 공

[23' 비면] 조건 3가지(교육 안전망, 미래형 교육과정, 학교자율과정) 중 하나를 선택하여 그 이유를 말하고, 제시문과 관련한(게임 과몰입 학생, 가정교육 부족으로 기본적인 습관이 형성되지 않음, 교사·학생의 학교 참여도·만족도 높음, 지역자치단체 예산 많음, 지역사회 프로그램 부족) 전공 연계 방안을 제시하시오.

[23' 중면] SWOT을 분석하고 '_를 통한_'의 빈칸을 채워 학교자율과제의 필요성과 구체적인 교육 방안을 말하시오.

1 학교자율과정

(1) 정의

학생이 주체적으로 삶의 역량을 기를 수 있도록 학생의 학습 선택권을 확대하고 학습 경험의 질과 폭을 심화하기 위해 교육공동체가 함께 개발해 운영하는 교육과정

사이다 톡 talk! '학교자율시간', '학교자율과정', '학교자율과제' 세 용어의 혼재로 학교의 혼란이 있어 '학교자율과정' 용어는 '학교자율시간'의 단계적 적용 시기에 맞춰 2025년까지만 사용하고 2026년부터는 더 이상 사용하지 않기로 했습니다. 현장에서는 학교자율시간과 학교자율과제 위주로 운영되고 있으니, 이 점을 알고 계세요.

(2) 유형 및 운영 방법

유형	운영 방법
교과융합활동형	• 2개 이상 교과 융합 • 유의미한 주제로 수업 재구조화
마을연계형	• 학교 인근 지역 자원 발굴 • 교과 및 창의적 체험활동과 연계 운영
학생 주도 주제별 프로젝트 활동형	• 학생들이 희망하는 주제로 프로젝트 학습 운영 • 활동마다 교사의 피드백을 제공해 학생의 성장 지원
진로 연계 활동형	• 학생의 성장 단계에 맞춘 진로 탐색 및 설계 지원 • 일회성이 아닌 지속성, 연계성 확보 • 학교급 전환기에 상급학교 진학 준비를 위한 교육 활동 집중

예시 시간표

기존 수업

교시	월	화	수	목	금
1	통사	영어	국어	통과	통과
2	영어	통사	기가	영어	영어
3	과탐	통과	음악	체육	국어
4	체육	국어	국사	국사	진로
5	자율	수학	창체	수학	수학
6	국사	음악	창체	통사	기가
7	수학	읽기		통과	기가

학교자율과정 운영 기간

<table>
<tr><th>교시</th><th>월</th><th>화</th><th>수</th><th>목</th><th>금</th></tr>
<tr><td>1</td><td colspan="2" rowspan="7">교과융합 프로젝트</td><td colspan="2" rowspan="7">학생 주도 프로젝트</td><td>통과</td></tr>
<tr><td>2</td><td>영어</td></tr>
<tr><td>3</td><td>국어</td></tr>
<tr><td>4</td><td>진로</td></tr>
<tr><td>5</td><td>수학</td></tr>
<tr><td>6</td><td>기가</td></tr>
<tr><td>7</td><td>기가</td></tr>
</table>

사이다 톡 talk! 제가 근무하고 있는 학교에서는 학교자율과정 주간에 학생 주도 프로젝트 학습을 진행했어요. 저는 사회과, 영어과 선생님들과 함께 기후위기 대응 프로젝트 학습을 구성했답니다. 기후위기 현황을 학생들이 직접 조사해 신문을 제작하게 하고, 친환경 비누를 만들어 보며 기후위기에 대응하기 위한 방안을 학생 스스로 찾게 하는 내용이었죠. 그 방안을 영어로 발표하기도 했고요. 선생님들이 자율과정을 운영한다면, 어떤 교과와 연계해 어떤 프로그램을 하고 싶은가요? 고민해 주세요.

(3) 학교자율과정 편성·운영 시 유의 사항

① 운영 계획을 수립해 운영 목적을 달성할 수 있도록 내실 있게 운영
② 학교 내 협의체를 활용해 교육공동체가 공감하고 지향하는 학교자율과정 운영
③ 학교자율과정을 운영하더라도 교육과정을 재구성해 교과의 성취기준을 누락하지 않도록 유의
④ 교과 시수를 감축하는 경우 학생의 기초학력 보장 교과의 성취기준 달성을 위한 필수 시수는 확보
⑤ 학생이 배움의 주체가 되는 학습 경험 설계 시 학생 주도성 기반의 수업, 성장중심평가 계획 수립

사이다 톡 talk! 자율과정 운영 시 프로그램을 구성할 때 '교육과정 성취기준'에 근거해야 해요. 거듭 강조하지만, 성취기준을 자주 들여다보고 이것을 달성하기 위한 교육 방안을 구안해 주세요. 수업 실연에도 도움이 될 거예요.

2 학교자율과제

(1) 정의

경기미래교육 실현을 위해 학교 자율 역량을 바탕으로 학교 현안을 진단하고 숙의를 거쳐 도출한 과제

사이다 톡 talk! 2023학년도 중등 면접에서 제시문에 주어진 학교 상황을 분석해 학교자율과제를 도출하라는 문제가 출제됐어요. 이는 학교 환경을 잘 분석해 학교에 걸맞은 교육을 시행해야 한다는 취지를 담은 것이에요.

(2) 설계 과정

① **방향 설정:** 학교자율과제 주제에 대한 교육공동체의 의견 수렴
② **설계 단계:** 학교자율과제 주제, 학기별 또는 학년별 방향 설정, 학교자율과제 관련 학교 안 전문적 학습공동체 구성 및 운영
③ **연구 단계:** 과목 설계 실행 연구 진행, 교수학습 자료 제작
④ **운영 단계**

(3) 학교자율과제를 활용한 과목을 개설할 때 고려할 점

① 학교의 여건과 학생의 필요에 따라 한 학기에 여러 과목 개설·운영
② 학생, 교사, 학부모 등 교육공동체의 지속적인 협의 필요
- 과목 개설 조사 시 학생, 교사, 학부모 의견 수렴
- 교육활동 만족도 조사 및 대토론회 결과 등을 반영
- 교사의 교육과정 전문성 신장을 위한 연수 운영 및 협의를 통한 지속적인 역량 강화

3 학교자율시간

지역과 학교의 여건 및 학생의 필요에 따라 교과 및 창의적 체험활동의 일부 시수를 확보해 국가교육과정에 제시된 교과 외 새로운 과목이나 활동을 개설·운영하는 시간으로 학교는 반드시 학교자율시간을 편성·운영해야 함

➡ 학교 자율시간의 과목이나 활동을 개설할 때 교원, 학생, 학부모의 의견을 반영하고 지역 실정과 학교 여건 등을 종합적으로 고려해 학습자에게 적합한 과목이나 활동을 개설해야 함

초등 운영 예시

학년군	2024	2025	2026	비고
1~2학년	성장이음과정 ⇨	성장이음과정 ⇨	성장이음과정 ⇨	학생의 학교 적응 및 기초학습을 다지는 데 주력해 학교 상황에 따라 자율적으로 운영할 수 있음
3~4학년	준비 단계 (학교자율과정)	(학교자율시간) ⇨	(학교자율시간) ⇨	2024학년도의 경우, 학교자율시간의 현장안착을 위한 디딤돌로서의 학교자율과정을 학교 상황에 따라 자율적으로 운영할 수 있음
5~6학년	준비 단계 (학교자율과정)	준비 단계 (학교자율과정)	(학교자율시간) ⇨	2024~2025학년도의 경우, 학교자율과정 운영을 학교 상황에 따라 자율적으로 운영할 수 있음

4 성장이음과정

(1) 정의

초등학교 1~2학년 통합교과를 중심으로 교과 및 창의적 체험활동을 활용해 기초학력과 기본생활습관을 형성할 수 있도록 유–초, 학년 간 연계를 고려한 교육과정 설계 모형

성장이음과정 주요 내용

기초소양교육	한글 해득, 기초 수학 습득, 놀이교육 등
유·초 및 학년 연계교육	1학년 입학초기 학교생활 적응, 3~4학년 연계 교육
학교자율시간 연계교육	학교특색 교육과정 3~6학년 자율시간 연계
인성교육	바른생활, 국어(바른 언어습관 형성), 즐거운 생활(놀이를 통한 공동체 관계 형성), 창의적 체험활동 연계
생태전환교육	생태환경, 자연의 변화, 자연에서 놀이하기 등
신체활동 강화 교육	창의적 체험활동의 동아리 활동 연계, 3~4학년 더(T.H.E) 자람 프로젝트 연계

더(T·H·E) 자람 프로젝트란 장기간의 감염병 대유행 기간에 직접적인 영향을 받은 학년에 대한 학습 공백을 최소화하고 기초학력 보장과 요인별 학생 맞춤 성장을 지원하기 위해 교사 중심의 학습지원(Teaching), 신체 건강(Health), 사회성 및 심리·정서(Emotion)를 집중 지원하는 프로젝트

(2) 유의 사항

① **교육공동체 요구 진단:** 성장이음과정 설계 수준에 따라 학년 비전이나 목표 등을 바탕으로 교육공동체의 요구 진단, 학교 안팎의 교육 자원과 학생 특성을 고려한 성장이음과정 주제(목표) 설정

② **학생의 삶과 연계된 주제(목표) 선정:** 학생의 삶과 연계되고 학생의 배움 요구와 필요성에 따라 주제 선정

18 교사교육과정 공

현장 이야기로 사이다열기

교사의 교육과정 재구성은 학습자 중심의 교육을 실현하는 중요한 방법으로,
학생들이 다양한 학습 경험을 통해 사고력과 문제해결 능력을 기를 수 있는 기회를 제공합니다.
경기도교육청에서 지향하는 개별맞춤형교육도 가능하고 실생활과 관련된 문제를 해결하는 과정에서
학생의 창의적 사고와 비판적 사고가 향상될 수도 있죠.
교육과정 재구성의 주체인 우리 교사!
막중한 임무를 지니고 있는데요.
어떻게 해야 효과적으로 교육과정 재구성이 가능할지 그 방안을 함께 모색해 봅시다.

#내용 #운영_방안

1 의미

교사가 학생의 삶을 중심으로 공동체성에 기반해 국가, 지역, 학교 수준 교육과정을 적극적으로 해석하고 학생의 성장 발달을 촉진하도록 편성·운영하는 교육과정 ➡ 교실 속에서 일어나는 교육활동을 어떻게 설계하고 운영할 것인지에 초점을 둠

2 교사교육과정 설계·운영의 중점

(1) 교사의 적극적인 탐구와 협력을 바탕으로 만들어 가는 수업 설계

교사는 전문성과 자율성을 바탕으로 교육과정에 대해 적극적으로 탐구하고, 동 학년 모임, 교과별 모임, 현장 연구, 자체 연수, 전문적 학습공동체 등 다양한 교육 주체와 협력해 수업에 대해 적극적으로 탐구하며, 이를 바탕으로 수업의 질을 높여나감

(2) 다양한 상호작용을 바탕으로 학습한 내용을 적용·성찰할 수 있는 수업 설계

교사는 학생의 인지적 능력뿐 아니라 사회·정서적 능력을 계발해야 하며, 이를 위해 다양한 상호작용과 협력적 문제 해결 기회를 제공해야 하며 학생이 새로운 상황에서 학습 내용을 언제, 어떻게, 왜 적용해야 하는지를 스스로 이해할 수 있는 성찰의 기회를 마련해야 함

(3) 교과의 내용을 학생의 삶과 세계로 연결하는 통합 설계

수업 설계는 학생이 여러 교과의 핵심 개념을 연결해 사고하고, 이를 삶의 문제 해결에 적용할 수 있도록 통합적으로 이루어져야 함. 단순 활동 중심의 주제 통합보다는 중요한 문제나 여러 교과의 핵심 아이디어를 중심으로 교과를 통합하는 것이 중요함

(4) 역량을 함양하기 위한 심층탐구 수업 설계

교과서 중심의 진도 나가기 수업에서 벗어나 교과 내용 체계와 성취기준에 근거해 학생의 특성·학교 여건을 고려해 학생의 학습과 성장을 돕는 역할을 수행함

(5) 모든 학습자를 고려한 맞춤형 수업·평가 및 피드백

교사는 학생의 학습 목표 달성 여부를 평가하고 피드백을 제공해 부족한 부분을 보완하며, 맞춤형 수업과 평가를 통해 학생의 학습과 사고 능력을 향상함. 이를 위해 학생의 선행 경험과 지식, 오개념을 파악하고, 다양한 학습 자료와 에듀테크를 활용해 학생 개개인의 특성에 맞춘 교육을 적용함

3 교사교육과정 운영의 주안점

① 학생이 자신과 자신을 둘러싼 세계에 대한 의미를 구성하고 인지적·사회적·정서적 능력을 계발할 수 있도록 교육과정을 균형 있게 설계해야 함
② 학생이 타인의 관점을 고려하고 서로 건강한 관계를 형성하고 유지하며 책임감 있는 의사결정 및 협력적으로 문제를 해결하는 기회를 제공해야 함
③ 학습 과정에서 학생이 새로운 상황과 문제에 자신이 학습한 것을 적용하면서 어떻게 왜 그리고 언제 적용해야 하는지를 알 수 있도록 하는 성찰 기회를 제공해야 함
④ 사회적으로 민감한 이슈에 대해 편향되지 않고 객관성을 유지해야 함

4 성취기준 활용의 유의점

① 학생의 특성이나 학교 여건 등에 따라 성취기준을 재구조화하거나 개발할 수 있으나 혼자의 힘이 아닌 교과협의회나 학년군별 협의를 통해 이루어지는 것이 바람직함
② 성취기준 개발은 학년군별 교과군별 내용 요소를 바탕에 두어야 하며 학생의 학습 및 평가 부담이 가중되지 않도록 학년군, 학교급 및 교과군 간의 연계성을 충분히 고려해야 함

19 자유학기·생각의 힘을 키우는 학기·진로연계교육 중

현장 이야기로 사이다열기

중학교에선 '생각의 힘을 키우는 학기'가 도입돼 운영 중입니다.
자유학년이 자유학기로 축소되고, 한 학기는 생각의 힘을 키우는 학기를 도입한 것이죠.
토의·토론, 논술 수업의 비중이 확대됨에 따라
교사는 토의·토론 수업을 구안하고 논술형 평가에 대비하기 위해
학생들의 사고력을 기르는 수업을 만들고, 논술형 문항을 만들고 채점하기 위한 역량까지 갖춰야 합니다.
또한 중등 전체 학년에 진로연계교육의 중요성을 강조하고 있습니다.
자유학기, 생각의 힘을 기르는 학기, 진로연계교육의 지향점을 살펴보며
교사로서 갖출 역량에 대해 고민해 봅시다.

#정의 #교사의_역할

All 기출 문장 및 빈도 체크

연도	자기성장소개서 ㉢			집단토의 ㉣			개별면접 ㉤		
	초	중	비	초	중	비	초	중	비
2016									
2017								✓	
2018									
2019									
2020									
2021	미시행								✓
2022									
2023									
2024									

*공통 공

[21' 비면] 역량중심 교육과정과 연계한 자유학년제 내실화 방안을 말하시오.
[17' 중면] 자유학년제를 시행하며 학력 저하를 걱정하는 학부모가 앞에 있다고 생각하고 설득해 보시오.

1 경기도 중학교 교육과정

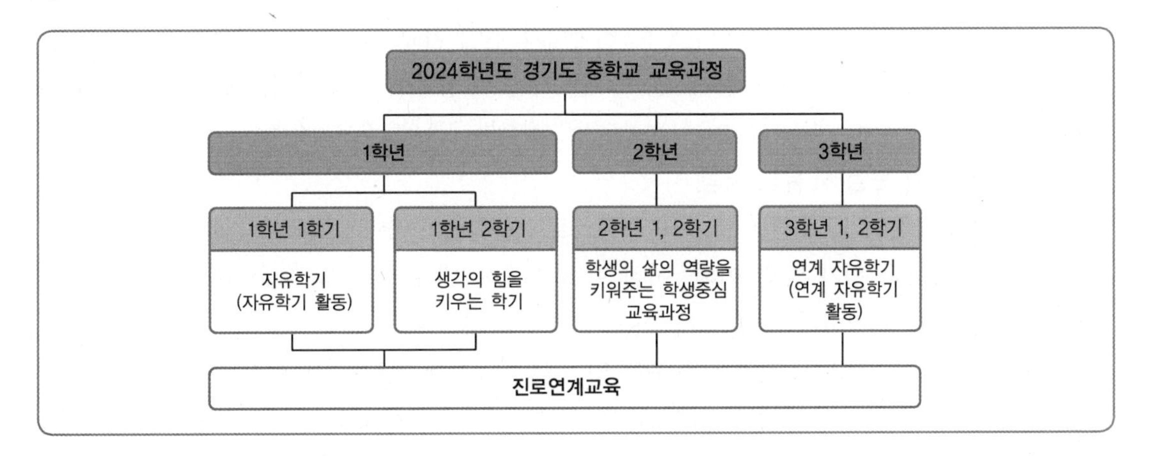

(1) 자유학기

자기주도적 학습 능력과 잠재력을 기르기 위해 중학교 과정 중, 한 학기 동안 지식·경쟁 중심에서 벗어나 학생 참여형 수업을 실시하고 학생의 소질과 적성을 키울 수 있는 다양한 진로체험 활동을 중심으로 교육과정을 운영하는 제도

(2) 생각의 힘을 키우는 학기

심층 탐구 수업, 토의·토론, 협력 수업, 실험·실습, 프로젝트 활동 등의 다양한 학생 참여형 수업과 연계해 자기 생각을 만들고 사고의 힘을 키우는 논술형 평가를 활성화하는 학기

사이다 톡 talk! 이렇게 새롭게 도입된 것을 잘 보아야 합니다. 탐구 수업, 토의·토론, 협력 수업, 프로젝트 수업 등을 보면 아시겠지만, 학생이 책상에 앉아 가만히 있는 것이 아닌 무언가를 주도적으로 하는 것을 지향한다는 것을 알 수 있어요! 또한 논술형 평가를 중시하고 있는데요. 이는 학생들의 문해력 교육과 독서 교육, 글쓰기 교육이 필요하다는 것을 시사하고 있습니다! 디지털 기기 활용을 적극 장려하고 있기에, 에듀테크를 활용한 글쓰기 교육 방안도 생각해 두면 좋겠네요. 관련 교육 방안을 꼭 생각해 주세요!

교육과정	자유학기	생각의 힘을 키우는 학기
학기 운영	1학년 1학기	1학년 2학기
수업	학생 참여 및 활동중심 수업	
평가	과정중심평가 실시	
	• 지필평가 미실시 • 교과성취도 미산출, 성취도란에 'P' 입력(PASS) • 학생의 성장·발달에 대한 평가 결과는 학생부에 문장으로 기록	• 일제식 지필평가 실시 가능 • 교과성취도 5단계(A~E), 3단계(A~C) 산출 생각하고 사고하는 힘 강조
자유학기 활동	학생의 희망·관심사 및 학교의 여건 등을 고려해 4개 영역 편성(주제선택활동, 동아리활동, 예술·체육활동, 진로 탐색)	미운영

(3) 진로연계교육

① 정의: 학생이 상급 학교나 학년으로 진학하기 전에 학교생활 적응과 교과 학습의 연계, 다양한 진로탐색 활동을 통해 연속적인 학습과 성장이 이루어지도록 지원하는 교육

예 정서 지원, 학습 습관 형성, 학업 동기 형성, 고등학교 생활 준비, 교과 학습 준비, 진로 탐색, 고등학교 진학 준비

② 진로연계교육 운영 시 유의 사항

- 학교급 간 연계 및 상급 학년 준비 과정으로 선행학습이 아님에 유의: 상급 학년의 교과별 교수 학습과 평가 방법 이해, 이전 학년의 교육 내용 점검 및 보충 교과 학습의 동기 유발 등을 의미하기에 선행학습이 아님에 유의해야 함
- 진로연계교육 운영 시 지역 자원 활용 및 인근 초등학교·고등학교와 협력 강화 필요
  - 중학교 입학 초기 진로연계교육을 위해 인근 초등학교로부터 입학할 학생에 대한 교육 정보를 공유받을 필요가 있음
  - 학교급 전환 시기 진로연계교육을 위해 일반고·특성화고·특수목적고 등 고등학교에 대한 정보를 제공할 수 있는 인근 고등학교·교사·학생 자원을 연계 활용할 수 있는 협력이 필요함

2 필요성

① 인공지능이 해내지 못하는, 사람만이 할 수 있는 상상력과 새로운 관점을 지니는 것이 중요함

② 정답이 없는 문제상황을 해결하고 유연하게 대처하는 것이 중요함

③ 지식·경쟁 중심 교육에서 벗어나 삶과 연계된 교육과정 운영으로 미래 역량 함양

④ 학교 및 교사의 교육과정 자율권 확대로 유연하고 창의적인 교육과정 운영

⑤ 학생 참여형 수업과 과정중심평가를 통한 자기주도적 학습역량 함양 지원

⑥ 학생 선택권 보장과 지역 연계 운영 확대로 다양하고 풍부한 학습경험 제공

3 학교 및 교사의 역할

(1) 학생 선택권 보장

신입생 오리엔테이션, 학부모 연수, 가정통신문, 신학년 집중 준비기간 등을 통한 학교구성원 수요 분석 및 의견 수렴 ➡ 개별 학생의 학습 흥미와 학습 수준을 고려한 다양한 주제 선택 프로그램 운영

(2) 학생 주도성 기반의 수업 활성화

① 교사–학생 간, 학생–학생 간 상호작용을 통한 관계 중심 수업 활성화
② 토의·토론, 실험·실습, 협력 수업, 프로젝트 등을 통한 학생의 주도성 함양
③ 과정중심평가와 피드백이 연계된 학생 맞춤형 수업 활성화
④ 학습의 몰입도와 효과성을 높이는 에듀테크를 활용한 다양한 교수학습 설계·적용

(3) 과정중심평가 및 맞춤형 피드백 강화

① 학습으로서의 평가, 학습을 위한 평가로의 관점 전환
② 학생의 수행 결과 및 수행 과정에 대한 평가와 피드백 강화(AI 튜터 활용 강화)
③ 학생의 성장과 발달 등에 관한 사항 기록

(4) 기초학력 보장 지원을 위한 자유학기 활동 편성·운영

① 자기주도적 학습능력 함양을 위한 주제선택 및 진로탐색 활동 편성
② 자기 이해 및 진로 설계, 개별 학생의 학업 설계를 지원하는 진로탐색 활동 강화
③ 교과별 교육목표 도달 지원을 위한 교과수업

(5) 지역 연계 교육활동으로 학교 밖 학습경험 다양화

청소년진로체험지원센터, 징검다리 진로체험 거점교실, 직업계고 학과체험 프로그램, 경기 레인보우메이커교육 프로그램, 경기학교예술창작소 프로그램, 학생 주도 예술체험 꿈이음아트 프로젝트 등 활용

4 자유학기제 장점 (기출)

(1) 학생

① 시험 부담에서 벗어나 꿈과 진로를 찾고 진학 설계 가능
② 내적 동기 형성으로 내실 있는 학습 가능
③ 숨겨진 역량과 가능성 발견

(2) 학부모

학생들이 다양한 경험을 하면서 성장하는 모습을 볼 수 있음

(3) 교사

주제 학습을 구성하는 과정에서 전문성 강화

20 고교학점제·공동교육과정 공

현장 이야기로 사이다열기

경기도교육청에서는 2022년부터 모든 일반고에 고교학점제를 도입했습니다.
나아가 2025년부터 전국의 모든 고등학교에서 고교학점제가 시행되는데요.
따라서 교사인 우리가 고교학점제의 취지와 방향성을 이해하는 일은 아주 중요합니다.
한편, 공동교육과정은 고교학점제를 통해 희망 과목을 수강하고 싶지만,
교내에 개설되지 않아 아쉬움을 느끼는 학생들을 위해
온라인이나 거점교에 가서 희망하는 과목을 들을 수 있도록 하는 제도에요.
저는 작년부터 저의 부전공인 경영학을 살려, '마케팅과 광고' 수업을 맡게 됐어요.
제가 자율적으로 수업을 구성하는 과정에서 큰 보람을 느끼고 전문성을 강화하며 교사로서 살아있음을 느끼고 있답니다.
교사에게나 학생들에게나 정말 좋은 기회란 생각이 들었어요.
지금부터 고교학점제와 공동교육과정에 대해 자세하게 살펴보겠습니다.

#정의 #기대효과 #교사의_역할

All 기출 문장 및 빈도 체크

연도	자기성장소개서 성			집단토의 토			개별면접 면		
	초	중	비	초	중	비	초	중	비
2016									
2017									
2018								✓	
2019									
2020		✓							
2021	미시행								
2022	미시행							✓	
2023				미시행					
2024				미시행					

*공통 공

[22' 중면] 다음과 같은 상황(구체적인 진로가 설정되지 않음, 고등 2학년 때 선택과목 선택 고민 중임, 흥미 있는 과목은 개설 안 됨)을 고려하여 구체적인 진로 지도 방안을 말하시오.

[20' 중성] 수험생의 역량과 고교학점제의 방향 중 맥을 같이 하는 것을 말하고, 동료 교사와 함께 고교학점제를 현장에 정착시킬 수 있는 전략을 말하시오.

[18' 중면] 학교·학생 측면에서 고교학점제의 효과를 말하시오.

1 고교학점제

(1) 정의 기출

학생이 기초소양과 기본학력을 바탕으로 진로·적성에 따라 과목을 선택하고 ➡ 이수 기준에 도달한 과목에 대해 학점을 취득·누적해 졸업하는 제도

구분	시행 전	시행 후
과목 선택	주어진 교육과정	진로에 따라 원하는 과목 선택
과목 이수	성취 등급에 상관없이 이수	학생이 목표한 성취수준에 충분히 도달했다고 판단했을 때 이수 처리(배움의 질 보장)
졸업	출석 일수 기준	누적된 과목 이수 학점이 졸업 기준에 이르렀을 때 가능(본질적인 학력 인정)
평가	석차 등급제(~2024년)	• 선택과목: 성취 평가제(2025년~) • 공통과목: 석차 등급제

(2) 목적

① 학생의 자율과 책임에 기초한 자기주도적 미래 설계 역량 강화
② 모든 학생이 학습 동기를 지니고 잠재력을 발휘하도록 개별 맞춤형 교육 제공
③ 개별 맞춤형 수업과 성취기준 중심의 평가 혁신으로 학생 성장 중심 교육 실현

(3) 운영 중점

① 학생의 학습 선택권 반영
- 학생의 고유한 개성과 역량을 키워나갈 수 있도록 학교교육과정 운영
- 선택과목에 대한 수요 조사, 수강신청 절차 운영 등을 통해 학생 개개인의 수요를 반영한 교육과정 구성

사이다 톡 talk! 고교학점제 선택과목은 학교 내 사정에 맞춰 편성됨을 알아주세요. 학생이 수강하고 싶은 모든 과목을 수강할 수 있는 것은 아닙니다. 학교에서 개설이 가능한 과목 중에서 선택해야 해요! 그래서 이 점을 보완하기 위해 '공동교육과정'을 적극 활용하고 있어요. 거점교에 가서 수강하거나 온라인으로 듣고 싶은 강의를 듣는 방식이죠. 한편 고교학점제는 학생 참여형 수업과 과정중심평가를 강조하고 있습니다. 지속적으로 학생을 관찰해 학업 설계를 지원하고, 최소 학업성취수준에 도달하지 못하는 학생에게 관리와 피드백을 하고 있어요. 2~3년차 연구학교 결과에 따르면, 교사의 수업 운영 만족도가 지속적으로 높아진다고 해요. 학생 스스로 선택한 과목을 이수하는 과정 자체에 학생은 만족을 느끼고, 스스로 책임감 있게 과목을 이수하기 때문입니다.

② 공동교육과정 운영: 소인수 과목 수강 기회 제공
- 학생이 개설 요청한 과목 중 학교의 장이 학교 안 개설 및 운영이 어렵다고 판단한 과목을 인근 고교와 시간표를 공유해 본인 신청 과목이 개설된 학교로 이동해 수업
- 거점교에 모이지 않고 '온라인 공동교육과정' 운영 가능: 온라인 쌍방향 수업을 위한 온라인 스튜디오 구축, 모든 교실에 무선인터넷(WIFI) 마련 등

③ **진로·학업 설계 지도**: 학생들이 진로와 연계된 학업 계획을 수립하고 책임 있게 이수할 수 있도록 진로·학업 설계 지도 체계화

④ **최소 성취수준 보장**

- 학생들이 과목 이수 기준에 도달해 학점을 취득할 수 있도록 책임 교육을 강화해 기초소양과 기본학력 보장 ➡ 과목별로 학업성취율 40% 미만일 경우 최소 성취수준에 미도달해 해당 과목을 미이수한 것으로 간주
- 교과별 미도달 예상 학생에 대한 맞춤형 학습 지도(미도달 예방 지도)를 실시하고, 미도달 학생에 대해서는 별도의 학업 보충 기회(미도달 학생 보충 지도) 제공

미도달 예방 지도		과목별 최소 성취수준 미도달 학생 보충 지도
• 학기 중에 실시 • 미도달이 예상되는 학생들을 대상으로 교과 수업 시간 지도, 방과 후 지도, 학습 멘토링, 보충 과제 부여 등의 다양한 교수학습 방법을 활용해 미도달이 되지 않게 예방하려는 지도 과정	➡	• 학기 말에 실시 • 최소 성취수준 미도달 학생들을 대상으로 방과 후 지도, 보충 과제 부여, 동기 부여 프로그램, 멘토링 프로그램, 온라인 프로그램 등 다양한 교수학습 방법을 활용해 최소 성취수준에 도달하게 하는 지도 과정

- 최소 성취수준 미도달 예상 학생 파악 시 유의 사항
  _ 미도달 예상 학생 파악 후 수준별 우열반 형태 수업 운영 금지
  _ 학생이 과목을 정상적으로 이수할 수 있도록 지도하는 데 목적이 있기 때문에 엄밀한 기준에 따라 대상 학생을 선정하기보다 다소 포괄적으로 선정
  _ 미도달 예상 학생 파악은 학교와 학생의 특성에 따라 다양한 방법을 적용
  _ 미도달 예상 학생을 파악할 수 있는 각 교사의 경험과 노하우를 함께 나누고 공유

(4) 기대효과 (기출)

① 입시·경쟁 중심에서 진로·성장 중심으로 교육 혁신 초래

② 학생 과목 선택권 확대 및 학습·학업 관리 지원으로 공교육에 대한 신뢰 제고

③ 진로와 적성 및 수준에 따른 학생 맞춤형 학업 설계와 학생 주도적 학습 지원을 통해 모든 학생들의 잠재력 개발

(5) 장점

① **교사**: 자율성·전문성을 발휘해 수업 재구성 ➡ 수업 개선 의지 제고

② **학생**: 자신이 배우고 싶은 과목을 수강해 참여 동기 고취

③ **학교**: 진로·진학 상담 활성화, 적극적인 과목 개설 노력으로 교육의 질 향상

④ **지역사회**: 지역 교육력을 강화해 지역의 인적 자원을 적극 활용 가능

⑤ **제도**: 학생 중심의 교육 실현 가능

(6) 원활한 고교학점제 운영을 위한 학교와 교사의 역할 기출

① 고교학점제 운영을 위한 교사 역량

- 교사 역량
  - 다과목 지도 역량 강화: 다양한 과목 개설을 위해 교과별 다과목 지도
  - 진로 지도 역량 강화: 입학 전 예비 신입생과 학부모를 대상으로 맞춤형 진로 코칭 제공, 3년 간 진로 탐색활동 누적 기록, 진로 수업 시간에 개별 작성 후 상담 시 활용
  - 지역 연수기관 확장 및 연수 기반 조성
- 역량 강화 방안
  - 교사 수업 나눔 동아리 운영
  - 선택과목 확대에 따른 교수·학습 및 평가 개선 노력
  - 교과별 미도달 예상 학생에 대한 맞춤형 학습 지도 실시, 미도달 학생에 대한 학업 보충 기회 제공

사이다 톡 talk! 고교학점제 체제에서는 담임의 역할이 변화합니다! 학생들마다 수강 과목이 다양하고 개인별 시간표가 다르기 때문에, 상대적으로 담임교사보다 교과 담당 교사의 역할이 더욱 중요해집니다. 1학년 담임의 경우 학생의 진로에 따른 3개년 과목 이수 경로 및 학업 설계에 대해 상담하고, 2~3학년 담임의 경우 진로·학업 설계를 점검하는 등 교육과정 이수 과정을 관리하는 역할을 담당할 수 있습니다.

② 고교학점제 운영을 위한 학교 공간 조성 지원

- 방향: 고교학점제 운영에 필요한 공간의 이해, 공간의 배치 및 효율적 활용 방안에 대한 맞춤형 지원
- 재구조화: 학생 선택중심 교육과정 운영에 적합한 교과 교실 기반의 공간 구성과 개방형 공용 공간·홈베이스 등 조성 지원, 교과 교실 마련
- 증축: 학교의 교육과정 운영 현황, 공간 조성 지원 기준, 관련 법규 등 복합적 검토와 교육부 증축 기준을 토대로 공간 확대를 위한 증축 지원

사이다 톡 talk! 다양한 과목이 개설됨에 따라 학교 공간(교실)은 어떻게 조성될까요? 학생들의 과목 선택이 다양한 만큼 행정 학급 이상의 수업 학급이 편성될 것입니다. 이에 따라 공간이 충분히 확보돼야 하고, 유연한 공간 조성이 뒷받침돼야겠지요! 학생들의 공강 시간을 대비해 휴게 및 자기주도학습 공간도 필요할 것입니다.

❶ 학생 선택 중심의 교육과정을 위한 다양한 형태의 미래형 학습 공간 조성
- 변화하는 교육과정에 대비한 유연하고 가변적인 학습 공간
- 소통 및 정보공유 강화와 다양한 학생 자치활동 지원을 위한 개방형 공용 공간 및 홈베이스 공간

❷ 교육공동체 주도적 사용자 참여설계 활성화
- 기존 공급자 중심을 탈피한 사용자 중심의 학교 공간 재구조화
- 공간전문가(촉진자)와의 소통과 협력을 통한 교육공동체 주도 학교 공간 조성

❸ 사용자 요구 사항 분석 및 공간 조성 디자인(안) 작성: 사용자 중심의 쉼과 놀이, 배움이 어우러진 민주적인 학교문화 정착

2 공동교육과정

(1) 정의

희망 학생이 적거나 교사 수급 곤란 등으로 단위 학교에서 개설이 어려운 소인수·심화 과목 등을 학교 간 연계·협력을 통해 운영하는 교육과정·운영

① 온라인 공동교육과정: 실시간/쌍방향/온라인 방식으로 원격 수업 운영

② 오프라인 공동교육과정: 거점교, 거점센터 등에서 대면 수업 운영

경기이음온 학교란 소규모 학교의 교육과정 운영 지원을 목적으로 2025년 3월 1일 개교 예정인 경기도의 온라인 학교

(2) 장점

① 다양하고 풍부한 학습경험 제공, 진로 맞춤형 학생 성장 가능

② 학생의 과목 선택권 보장, 학생 주도의 수업 혁신을 확산해 학생 중심 경기교육 실현 가능(학생 만족도 92.5%, 학부모 만족도 89.6%)

③ 단위 학교 간 네트워크 강화로 지역사회의 인적·물적 자원 활용 가능

④ 예체능을 비롯한 일부 계열 진로 선택에 따른 사교육 경감 및 공교육에 대한 신뢰 회복

(3) 기대효과

일반 고등학교 내에서의 학교 간 교육과정 공유를 통해 학생 선택권 확대 가능

사이다 톡 talk! 경기도교육청은 미래교육과정 운영의 일환으로 공동교육과정을 2025년부터 지역사회 또는 공유학교와 연계해 운영하고 단계적으로 확대 추진한다고 해요. 지금까지 고등학교만 운영했던 공동교육과정을 초·중학교까지 확대해 학생의 학습 선택권을 넓힌다고 하는데요! 이 점도 기억해 주세요.

고교학점제를 운영하고 있는 현장 교사 인터뷰!

Q 학생들이 수강하고 싶은 과목은 어떤 식으로 조사하나요?

A 학교 홈페이지에 있는 수강신청 시스템을 활용해서 수요 조사를 실시합니다. 개설 과목은 교내에서 운영 가능한 과목들로 구성돼 있습니다. 이에 대한 설명은 학기 초 교육과정 계획서를 배포하고 대략적인 설명 영상을 제작해 안내하고 있습니다.

수요 조사는 총 3차에 걸쳐서 합니다. 1차 조사는 기본적인 수요 조사로 과목의 폐강 여부를 결정합니다. 적절한 인원을 채우지 못하면 폐강 처리하고, 남은 과목들로 다시 2, 3차 조사를 합니다. 2차 조사는 1차 조사에서 추린 과목을 바탕으로 반 편성을 고려한 수요 조사를 실시하고, 3차에는 선택에 대한 최종 확인을 통해 반 편성을 확정합니다.

선택과목 수요 조사 가정통신문 일정 안내

연번	시기	내용
1	6월 16일~6월 23일	학생 과목 선택을 통한 1차 선택
2	7월 12일~7월 16일	결과 분석 후 학생 2차 선택
3	8월 23일~8월 27일	결과 분석, 교과협의회를 통한 개설 가능한 강좌 협의 후 학생 3차 선택
4	8월 30일~9월 3일	• 결과 분석, 교과협의회를 통한 개설 강좌 구성 • 학급 편성, 시간표 작성 가능한 조합 구성 • 학교교육과정운영위원회 개최
5	9월 6일~9월 10일	• 개설 과목 확정 • 소수 인원 선택과목 개설을 위한 주문형 강좌와 온라인 클러스터 교육과정 운영 방안 안내

Q 인원이 부족해 과목이 개설되지 못할 경우 어떻게 보완하나요?

A 온라인 공동교육과정을 활용해 학생들이 원하는 과목을 개인적으로 수강하도록 안내하고 있습니다. 원래는 다른 학교에 직접 가는 것이지만, 최근 겪었던 코로나19 상황과 통학의 어려움도 있기에 온라인으로 수강하고 있습니다. 이는 학생들에게 또 다른 기회를 제공한다는 장점이 있습니다.

Q 고교학점제를 위한 공간 혁신은 어떻게 진행하고 있나요?

A 학생들을 대상으로 공모전 형식으로 혁신 방안을 마련합니다. 공모전의 주요 내용은 학생 친화적 공간 마련입니다. 이를 바탕으로 교사T/F팀과 함께 양질의 아이디어를 추려냅니다. 공모전에서 나온 아이디어와 교사, 학생의 의견들을 바탕으로 실질적으로 실현할 수 있는지 외부 기관에 의뢰하며, 공간의 변화를 계획합니다. 홈베이스, 복도, 건물과 건물을 연결하는 구름다리 그리고 교실 내에서의 공간 혁신에 대한 이야기도 지속해서 논의하고 있습니다. 이 과정에서 무엇보다 구성원의 의견을 수렴하는 것이 중요합니다.

Q 고교학점제 전문성을 키우기 위해 선생님들은 어떠한 노력을 하고 계신가요?

A 기본적으로 고교학점제에 대한 이해가 필수적이기에 개인적으로 관련 연수를 들으며 정책 배경, 내용, 운영 방안, 교사의 역할 등을 공부하고 있습니다. 이를 바탕으로 교직원 연수를 진행하며 현장에 계신 선생님들께 고교학점제를 알리고 있습니다. 고교학점제에 대한 이해를 바탕으로 수업 능력 신장에 대한 고민도 다양하게 하고 계십니다. 현장에서 선생님들께서는 맡은 과목에서 전문가가 되기 위해 상시 수업을 공개하고, 전문적 학습공동체를 운영하며 수업 능력 신장에 몰두합니다.

Q 학부모님들의 반응은 어떤가요? 학부모님께 취지를 설명하기 위해 어떠한 방식으로 협력을 도모하고 홍보하고 계신가요?

A 사실 아직까지는 반신반의하는 분위기로, 고교학점제 전면 시행을 앞두고 있는 상황에서 다소 조심스러운 의견과 반응이 다수입니다. 따라서 이러한 조심스러움을 덜기 위해 우선 가정통신문과 학업 계획서를 제작해서 가정에 배포하고 있습니다. 또한 과목 선택 시 해당 업무를 담당하는 교육과정부장님, 진로부장님, 혹은 담임 선생님을 배치해 학부모님, 학생과 1:1 상담을 진행하며 학생들이 자신의 진로와 관련해 바람직한 선택을 할 수 있도록 안내하고 있습니다.

• 아티클 작성자: 김승호 선생님(2021학년도 합격자)

21 연계 교육과정 공

현장 이야기로 사이다열기

경기교육에서 지향하는 연계 교육과정을 이해해 봐요.
최근에 학교급 간, 학년 간 연계 교육과정이 현장에서 많이 시행되고 있어요.
이번 테마에서는 교육과정의 취지를 이해하고, 이를 면접 답변 곳곳에 녹여내 보세요.
초등 선생님들은 중학교 교육과정과의 연계를, 중등 선생님들은 초등학교 6학년과의 연계를 언급한다면
연계 교육과정까지 이해한 전문성 있는 교사로서 자신을 어필할 수 있을 겁니다!

#정의

1 유·초 연계 교육과정

(1) 정의

유치원을 졸업하는 만 5세 유아반과 초등학교 입학 초기인 1학년을 중심으로 해 계속성과 계열성을 가지며 학생들의 학교생활 적응과 학습 성취를 효과적으로 지원할 수 있는 교육과정 예 초등 성장배려학년제

(2) 필요성

유치원과 초등학교 1~2학년 학생들은 인지발달 단계상 유사한 단계에 있고 교육 내용이나 교육 방법에 큰 차이가 없음. 따라서 두 교육기관의 교육과정이 자연스럽게 연결될 때 초등학교 입학 초기의 학생들이 학교생활에 편안하게 적응하면서 학습 성취감도 높일 수 있음

(3) 내용

① **관계 형성**: 유치원에서는 초등 생활에 적응하기 위한 사전 경험, 1학년에서는 유치원보다 확장된 사회 속에서 관계성과 사회성 함양을 위한 교육과정 운영
② **놀이 활동**: 발달 단계상 놀이가 곧 배움이 되는 유·초 전환기 학생의 특성을 고려해 놀이 경험을 반영한 교육과정 운영
③ **한글 이해**: 입문기 과업 중 하나인 한글에 대한 흥미 습득을 위해 전환기 학생의 발달 특성과 흥미를 고려하면서 한글 이해를 위한 교육과정 운영

② 초등 학년군 교육과정

(1) 의미

배움의 주기를 1년 단위로 바라보는 시각을 확장해 2년의 확장된 기간으로 교육과정을 바라보고 1~2학년군, 3~4학년군, 5~6학년군별 교육활동을 유기적으로 연계해 학생들이 일관되고 지속적인 배움 과정에서 주도적인 학습과 학년군 간 협력적 학습을 동시에 추구하게 하는 교육과정

(2) 필요성

① 6년의 긴 주기 안에서 초등학생은 신체적·정서적·사회적·인지적 측면에서 단계별로 독특한 발달 과정을 겪으며, 학생별 발달의 개인차가 크게 드러남

② 1년 주기 교육에서 학생의 삶과 배움을 비교적 비슷한 발달 단계에 있는 2년의 학년군 단위로 묶어 학년의 경계에서 벗어나 서로 협력할 수 있도록 기회를 마련하고, 배움의 연속성을 지속할 수 있는 가능성을 열어 주어야 함

③ 학년군 교사들은 하나의 전문적 학습공동체를 구성하고, 학년교육과정을 공유하거나 학년군별 공통된 학생 발달 특성을 파악하는 과정을 중요시해야 함

(3) 내용

① **1~2학년군 [자존감을 갖고 협력하는 삶]**: 학교생활 적응에 필요한 집중적인 지원과 배려가 요구되는 시기로, 놀이를 통해 자존감을 높이고 타인과 협력을 배우는 놀이형 연계 교육과정

② **3~4학년군 [마을과 지역으로 확장된 공존하는 삶]**: 마을과 지역으로 배움의 탐구 대상과 실천 영역이 확대되는 시기로, 지역 중심으로 민주시민 역량을 함양하고 지역 생태계의 일원으로서 행동하고 실천하는 배움을 경험하도록 하는 교육과정

③ **5~6학년군 [학생이 배움을 주도하며 성찰하는 삶]**: 자존과 공존의 배움을 토대로 학생이 배움을 주도해 기획하고 실행하며 성찰할 수 있는 교육과정

3 초등 무학년제

(1) 의미

학습집단을 학년의 구분 없이 구성하는 방식을 넘어 학생 개개인의 다양성을 존중하고 학생 스스로 배움을 설계하고 성장해 나갈 수 있게 하는 유연한 교육과정

(2) 필요성

그동안 학교와 교사의 관점으로 바라본 교육과정을 '학생'의 관점으로 바꿔주는 교육과정으로 학생들이 배울 수 있는 다양한 선택지를 넓혀주고 자신의 삶 속에서 주체적으로 배움을 설계하고 만들어 갈 수 있도록 'n명의 학생에게 n개의 교육과정'을 만날 수 있게 함

(3) 운영 방법

학교자율과정 내에서 학교의 상황에 따라 창의적이고 자율적으로 편성·운영이 가능함

① **학생 선택형**: 학생들의 수준, 흥미에 맞는 다양한 활동반을 무학년제로 운영해 학생들이 직접 선택하게 하는 방식

② **학생 주도형**: 학생 요구에 따라 활동반을 구성해 학생 스스로 교육과정, 학습, 평가 계획을 생성하는 방식

(4) 사전 준비

① 장소 선정

② 교과목과 활동반 운영을 위한 교사 역량 신장

③ 학생의 요구는 있으나 교사 자원이 없을 경우는 사전에 외부 기관에 위탁하거나 외부 강사를 활용해 운영

4 초·중 연계 교육과정

(1) 의미

초5, 초6, 중1의 교육 활동을 유기적으로 연계해 학생 발달의 관점에서 운영함으로써 현재 초등학교와 중학교의 분리된 교육 활동을 극복하고, 학생의 일관된 배움을 통해 삶의 주인공으로 나아갈 수 있는 교육과정

(2) 필요성

6년의 초등학교 생활 졸업 후 학교급이 달라지면서 급격하게 달라진 교육과정 운영에 대해서 학생들이 좀 더 유연하고 자연스럽게 전체적인 연결고리를 갖고 학교생활을 할 수 있도록 해야 함

(3) 내용

① **삶과 연계된 지속적인 교육:** '자기이해', '진로탐색·설계', '생태 가치'를 주제로 특정 주제나 문제를 이해하고 해결해 나가는 데에 필요한 지식과 기능을 실생활 맥락 속에서 습득하게 되고 이를 적용하며 문제를 해결하게 함

② **연계의 다양한 형태 제시·주제 중심 프로젝트 수업:** 프로젝트 영역에 따라 큰 주제를 정하고 이에 따라 소그룹, 개인별 프로젝트 수행. 이때, 소그룹은 무학년 모둠, 동일 학년, 학년군 등 주제에 따라 다르게 구성될 수 있음. 교육 내용은 동 교과 연계, 타 교과 연계, 주제 중심 연계가 수평적, 수직적으로 다양하게 시도되고 운영될 수 있도록 함

③ **학생의 선택 활동 강화:** 자신이 원하는 주제를 선택하고 팀 내에서 세부 역할을 선택하도록 함

④ **학년 간, 학교급 연계 교육 활동:** 학생들의 교류와 상호작용 촉진

(4) 준비 과정

초·중학교 교사들이 전문적 학습공동체를 함께 운영해 내용의 위계 및 학습 방법의 연계도 자연스럽게 이루어지도록 함

22 경기형 공간 재구조화 공

현장 이야기로 사이다 열기

경기도교육청은 학교의 모든 공간을
학생의 다양한 꿈과 배움, 행복한 삶을 유연하게 지원하는 성장터로 가꾸기 위해 공간 재구조화 사업을 운영하고 있어요.
학교 전체 공간을 대상으로 미래교육과 연계한 공간으로 재구성하고 미래형 스마트 환경을 조성하고 있죠.
이를 구현하기 위해 학생, 학부모, 교직원 등 교육공동체의 의견을 수렴하기도 하는데요.
학생들에게 어떤 공간을 만들어 주고 싶으신가요?
어떤 공간에서 교육 활동을 하고 싶으신가요?
함께 고민해 봐요.

#필요성 #방안

All 기출 문장 및 빈도 체크

연도	자기성장소개서 성			집단토의 토			개별면접 면		
	초	중	비	초	중	비	초	중	비
2016									
2017									
2018									
2019							✓		
2020									✓
2021	미시행								
2022							✓		
2023									
2024									

*공통 공

[22' 초면] 그린스마트스쿨에서 '광장형' 공간을 활용한 교육 방안을 말하시오.

[20' 비면] 교과 관련 특별실을 학생 중심 교육으로 실현하기 위한 운영 방안을 말하시오.

[19' 초면] 미래교육을 위해 학교 공간 중 하나를 골라 창의력과 상상력을 키워줄 방안을 말하되 선정 이유, 구체적 모습, 교육 효과를 포함하시오.

1 도입 배경

미래 사회 변화에 따른 학생 중심의 다양하고 유연한 미래형 학교 공간 구축의 필요성 대두

2 경기형 공간 재구조화 특화 사업 내용 기출

(1) 학교 단위 종합추진

모든 학교 공간에서 스마트 기기를 활용해 교육활동을 할 수 있는 스마트 환경 구축

예 온·오프 연계 프로그램 및 공간 마련, 전자칠판·태블릿PC·로봇·가상현실(VR)·인공지능(AI) 등이 실현되는 인프라, 가변적 공간, 터치스크린, 인터랙티브 월(interactive wall) 등

(2) 스마트 기반 광장형 공간

미래형 학교 공간인 스마트 기반 광장을 위한 증축 등 공간 구축, 학생들의 다양한 활동과 민주적 소통을 기를 수 있는 광장형 공간 조성

(3) 융·복합 다목적 공간 구현

획일적인 학교 공간을 탈피해 융·복합 기능의 다양하고 유연한 공간을 구축해 창의적인 교수·학습과 학생 활동 실현 예 교육과정과 교육 방법 변화에 순응할 수 있도록 소그룹 활동을 지원하는 끼리끼리 공간, 융합 교과 공간, 이름이 없는(no-brand) 공간, 다용도로 사용할 수 있는 1+1 공간

(4) 자연 친화적 생태 공간 조성

학생들의 쉼·놀이·학습 활동이 이루어지고, 생태자원을 활용한 교육의 장이 될 수 있도록 추진 예 학교별 특성에 맞는 학교숲(운동장 재구조화 활용), 교실숲, 생태학습정원, 바이오월(벽면녹화), 중정, 생태 텃밭, 옥상정원 등

(5) 안전한 미래학교 구축 운영

공사 기간 안전 및 학습권 확보, 학교시설 내진 보강 및 안전 진단 강화

사이다 톡 talk! 2024학년도부터 '그린스마트스쿨'이란 표현을 잘 사용하지 않고 있어요. 하지만 경기형 공간 재구성의 방향은 이전의 그린스마트스쿨과 같아요. 공간 재구조화가 필요한 이유를 기억해 두시고, 여러분이 생각하는 학교의 모습도 그려주세요. 단, 그 방향이 경기 지향점과 같아야 하고 여러분 개개인의 교직관이 녹아있어야 합니다.

23 건강하고 안전한 학교 공

현장 이야기로 사이다열기

학생이 건강하고 안전하게 학교를 다니기 위해서는 고려해야 할 것들이 많죠.
폭력으로부터의 안전, 먹거리 안전, 신체 건강, 마음 건강 등등
경기도교육청에서는 구체적으로 어떠한 정책을 추진하고 있을까요?
이번 주제는 경기도교육청의 지향점을 파악하되, 교사들이 할 수 있는 일 위주로 정리해 보았습니다.
건강하고 안전한 학교를 만들기 위한 교사의 역할을 고민하며 읽어주세요.

#지향점 #교사의_역할

All 기출 문장 및 빈도 체크

연도	자기성장소개서 성			집단토의 토			개별면접 면		
	초	중	비	초	중	비	초	중	비
2016									
2017									
2018									
2019									
2020									
2021	미시행								
2022									
2023									
2024									✓

*공통 공

[24' 비면] 학생들이 건강하고 안전하게 학교생활을 하기 위한 캠페인 주제와 구체적인 전공 연계 방안 2가지를 제시하시오.

1 학교폭력 예방 교육 내실화

① 모두의 학교를 위한 '학교문화 책임규약' 제정

② 학부모 대상 학교폭력 인식개선 연수 실시 및 학교폭력 예방 캠페인 운영

③ **학교폭력 제로센터 운영:** 학교폭력 사안 처리, 피해학생 심리상담 및 치료, 피·가해학생 관계 개선, 피해학생 법률서비스 등 지원 체계 일원화

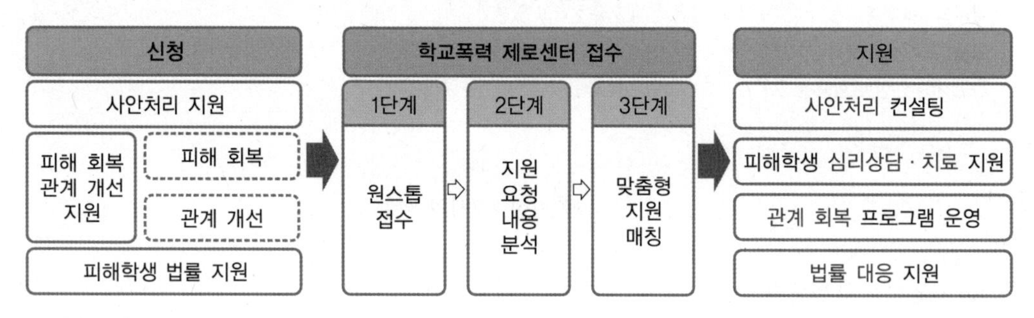

④ 학교 내 양성평등 교육 운영 지원

2 화해중재단 운영

화해중재단원이 학교 내 갈등 사안에 대해 양측의 동의하에 화해를 유도해 학교폭력을 교육적으로 해결하는 정책 ➡ **학교 내 갈등 사안:** 학교폭력, 학생 인권 침해, 교육 활동 침해 사안

3 체육교육 활성화

(1) 필요성

① 학생들의 저하된 기초체력, 정서 및 관계 회복을 위한 신체활동 요구

② 안전하고 지속 가능한 미래체육교육 환경 조성

(2) 추진 정책

① **건강드림학교 운영:** 체력 향상을 위한 스포츠(체육)를 기반으로 영양, 보건 영역의 융합적 학생건강 관리 지원 시스템 구축, 지역 건강교육 생태계와 협력해 학생주도성 프로젝트를 운영하는 모델학교

② **중·고등학교 IT체육교실 운영:** 학교 유휴교실(휴면 공간)에 IT 기반의 융합교육 콘텐츠 및 디지털 장비 설치를 지원하고 아날로그 장비와 혼합해 운영하는 체육활동 공간

사이다 톡 talk! 미래체육교육 환경을 조성해 기후변화에 영향을 받지 않는 IT기술 기반 스마트 체육교육을 실현한다고 해요. IT체육교실을 설치하고, 운동시간, 심박수, 칼로리 소모량 등 신체활동을 측정하는 핸드디바이스(스마트 밴드)를 활용해 학생이 체육활동에 즐겁게 참여하며 체력을 키울 수 있도록 지원하고자 한답니다. 이 취지를 잘 기억하시고 수업에도 적극 반영해 주세요!

4 심리·정서적 위기 지원

① 학생상담안전망 지원 강화: 위(Wee)클래스를 확대 구축해 학생상담 환경 조성
② 아동학대 예방 교육 및 홍보 강화: 대상별(학생, 교직원, 학부모) 아동학대 예방 교육

5 학교 감염병 예방 및 대응 강화

(1) 감염병 대응 매뉴얼

① 초·중·고 공통 빈발 감염병: 인플루엔자(독감), 수두, 유행성 이하선염(볼거리), 수족구병
② 감염병 대응을 위한 담임교사의 역할

예방 단계	•예방접종 관리(담임교사와 보건교사가 담당) •감염병 예방 교육 •수동 감시 체계 운영: 학생들을 관찰하거나 보건실 이용 과정을 통해 감염병 환자 또는 의심 환자 발견
대응 제1단계	•감염병 유증상자를 발견해 의료기관 진료를 통해 감염병(의심) 환자 발생 여부를 확인하는 단계 •의심 학생 발생 시 보건교사에게 연락 ➡ 일시적 격리, 학부모 연락 및 진료 요청, 교실 환기 ➡ 학생 대상 위생수칙 교육 ➡ 일시적 관찰실 환기 및 소독
대응 제2단계	•해당 질환 예방 및 관리 교육 실시: 조·종례 시간에 5분 내외로 주기적으로 실시 ➡ 가정통신문으로 학부모에게 학교 내 감염병 발생 사실을 알리고 개인위생 관리 및 외출 등에 대한 생활지도 부탁 •감염병 환자가 속한 학급: 잠복기 동안 추가 환자 발생 감시, 예방 교육 및 마스크 착용 조치 •능동 감시 대상 학급 관리: 학급 학생들의 증상 유무 관찰 후 보건교사에게 안내

대응 제3단계	•감염병(의심) 환자가 2명 이상 있는 경우 •담임교사는 나이스를 통해 모든 환자 발생을 등록 •능동 감시 강화: 매일 2교시 전까지 학년 부장에게 추가 의심 환자 발생 여부 보고 •의심 환자 관리 •밀접접촉자 파악 및 관리 •고위험군 파악 및 관리 •감염병 예방 교육 실시: 조·종례 시간에 주기적 교육, 가정통신문 배부 •출결 관리 및 수업 결손 대책 마련
복구 단계	•유행이 종결되고 복구가 일어나는 상황 •수업 결손 보충, 심리 지원(상담 및 보건교사와 연계) •유행 종료 선언(학교 홈페이지, 가정통신문 등으로 안내)

사이다 톡 talk! 이 단계를 암기하는 것이 아니에요. 머릿 속에 이미지를 떠올리며, 상황을 상상해 보는 정도면 됩니다. 단! 감염병 예방 교육은 예방–대응–복구 단계로 나눠 단계별로 접근해야 함을 이해하고, 특히 예방 교육에 힘써야 한다는 것을 기억해 주세요.

(2) 감염병 예방 교육

① 목적: 감염병 예방 및 대처 능력의 향상

② 담당: 보건(담당)교사, 담임교사, 교과교사

사이다 톡 talk! 누구 한 명이 담당해야 할 고유의 역할이 아닌 교사 모두가 공유해야 할 교육 방안임을 이해해야 합니다.

③ 대상: 학생, 교직원 및 학부모

④ 교육 내용

- 가정과 연대: 시기별로 발생 위험이 높은 감염병 위주로 가정통신문 등을 제작해 전달
- 주기적인 교육: 조·종례 시간을 이용해 5분 내외의 간단한 교육을 주기적으로 실시 ➡ 계절별 주의해야 할 감염병 종류 및 예방·관리 방법, 감염병 일반 예방수칙(손 씻기, 마스크 착용, 기침 예절 등) 안내

⑤ 심리적 피해 예방 교육

- 목적: 감염병 환자 또는 의심 환자의 낙인효과(비난받음, 따돌림 등) 예방
- 교육 내용: 일시적 관찰과 마스크 착용은 환자로 확인되기 전에 필요한 사전 조치이므로 본인이나 주변 사람들이 불안해 할 필요가 없음. 감염병에 걸린 것은 자기 잘못이 아니며, 누구나 감염될 수 있다는 것을 안내함

사이다 톡 talk! 심리적 피해 예방 방안을 언급한다면, 교사의 따뜻한 인성을 드러낼 수 있답니다!

(3) 교사의 감염병 대응 역량 강화 방안: 감염병 대응 모의 훈련

① 목적

- 학교 내에서 발생할 수 있는 다양한 감염병 발생 상황에 대한 대처 능력 강화
- 학교 내 감염병 발생 시 각 구성원의 역할 강화와 의사소통 능력 향상

② 훈련 내용 및 방법

- **참여자**: 학교 모든 교직원 참여가 원칙
- **방법**: 훈련 당일 조별로 특정 학생 감염병 발생의 단계별 시나리오가 기입돼 있는 훈련용 workbook을 제공 ➡ 대응 단계에 따라 구성원들이 서로의 역할을 논의해 대응 방법을 찾는 도상훈련(tabletop exercise) 실시

사이다 톡 talk! 경기도교육청에서는 감염병 대응 역량 강화를 위해 모의훈련을 정례화한다고 하니, 모의훈련에 대해서도 잘 이해하고 있어야 합니다!

(4) 교내 환경 구축

① 일시적 관찰실 지정

1층 마련이 원칙(1층 마련이 어려운 경우 층간 이동을 최소화하고 신속한 귀가가 가능한 장소에 마련) ➡ 문을 닫을 수 있고 환기가 잘 되는 공간에 일시적 관찰실을 마련하고 출입구에 안내문을 부착해 다른 사람들의 접근을 차단

② 방역 활동

- **학급 방역 물품 비축**: 적정 수량 확보·유지
- **소독 및 환기**: 학교 자체에서 소독을 주기적으로 실시하며, 교실 등의 창문과 출입문을 동시에 10분 이상 열어 충분히 수시로 환기하는 문화 조성

6 예방 중심 보건교육 및 건강서비스 지원

① 학교교육과정 내 보건교육 의무 실시(1개 학년 17차시, '보건'과목 선택 운영)

② **보건교육거점학교 운영**: 학생 중심의 보건교육 실천을 위한 전문적 학습공동체 연구 활동을 중심으로 지역의 보건교육 활성화에 기여하는 학교

③ **흡연예방실천학교 운영**: 청소년 흡연 진입 차단을 위해 학교 특성에 맞게 자율적으로 학생 참여형 체험 중심 흡연예방 교육을 실시하고, 지역사회와 연계한 치유와 협력의 학생 주도 금연 활동을 지원해 교육 구성원 전체가 금연을 조기 실천하는 학교

④ 학생 건강검사 및 조사 등을 통한 건강문제 조기 발견

⑤ **학생건강증진센터(가칭) 설치 및 운영**: 인체 탐험 및 건강 질환별 건강관리 체험, 상황별(마약, 음주, 흡연 등) 중독 예방, 건강 취약학생(당뇨, 희귀질환 등)을 위한 건강교실 프로그램 운영, 마약 예방 교육(전문강사 지원, 연극, 인형극 등) 사업 확대 운영

7 영양·식생활교육 강화

① 자율선택급식 식단 및 교육과정 연계 영양·식생활교육 운영
② 학생·학부모 급식 정책 참여 운영 지원

8 쾌적하고 안전한 급식 환경 제공

(1) 노후 급식시설 현대화 등 급식환경 개선사업 추진

(2) 안전한 식재료 사용

(3) 학생건강 중심 맞춤형 교육급식 운영

① 학교 단위 맞춤형 교육 급식
- 학생들의 건강하고 바른 성장 지원을 위해 학생의 기호, 건강 상태(식이요법, 식품알레르기 관리 등) 등을 고려한 선택·맞춤형 식단 제공
- 올바른 식사 선택 등의 식생활 관리 역량 교육을 위한 급식 연계 체험교육 활동

② 목적
- **다양성과 자율성 존중**: 학생의 건강과 기호를 고려한 선택 맞춤형 식단 제공에 의한 학생 건강 증진
- **건강한 삶의 가치**: 맞춤형 교육 급식 운영을 통한 학생의 건강한 식생활 배움 지원
- **미래의 건강한 삶**: 지역 단위 맞춤형 교육 급식 운영으로 함께하는 교육 급식 문화 조성

③ 필요성
- 획일적인 식단 제공의 학교 급식에서, 학생이 주체가 돼 선택하고 실천하는 학생의 다양성을 존중하는 자율 교육 급식 운영이 필요함
- 학생 스스로 계획하고 실천하는 건강한 삶의 가치를 찾는 자기건강 관리 역량 교육의 균형된 교육 급식 운영이 필요함
- 학교–지역, 학생–학부모–교직원이 함께하는 미래의 건강한 삶을 준비하는 교육 급식 문화 정착이 필요함

④ 맞춤형 교육 급식

• 학생의 건강하고 바른 성장 지원을 위한 맞춤형 교육 급식

예시

맞춤형 선택 식단 제공

• 죽 제공: 건강상태에 따라 정상급식이 어려운 대상자에게 소화가 용이한 죽을 제공해 건강회복을 돕는 급식형태
• 알레르기 식단: 식품알레르기 유증상 학생에게 알레르기 유발식품을 제거하거나, 대체식품을 제공하는 식단
• 선택 식단: 두 가지 식단을 제공해 학생이 원하는 식단을 선택하는 급식형태
• 이벤트 식단: 생일, 절기, 세계음식문화의 날 등 주제를 정해 그 의미를 교육하고 이해하는 식단 제공 방법
• 생태·환경 식단: 생태(로컬푸드, 저탄소)·환경(음식물쓰레기 줄이기) 교육주제 식단(채식 식단 등)

2021년부터 추진

• 학교의 특색을 반영한 교육 급식 운영(학교의 급식 운영 브랜드화)

예시

학교특색 급식 운영

• 교육 주체(학생·학부모 등)가 참여해 논의하는 학교특색 교육 급식 운영
• 학교 규모, 학교급(초·중등), 학생 구성, 지역에 특화된 교육 급식 운영
• 세계음식 급식학교: 다문화 학생이 많은 학교
• 생태·환경 급식학교: 채식 희망 다수 학교, 음식물쓰레기 주제 교육학교, 샐러드바 운영 학교 등
• 전통문화 급식학교: 장독대 운영 급식학교 등
• 나트륨 저감화 급식학교: 나트륨 저감화가 필요한 학교
• 자율선택 급식학교(선택식단, 자율배식 등): 초·중등 통합학교, 소규모학교 등

선택식단 급식학교: 주메뉴 선택, 일부반찬 메뉴 선택, 복수메뉴 제공 등

자율배식 급식학교: 일부음식 또는 전체음식을 학생이 배식하는 형태

• 점심시간 자율 급식학교: 점심시간을 충분히 제공하는 급식학교, 소규모학교 등
• 학교텃밭 급식학교: 텃밭(식재료 생산과정 교육)과 연계한 교육

• 지역 단위 맞춤형 교육 급식
  _ 지역 단위(인근 3~4개교 정도) 학교가 함께 운영하는 맞춤형 교육 급식 운영 체제
  _ 맞춤형 선택 식단 제공을 위한 식단연구, 식재료 공동구매 및 전일검수, 지역사회 연계 영양교육·상담프로그램 운영 등

⑤ 기대효과

• 학생 자신이 건강한 삶의 가치를 찾고, 스스로 계획·실천하는 자기건강 관리 능력 향상
• 지역과 학교 교육공동체가 함께하는 교육급식공동체 문화 조성
• 미래의 건강한 삶을 준비하는 공존과 상생의 교육 급식 문화 조성

9 자율선택 급식 확대 운영

기존의 획일적인 식단 제공의 방식에서 벗어나 학생들이 음식 메뉴와 양을 선택할 수 있는 급식 운영 체계로 학생의 자율권과 선택권 확대 ➡ 자기주도적 식생활 관리 가능

10 쉼과 나눔이 있는 학교 환경 조성

① 예술과 감성이 어우러진 학교 갤러리 운영: 지역 예술자원 활용 교육과정과 유기적으로 연계한 작품 전시 및 다양한 예술교육프로그램 운영, 지원학교의 자율성에 기반한 특색 있고 창의적인 학교 갤러리 운영 지원

② 학교로 찾아가는 예술가와 예술작품

③ 유휴공간을 활용해 학교갤러리 전시 공간 설치

④ 온-오프라인 디지털갤러리 운영

24 교육복지 공

현장 이야기로 사이다열기

"행복한 배움으로 희망을 만드는 공평한 학습사회를 만들자!"
모든 학생이 건강하고 안전하게 생활하고, 단 한 명의 학생도 교육에서 소외받지 않도록 제도적 지원을 하는 교육복지!
현장에서는 모든 학생의 교육복지를 위해 어떠한 노력을 하고 있는지 살펴봅시다.

#정의 #사례 #교사의_역할

1 교육복지

(1) 정의

① 학습권 보장: 생애 초기부터 누구나 양질의 교육을 받을 수 있도록 보장
② 기초학력 획득: 여러 학습에 포괄적으로 필요한 일반적 학습 능력을 갖추도록 지원

(2) 도입 배경 및 목표

개인의 능력과 노력보다 타고난 가정환경에 따라 사회·경제적 지위가 결정되는 양극화 현상 심화 ➡ 모든 학생 개개인의 행복 증진과 교육 성취 제고, 학생의 인지·정의·사회 영역의 전인적 성장 지원

(3) 사례

① 적극적 차별 해소 정책
- 사회통합 전형: 고등학교 입학 정원의 일정 비율을 국가적으로 보호가 필요한 학생에게 사전 배려
- 고른 기회 전형: 농어촌 학생, 저소득층 학생, 장애인 및 북한 이탈주민 등 교육급여 제공

② 교육복지 우선지원사업
- 정의: 모든 학생에게 교육·복지·문화 지원 프로그램 등을 통합적으로 제공해 학교생활 적응력 향상과 건강한 교육적 성장을 도모해 교육 기회 균등 실현
- 대상: 사업 대상을 모든 학생으로 전환(2017) ➡ 교육복지 대상 학생의 낙인감 예방과 자존감 보호 ➡ 그러나 우선지원학생이 우선적으로 참여할 수 있도록 사업 과정에서의 세심한 배려 필요
- 사업 구분
  _ 사업학교: 교육복지 우선지원사업을 실시하는 학교(교육복지사 배치)

_ **연계학교**: 사업학교 지정 기준에 미치지 못하지만, 학교의 실태 및 여건 등을 고려할 때 일부 지원이 필요한 학교(교사 중심 운영)

_ **희망교실**: 연계학교 선정기준에 미치지 못하지만, 일부 지원이 필요해 소규모 교실형으로 운영하는 학교(담임교사 중심 운영)

(4) 교육복지 실행 시 교사의 유의 사항

① 교사의 자발성과 자율성에 기초

② 학생과의 지속적 상호작용으로 돈독한 관계 형성

사이다 톡 talk! 교육복지를 위해 선행돼야 할 것은 '관계 맺기'입니다. 그렇지 않으면, 학생에게는 교사의 도움이 간섭으로 느껴질 수도 있습니다. 학생의 이야기에 경청하고 공감하며, 세심하게 행동과 태도를 관찰한다면 학생의 많은 것을 볼 수 있고, 학생도 자신을 더 많이 보여줄 수 있습니다. 또 혼자보다 같이! 담임교사뿐 아니라 여러 교육공동체, 마을 자원이 학생을 돕는다면 훨씬 더 효과적일 수 있습니다.

③ **교육복지안전망**: 교육지원청이 교육복지사가 미배치된 학교의 도움이 필요한 학생에게 필요한 복지서비스를 통합적·맞춤형으로 지원하는 교육복지 지원시스템

2 대안교육

(1) 정의

① 학교 부적응 및 학업중단위기 학생의 학업중단 예방을 통한 공정한 교육 기회 보장

② 학생 적성과 소질에 따른 대안교육 기회 제공으로 학업중단 예방 강화

(2) 대안학교

각종학교의 한 형태로서 학업을 중단하거나 개인적 특성에 맞는 교육을 받으려는 학생을 대상으로 현장 실습 등 체험 위주의 교육, 인성 위주의 교육 또는 개인의 소질·적성 개발 위주의 교육 등 다양한 교육을 하는 학교(총 11교, 학력 인정)

법적근거: 「초·중등교육법」 제60조의3(대안학교)

(3) 학교 내 대안교실

① 정의

학업중단 예방을 위해 학교생활 부적응 학생의 다양한 교육적 요구를 충족시킬 수 있도록 일반학급과 구분하여 정규수업 시간 내에 대안교육 프로그램을 운영하는 별도의 학급을 두는 것

② 목적

- 학생들의 꿈과 끼를 살리는 다양한 교육 기회 제공
- 학교 부적응 학생에게 유의미한 학교생활 지원

- 다양한 교육을 원하는 학생들에게 대안적 교육 기회 제공
- 학생들의 교육 소외를 해결할 수 있는 학교의 교육 역량 제고
- 서로 존중하고 협력하는 교육 환경 조성

③ 방침

- 학교의 여건 및 특성과 학생들의 대안교육 수요를 고려해 교육과정을 자율적으로 편성·운영
- 공공기관, 평생교육시설, 문화예술기관 등과 연계해 다양한 프로그램 개발·적용

예시

치유 프로그램

- 전문가 치유 및 상담 치유(집단 및 개인) 등
- 예술 치유: 미술 치유, 음악 치유 등
- 신체활동을 통한 치유: 댄스, 명상, 요가, 숲 치유 등
- 연극 치유: 상황극, 사이코드라마, 단막극 작품 연출, 가족 세우기 등

공동체 체험 중점

- 또래 관계: 또래와 함께 만든 작품 전시 또는 발표회, 또래 멘토링, 뒤뜰 야영 등
- 교사 관계: 사제동행(영화 관람, 등산), 교사–학생 멘토링 등
- 학부모 관계: 부모–자녀 관계증진 프로그램, 부모–자녀 동반 캠프 등

학습·자기계발 중점

- 기초학력 신장: 신문, 카드를 활용한 학습, 독서교육 등
- 수준별 수업: 학생들 수준에 맞는 수업 만들기, 영화감상·게임 등 재미있는 수업 등
- 학습 멘토링: 교사 및 또래 학습 멘토링 등
- 예술 활동: 서예, 미술, 공예, 목공, 악기, 뮤지컬, 연극 등
- 창작 활동: 영상 제작하기, 다큐 만들기 등

사이다 talk! 학교 내 대안교실 학생은 교사가 추천하거나, 학생이 지원해 선발해요. 대상 학생들은 특정 요일, 시간대에 정규수업을 듣지 않고 대안교실로 이동해 해당 프로그램을 이수해요. 때론 방과 후에 학교 밖에서 활동하기도 한답니다.

④ 유의 사항

- 전용 공간의 필요성
  - 다양한 체험·진로·인성 프로그램을 운영하기 위해 전용 공간 필요
  - 학생들의 소속감과 정서적 안정감을 주는 공간 마련
- 학교 내 대안교실 환경 조성
  - 학생들에게 정서적 안정감을 줄 수 있는 장소 선택
  - 전용 교실이 없을 경우 담당 부서와 협의해 공간 확보

⑤ 기대효과: 학생 개개인의 특성에 맞는 대안교육 지원 강화로 다양한 교육 수요 충족

THEME 25~31
교과 지도(전공 연계) 방안

★★★ 빈출주제

- THEME 25. 사유하는 학생·깊이 있는 수업
- THEME 26. 역량 기반 학생평가
- THEME 27. 수업 전문성 강화
- THEME 28. 창의·융합교육
- THEME 29. 초등 놀이 활성화
- THEME 30. 통일교육·탈북학생 교육
- THEME 31. 독도교육

9개년 출제 유형 분석

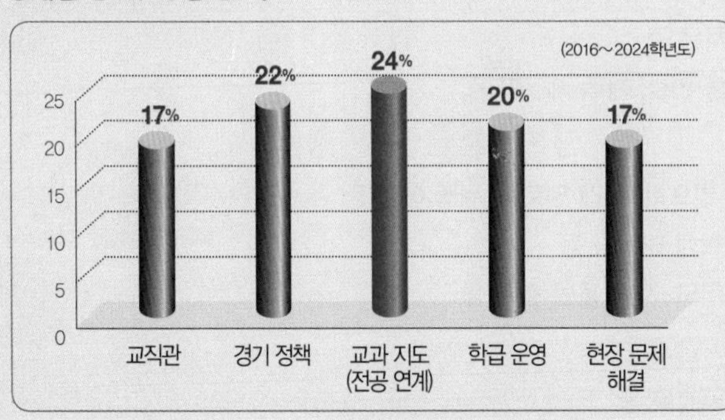

빈출주제 BEST 1

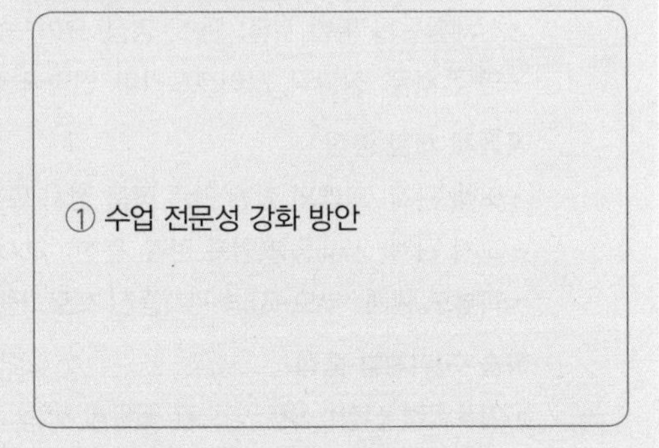

- 교과 지도(전공 연계) 방안은 중요한 부분이 많아 '2025 교육 이슈' 챕터로 들어간 것이 많아요. 이 챕터뿐 아니라, 다른 주제를 공부하실 때도 교과 지도(전공 연계) 방안을 꼭 고민해 두셔야 해요.
- 경기도교육청의 지향점을 정확히 이해하고, 나의 교직관을 반영한 방안을 만드셔야 합니다.
- 교과 지도 방안은 '교육과정 성취기준'을 찾아, 이에 근거해 방안을 고민해 주세요. 내가 하고 싶은 교육 방안이 교육과정 성취기준에 부합하지 않는다면, 현장에서 활용할 수 없거든요. 만능으로 적용할 수 있는 성취기준 2~3개를 발췌해 미리 암기해 두면 좋아요.

만점 대비 공부법!

꼭 경기도교육청의 정책을 이해하신 후 지도 방안을 고민하셔야 해요. 'Chapter 03. 교육 정책 이해 및 적용' 부분을 먼저 공부하신 후 이와 맥락을 같이 하는 방안이되 선생님의 교직관을 잘 반영해서 구체적인 적용 방안을 고민해 주세요.

25 사유하는 학생·깊이 있는 수업 공

– 수업·나눔 연계

현장 이야기로 사이다열기

2022 개정 교육과정 적용 시기가 다가오며 경기도교육청 역시 이에 걸맞은 준비를 하고 있습니다.
2027년까지 전 학년에 걸쳐 시행되는 '2022 개정 교육과정'의 핵심으로
'사유하는 학생, 깊이 있는 수업 구현'을 제시한 것이죠.
사유하는 학생상을 위한 학교문화 조성 방안으로 '질문하는 학교'를 도입하고,
교사의 역량 강화를 위한 '탐구수업공동체'도 만들어졌죠.
이를 통해 알 수 있는 사실은 경기도교육청이 지향하는 수업의 방향은 질문이 많은,
그리고 질문에 대한 답을 찾아가는 탐구 과정을 경험할 수 있는 수업이라고 할 수 있습니다.
특히 발전을 거듭하고 있는 생성형 AI를 다루는 데 '원하는 답을 끌어 낼 수 있는 질문 능력'이 필수인 만큼
학생들이 이에 익숙해지고 관련 역량을 기를 수 있도록 준비하고 있는데요.
자세한 모습을 함께 살펴보며 새로운 경기교육의 교수학습 내용을 익혀봅시다.

#질문 #탐구

All 기출 문장 및 빈도 체크

연도	자기성장소개서 성			집단토의 토			개별면접 면		
	초	중	비	초	중	비	초	중	비
2016									
2017									
2018								✓	
2019									
2020									
2021	미시행							✓	✓
2022									
2023									
2024									

*공통 공

[21' 중면] 수업 시간 종료 직전에 학생 C가 3차시 결과물을 완성은 했으나, USB 외부입력장치 오류로 제출하지 못한 상황에서 인정 여부에 관한 생각을 말하시오.
[21' 비면] 역량중심 교육과정과 연계한 자유학년제 내실화, 인성교육, 진로교육 방안을 말하시오.
[18' 중면] 교육과정–수업–평가 일체화를 위한 노력 방안을 말하시오.

1 경기 교수학습 방향에 대한 성찰

2015 개정 교육과정과 경기도 교육과정에서 배움중심수업과 과정중심평가를 통해 수업과 평가를 개선하려는 노력이 이루어졌음. 수업의 주체는 학생이며, 교육과정-수업-평가-기록의 일체화를 통해 학생 활동 중심으로 수업이 이루어짐

교육과정-수업-평가-기록 일체화란 학생의 성장을 목표로 계획한 교육과정을 ➡ 수업을 통해 구현하고 ➡ 수업 활동 자체를 평가하고 ➡ 기록하는 자연스러운 흐름(별도로 구분되거나 단절되지 않음)

그러나 배움중심수업이 교사 주도 강의식 수업의 반대 개념으로 인식되고, 학생 참여형 수업이 흥미와 체험 중심으로만 운영된 점이 한계로 지적됨. 또한 학생 중심 활동이 학생의 사고 중심 활동으로 이뤄지지 않고 학습 소재나 방법에 집중한 나머지 학생의 기초 학습 능력이 저하됐다는 지적이 있었음

사이다 톡 talk! 이러한 문제의식에서 '사유하는 학생, 깊이 있는 학습'이라는 교수·학습 개념이 등장하게 됐습니다. 따라서 우리의 수업이나 교육 방안에 학생이 사고하는 과정 없이 맹목적인 학생 주도의 활동이 드러난다면 좋은 결과를 얻을 수 없음을 기억하세요.

2 경기교육과 미래 역량

이와 함께 다양한 미래교육 담론과 미래 역량을 반영하는 새로운 수업 방향이 요구됨. 따라서 경기교육은 자율, 균형, 미래 3대 기조에 걸맞은 교육 방안을 모색함

(1) 자율과 학생 주도성

미래 변화에 대응하기 위해 학생들은 핵심 지식을 바탕으로 자율적으로 계획하고 실행하는 능력이 필요함. 이를 위해 개별 학생들이 자신의 진로와 선호를 바탕으로 학습에 몰입할 수 있도록 설계된 수업이 중요함

(2) 균형과 조화

경기교육은 지식뿐 아니라 사회·정서적 성장을 함께 강조하며, 소통과 협력을 통한 공존의 역량을 포함함. 학생 인권과 교사 교권은 대립이 아닌 상호존중돼야 할 가치로 봄

(3) 미래와 창의성

디지털 시대에 학생들은 새로운 가치를 창출할 수 있는 사고력과 창의성을 갖춰야 하며, 이를 위해 다양한 질문과 탐구 활동을 통해 생각을 표현하고 결과물로 만들어내는 경험을 제공하는 교육이 필요함

3 2022 개정 교육과정 총론 교수학습 방향 4가지

미래교육의 담론과 미래역량의 요구를 반영한 2022 개정 교육과정은 불확실한 미래 사회의 상황과 요구에 대응할 수 있는 학생의 능력과 함께 주도성을 길러주는 것에 교육의 초점을 맞추어 개정됨

(1) 깊이 있는 학습 강조

깊이 있는 학습은 단순 암기 대신 교과의 핵심 아이디어를 중심으로 지식 이해, 과정·기능, 가치·태도 등을 유기적으로 연결해 학생이 스스로 탐구하고 학습할 수 있도록 수업을 설계하는 것. 교과 간 연계성을 고려해 융합적 사고와 창의적 문제 해결을 촉진하며, 실생활과 연관된 경험을 통해 의미 있는 학습 기회를 제공하는 것을 목표로 함

(2) 학생 참여형 수업 강조

학생들이 탐구 질문에 관심과 호기심을 가지고 능동적으로 수업에 참여해 학습 과정에서 즐거움을 체험할 수 있도록 수업을 계획·실행해야 하며, 자신의 생각을 표현할 수 있도록 개별 학습 활동과 협동학습 활동을 함께 해 문제를 협력적으로 탐구하고 해결하는 경험을 충분히 갖도록 강조

(3) 학생 맞춤형 수업 강조

학생의 능력, 적성, 진로와 같은 학습자 특성을 고려해 다양한 학습 활동과 방법을 활용하고 학생의 특성에 따라 다양한 학습 집단을 구성해 학생 맞춤형 수업을 활성화하고자 함. 정보통신기술을 활용해 교수·학습 방법을 다양화하고 맞춤형 학습을 위해 지능정보기술 활용을 강조

(4) 다양한 수업 환경 조성

교사와 학생 간, 학생과 학생 간 상호 신뢰와 협력이 가능한 유연하고 안전한 교수학습 환경을 지원하고 디지털 기반 학습이 가능하도록 교수학습 환경을 조성해야 한다고 봄

4 새로운 경기 교수·학습 방향 설정

경기도교육청은 2022 개정 교육과정에 맞춰 경기미래교육 3대 원칙(자율, 균형, 미래)을 바탕으로 교수학습 방향을 설정하고, 학생들이 개념 이해와 융합적 사고를 통해 실생활 문제해결 능력을 키우도록 하는 것을 목표로 함. 각 교과목은 핵심 아이디어에 기반해 깊이 있는 학습을 강조하고, 교과 내 영역 간, 교과 간 내용 연계성을 고려해 융합적 사고와 창의적 문제 해결 능력을 함양하도록 설계됨. 이를 통해 '사유하는 학생, 깊이 있는 수업'을 실천하며, 실천 방향 3가지를 제시함

❶ 학생과 교사의 주도성이 조화를 이루는 수업
❷ 개념 이해를 바탕으로 하는 심층 탐구 수업
❸ 삶의 문제를 해결하는 역량을 기르는 수업

(1) 사유하는 학생

① 개인의 경험, 지식, 문화, 사회적 맥락에 따라 구성된 가치와 신념을 탐색하고, 이에 대해 비판적으로 생각하며 스스로 자신의 믿음과 가치에 대해 깊이 성찰하는 학생

② 그동안의 수업은 학생 참여형 수업을 강조하며 과도한 활동과 과제 중심으로 구성돼 실질적으로 학생의 학습을 방해함. 앞으로 교사는 학생이 사유하는 방법을 익히고 경험할 수 있는 수업을 설계해야 함

(2) 깊이 있는 수업

학생이 개념 이해를 바탕으로 삶의 맥락을 반영한 문제를 해결하는 학습을 강조. 학생의 사유와 질문으로 학생과 교사 주도성이 조화를 이루어 비판적 사고 및 문제해결 역량 등 미래 역량을 향상시키는 데 중점을 둠

교육과정 비교를 통한 깊이 있는 수업

구분	2015 교육과정	2022 교육과정
사고방식	연역적	귀납적
범위/내용체계	지식, 기능, 태도	지식·이해, 과정·기능, 가치·태도
수업방식	사실적 지식, 기능 습득 중심	탐구 중심

(3) 실천 방향 3가지

① 학생과 교사의 주도성이 조화를 이루는 수업

지향점 학생을 중심으로 수업을 설계하는 교사 주도성과, 스스로 사유하는 학생 주도성의 조화를 통해 역량을 함양하는 수업으로 나아갑니다.

학생은 학습 과정에서 주변 친구들과 교사와의 상호작용을 통해 아이디어를 발전시키고, 교사는 다양한 학습 전략을 구사해 학생의 학습 경험을 향상시키며 교육의 질을 개선하는 것을 의미함. 두 주도성이 조화를 이루는 수업은 학생의 학습이 삶의 성장과 연결되도록 돕는 경험을 제공하는 수업을 의미

사이다 톡 talk! 이전 배움중심수업을 강조할 때, 학생만이 수업의 주체라고 오해해 맹목적인 활동 위주의 수업을 해서 학생에게 학습이 되지 않았던 문제를 지적하며, 학생뿐 아니라 교사의 주도성도 강조하고 있습니다. 수업 실연을 위한 수업 방안이나 면접을 위한 교육 방안을 구안할 때 협동이 가능한 수업, 교사의 역할이 분명하게 드러나는 방안을 만들어야 경기교육의 지향점과 어울리는 교사임을 어필할 수 있습니다.

② 개념 이해를 바탕으로 하는 심층 탐구 수업

지향점 학생들은 질문과 탐구로 지식을 구성하고 정교화합니다. 질문은 사유의 시작이고, 탐구로 의미를 구성하며 학생의 학습이 깊어집니다.

경기 교수학습은 학생들이 사유하고 질문함으로써 교과 고유의 탐구과정을 경험하고 새로운 의미를 만드는 수업을 지향함. 단순 암기를 지양하고, 교과목의 핵심 아이디어를 중심으로 내용을 유기적으로 연계해 지식 적용과 문제 해결을 강조함. 심층적 학습을 통해 진정한 이해와 전이 학습을 이루도록 하며, 학생들이 스스로 질문을 만들고 답하면서 문제를 깊이 탐구하도록 장려함

사이다 톡 talk! 그간 탐구 수업이나 프로젝트 학습은 보편적으로 많이 해 왔지만, 학생들이 질문을 스스로 만들어 보는 교육은 약간은 생소할 수 있습니다. 이미 상용화된 챗GPT 같은 생성형 AI를 잘 활용하려면, 질문을 잘하는 능력은 필수이죠. 수업에서 학생들이 질문을 만들어 보고 토의하는 활동을 넣어보세요. 미래역량을 갖춘 교사임을 어필할 수 있을 것입니다.

③ 삶의 문제를 해결하는 역량을 기르는 수업

지향점 학습은 세상을 이해하는 도구입니다. 학생들은 삶의 맥락에서 문제를 해결하고 몰입을 경험하며 세상에 대한 이해가 넓어집니다.

학습의 전이는 실생활에 가까운 맥락을 제공할 때 쉽게 일어나므로, 수업은 삶의 맥락 속에서 지식을 구성할 수 있도록 설계돼야 함. 학생들이 배운 내용이 삶과 직접 연결된다고 느낄 때 더 몰입하게 되며, 교사교육과정 재구성으로 학습 경험의 폭과 깊이를 확장할 수 있다. 삶의 맥락 중심 수업은 학생의 삶을 확장하고, 새로운 변화 대응, 문제 해결, 사회적 책임과 실천, 변혁적 도전 정신을 강조함. 또한, 학교 밖 교육 활동 공간과 지역사회의 인적 자원을 활용해 학생들이 당면한 문제를 논의하고 구체적인 실천으로 이어지도록 지원하는 수업을 지향함

사이다 톡 talk! 수업이나 교육 활동을 구안할 때, 실생활의 문제를 탐구하고, 문제해결을 하는 활동도 생각해 보세요. 또한 경기도교육청은 지역사회 자원을 활용하는 것을 적극 장려하고 있으니, 지역사회와 함께하는 활동 방안도 꼭 생각해 두세요.

(4) 탐구–실행–성찰 수업 설계

깊이 있는 이해를 위해 학생이 명확하게 문제를 이해하고 탐구과정에서 지적 호기심을 유발하는 질문이 중요함. 아울러 사실과 주제에 대해 학생들이 끊임없이 질문을 만들고 답하면서 문제를 깊게 파고들며 탐구할 수 있도록 설계가 필요. 이를 위해 탐구–실행–성찰 과정을 담은 깊이 있는 수업을 위한 프레임워크 전략을 적용하고 있음

사례 탐구–실행–성찰 수업 설계 실천

- 사실 질문 ➡ 개념 질문 ➡ 토론 질문 순으로 깊이 있는 수업 설계 예 사회 문제를 담고 있는 글, 영상을 접한 후 내용을 확인하는 질문 던지기(사실 질문) ➡ 사회 현상을 추론하거나 비판적 성찰이 담긴 질문 던지기(개념 질문) ➡ 사회 문제에 대해 비판적 토론을 위한 질문 던지기(토론 질문)
- 생성형 AI를 활용해 다양한 질문을 하고, 답변의 정확성을 비판적으로 검증하기 위해 상호 토론하는 수업
- 지역사회의 문제를 해결하기 위해 개인 또는 모둠 프로젝트 제안서를 작성한 후 질문을 기반으로 탐구–실행–성찰 과정을 발표하고 공유함
- 지역 공유학교와 연계해 학교 안팎에서 발견되는 삶의 문제를 발굴하고 해결하는 프로젝트 수업 운영

(5) 기대효과

① **자기주도성 성장:** 학생들이 자신의 삶을 선택하고 결정하면서 문제를 다양한 측면에서 바라보고 학습하도록 도와줌. 이를 통해 스스로 목표를 설정하고 계획을 실행하는 능력을 기를 수 있음

② **문제 해결과 비판적 사고 함양:** 다양한 문제 해결 방법을 탐구하고 비판적 사고를 통해 자기주도적인 학습 태도를 함양함. 학생들이 학습 과정을 반성하고 조정할 수 있도록 지원해 변화하는 환경에 유연하게 대응할 수 있게 함

③ **창의적 사고 활성화:** 다양한 관점을 접하고 토론하는 과정에서 창의적 사고가 활성화되며, 학생들이 창의성을 발휘할 수 있는 기반을 마련함

④ **문화와 가치관 이해:** 다양한 문화와 가치관을 접할 기회를 제공. 이를 통해 학생들은 폭넓은 시각과 공감 능력을 기르고, 새로운 가치를 창출하는 능력을 배양

⑤ **배려와 협력 성장:** 비판적 사고와 토론을 통해 자신의 생각을 표현하고 타인의 의견을 수용하는 능력을 키우며, 배려와 협력의 공동체 의식을 성장시킴

사이다 톡 talk! 기대효과에서 보이는 키워드에 주목해 보세요. 탐구 수업, 토론 수업, 다양한 문화와 가치관을 접하는 교육 등을 통해 학생이 자기주도성, 창의성, 포용력, 협력 등의 가치를 체득할 수 있게 해야 합니다.

26 역량 기반 학생평가 공

현장 이야기로 사이다열기

학생의 성장과 역량 강화를 위해 교사들은 평가의 중요성을 깊이 인식해야 합니다.
경기도교육청의 평가 방향은 단순한 성적 평가를 넘어,
학생의 고차적 사고력과 문제해결 능력을 강화하는 데 중점을 두고 있습니다.
교사들은 논술형 평가와 과정중심평가를 통해 학생의 주도성과 자기 성찰을 유도하며,
에듀테크를 활용한 맞춤형 평가로 학습의 질을 높이는 데 책임이 있습니다.
지금부터 경기도교육청의 평가 방향에 대해 자세히 살펴봅시다.

#지도_방안

All 기출 문장 및 빈도 체크

<table>
<tr><th rowspan="2">연도</th><th colspan="3">자기성장소개서 성</th><th colspan="3">집단토의 토</th><th colspan="3">개별면접 면</th></tr>
<tr><th>초</th><th>중</th><th>비</th><th>초</th><th>중</th><th>비</th><th>초</th><th>중</th><th>비</th></tr>
<tr><td>2016</td><td></td><td></td><td></td><td></td><td></td><td></td><td></td><td></td><td></td></tr>
<tr><td>2017</td><td></td><td></td><td></td><td>✓</td><td></td><td></td><td></td><td></td><td></td></tr>
<tr><td>2018</td><td></td><td></td><td></td><td></td><td></td><td></td><td></td><td></td><td></td></tr>
<tr><td>2019</td><td></td><td></td><td></td><td></td><td></td><td></td><td>✓</td><td></td><td></td></tr>
<tr><td>2020</td><td></td><td></td><td></td><td></td><td></td><td></td><td></td><td></td><td></td></tr>
<tr><td>2021</td><td colspan="6" rowspan="2">미시행</td><td></td><td></td><td></td></tr>
<tr><td>2022</td><td></td><td></td><td></td></tr>
<tr><td>2023</td><td></td><td></td><td></td><td colspan="3" rowspan="2"></td><td></td><td></td><td></td></tr>
<tr><td>2024</td><td></td><td></td><td></td><td></td><td></td><td></td></tr>
</table>

*공통 공

[19′ 초면] 성장중심평가를 가정과 연계할 수 있는 방안을 말하시오.

[17′ 초토] 성장중심평가 방안과 평가 영역에 있어서 교사의 전문성 신장 방안을 말하시오.

1 경기도교육청 평가 방향: 성장이 있는 교실, 학습으로의 평가

(1) 학생의 역량과 주도성을 기르는 학생평가 강화

① 논술형 평가 강화: 탐구 학습, 토의·토론 등 수업과 연계한 논술형 평가 내실화로 학생의 고차적 사고력와 문제해결력 강화

② 학생의 주도성을 신장하는 과정중심평가 확대

- 프로젝트, 포트폴리오, 조사, 전시 등 학생의 주도적인 학습과 연계한 평가 확대
- 학습을 성찰하고 개선하는 자기성찰평가, 동료상호평가 운영

(2) 에듀테크 활용 학생 맞춤형 평가 운영

(3) 학생 맞춤형 피드백을 통한 학습 지원

사이다 톡 talk! 평가에 관한 질문이 나온다면, 논술형 평가, 과정중심평가, 에듀테크 활용 평가, 맞춤형 피드백에 대한 이야기가 포함돼야 합니다. 꼭 이 키워드들을 기억해 주세요!

2 논술형 평가

(1) 정의

학생들이 학습한 내용을 바탕으로 주어진 문제에 대해 자신의 생각을 논리적으로 구성하는 평가

(2) 필요성

학생들은 주어진 답을 선택하는 것이 아닌, 답을 스스로 구성하는 과정에서 학습한 지식을 분석하거나 활용하는 수준, 종합하고 적용하는 수준, 새로운 것을 만들어내는 수준 등 보다 고차원적인 사고를 경험할 수 있음

(3) 고차원적 사고의 중요성

① 학생들이 학습한 상황이나 맥락이 아닌 새로운 상황에 학습한 내용을 적용해 유의미한 학습이 이루어지도록 함. 즉, 지식의 전이가 가능함

② 학생들이 결과에 대해 반성하고 올바른 결정을 내릴 수 있음

③ 학생들이 살아가며 마주할 대부분의 문제는 다양한 해결 방법이 있는 열린 문제임. 고차원적 사고 경험은 학생들이 열린 문제를 다양하게 해결할 수 있는 역량을 길러줌

3 성장중심평가(과정중심평가)

(1) 정의

학습 과정과 결과에 대한 피드백을 통해 학생의 성장과 발달을 돕는 평가로 학생의 배움과 교사의 가르침을 지속적으로 성찰하고 개선해 모두의 성장을 지원하는 평가

(2) 특징

① 학습 과정과 결과에 대한 피드백을 제공하는 평가

② 학생의 발달을 돕는 평가

- 모든 학생이 성취기준에 도달할 수 있도록 학생의 현재 상황보다 발전할 수 있는 가능성과 잠재력 중시
- 비교나 서열화가 아닌 개인차를 인정하고, 학생들이 문제를 해결할 때까지 교사가 적절한 도움을 주며 재도전의 기회를 제공하는 평가

③ 실생활과 연계된 평가

- 학생의 삶과 연계한 교육과정, 수업, 평가의 운영으로 학생 개개인의 삶의 역량을 키우는 평가
- 실생활에서의 문제해결 능력, 정보분석 능력, 창의력, 인성 등을 중시해 평가

④ 협력을 지향하는 평가

- 친구들과 협력적으로 문제를 해결하는 경험을 축적해 나가는 협력 중심의 평가
- 발달의 속도가 다른 학생들은 친구들의 도움을 받아 학습 활동에 참여

4 에듀테크 활용 평가

(1) 에듀테크를 활용한 평가의 장점

① 온라인 도구를 통한 과정중심평가는 수행 과정과 결과가 디지털 자료로 남기에 개개인의 성장 이력을 쉽게 관리할 수 있음

② 누적된 데이터로 개별 맞춤 피드백을 제공해 지속적 성장을 지원할 수 있음

사이다 톡 talk! 2024년 비교과 면접 문제로 “자신의 전공과 관련해서 학생 데이터 수집·분석의 필요성을 말하고 그 데이터를 활용할 방안을 제시하시오.”가 출제됐어요. 학생 평가에서 데이터를 수집하고 이를 분석한다면 학생에게 맞춤 피드백을 제공하기 좋겠죠. 데이터란 용어가 최근에 종종 쓰이고 있으니, 잘 기억해 둬야 해요.

(2) 유의 사항

① **인터넷 접속 환경 점검 및 스마트 기기 활용 교육:** 관련 환경을 갖추어 학생들이 불편함 없이 수업과 평가에 참여할 수 있도록 해야 함 ➡ 사전 교육 필수

② **개인정보 활용 동의 및 보안대책 마련:** 학생들이 제출한 자료에 개인정보가 포함될 수 있으므로 학기 초에 개인정보 동의서를 받아 보관해야 하며 학생들이 제출한 자료에 대한 보안 대책을 마련해야 함

5 과정 중심 피드백

(1) 정의

교수·학습 과정 중에 학생에게 학습 목표, 현재 상태, 개선 방향에 대해 지속해서 생각하게 함으로써 현 상태와 목표 사이의 간격을 줄여 성공적 학습에 이르도록 돕는 전략

(2) 성공적인 피드백 조건

① 준비 단계
- 서로 신뢰할 수 있는 관계 형성
- 학습 과정과 피드백의 가치에 대한 공감대 형성
- 서로 질문하고 피드백하는 과정이 학생의 약점을 드러내는 것이 아니라 성장을 위한 과정임을 인식하는 분위기 조성

② 시기의 적절성
- 피드백의 양과 횟수는 학생이 이해하고 활용할 수 있는 정도로 제공
- 학생들이 피드백을 받아들일 상황이 될 때까지 기다린 후 진행

(3) 피드백 내용

① 성취기준을 바탕으로 학업 성장을 알 수 있는 학습의 증거에 초점

② 평가적(판단, 선언, 단정) 피드백 대신 조언적(설명, 기술) 피드백 제공

③ 학생의 학습 수준에 비추어서 노력하면 성취할 수 있는 것부터 피드백 제공

④ 핵심 오류나 오개념에 대해 구체적인 피드백 제공

(4) 피드백 형식

① 학생을 존중하고 지원하는 어조 사용

② 2인칭 대신 1인칭 또는 3인칭으로 시작

2인칭 ○○이는 용어의 개념을 올바르게 제시하지 못했구나. (X)
1인칭 선생님은 ○○의 포트폴리오에서 정확한 개념을 확인할 수 없었어. (○)
3인칭 이 포트폴리오에는 용어의 개념이 명확하지 않구나. (○)

③ 두세 가지의 잘된 점과 한 가지의 개선점 제안
④ 구체적이고 명확한 내용의 피드백 제공

(5) 유의 사항

① 개인에 따라 차별화된 피드백 제시
② 학생들이 이해할 수 있는 쉬운 표현으로 설명
③ 자기 관리, 자아 효능감에 긍정적 영향이 되도록 피드백 제공
④ 일회성으로 그치는 것이 아닌 피드백 활용 기회 제공

사이다 톡 talk! 교과 지도 방안 중 하나는 피드백에 대한 내용을 말하면 좋아요. 교사의 역할이 잘 드러나게끔 학생들의 활동 과정과 결과물을 관찰·분석한 후 학생 성장이 가능한 방향의 피드백을 더하겠다는 내용을 포함한다면, 경기형 교사의 모습이 잘 돋보일 거예요.

27 수업 전문성 강화 공 – 수업·나눔 연계

★★★

현장 이야기로 사이다열기

어쩌면 그동안 우리가 그려왔던 매력 있는 교사의 모습은 '스타 강사의 화려함'과 닮아있을 수 있어요.
학생들의 시선을 장악하고, 화려한 언변으로 40여 분의 수업을 꽉 채우는 카리스마 있는 모습!
하지만, 그것은 경기도교육청이 원하는 교사상이 아니랍니다.
학생이 주도적으로 수업에 참여하고 생각을 끌어내도록 촉진하고,
그 과정을 잘 관찰해 적절한 피드백을 통해 성장을 돕는 교사!
그것이 경기 교사의 모습이죠. 학생주도학습이라고 해서 모든 것을 학생에게 넘겨주는 것은 아니에요.
학생중심교육을 설계하는 것은 교사라는 것을 잊으시면 안 돼요!
따라서 교사의 수업 재구성 능력, 코칭 역량, 피드백 능력이 상당히 중요하답니다.
수업을 통해 학생에게 유의미한 활동과 깨달음을 주는 교사는 생활지도에서도 신뢰를 얻는답니다.
그렇기 때문에 우리에게 수업 전문성은 무척이나 중요한데요.
교사로서의 철학, 수업에서 길러주고 싶은 핵심 역량, 학생 중심으로 내 교과를 가르칠 방법에 대한 고민은,
면접을 대비하기 위해서뿐만 아니라 현장에 나가서도 정말 중요하답니다.
수업 관련 면접 문제를 재구성한 이번 주제를 워크북 형식으로 같이 채워 나가며, 자존감이 굳건한 교사로 거듭나봅시다.

#수업_무기

All 기출 문장 및 빈도 체크

<table>
<tr><th rowspan="2">연도</th><th colspan="3">자기성장소개서 성</th><th colspan="3">집단토의 토</th><th colspan="3">개별면접 면</th></tr>
<tr><th>초</th><th>중</th><th>비</th><th>초</th><th>중</th><th>비</th><th>초</th><th>중</th><th>비</th></tr>
<tr><td>2016</td><td></td><td></td><td></td><td></td><td></td><td></td><td></td><td></td><td></td></tr>
<tr><td>2017</td><td></td><td></td><td></td><td></td><td></td><td></td><td></td><td></td><td></td></tr>
<tr><td>2018</td><td></td><td></td><td></td><td></td><td></td><td></td><td></td><td></td><td></td></tr>
<tr><td>2019</td><td></td><td></td><td></td><td></td><td></td><td></td><td></td><td>✓</td><td></td></tr>
<tr><td>2020</td><td></td><td></td><td></td><td></td><td></td><td></td><td></td><td></td><td>✓</td></tr>
<tr><td>2021</td><td colspan="6" rowspan="2">미시행</td><td></td><td></td><td>✓</td></tr>
<tr><td>2022</td><td></td><td></td><td></td></tr>
<tr><td>2023</td><td></td><td></td><td></td><td colspan="3" rowspan="2"></td><td></td><td>✓</td><td>✓</td></tr>
<tr><td>2024</td><td></td><td></td><td></td><td></td><td></td><td></td></tr>
</table>

*공통 공

[23' 비면] 전환기 학년 중 하나를 선택하여, 이 학생들을 위한 전환기 프로그램을 제시하시오.

[23' 중면] 학생들이 가장 선호하는 선생님은 '우리 요구와 목소리를 들어주는 선생님'이라는 점을 참고해 교과교사와 담임교사로서의 교육 방안을 말하시오.

[21' 비면] 미래 교사의 역할인 '학습 촉진자, 프로젝트 관리자, 상담자' 가운데 하나를 선택하여 자신의 전공과 연계하여 학생들에게 어떤 교육 활동을 실시할 것인지 말하시오.

[20′ 비연] 학생중심교육을 실현하기 위해 교과 특별실을 어떻게 운영할 것인지 말하시오.
[20′ 비연] 자신의 교과와 관련하여 축제 때 어떤 행사를 기획할 것인지 말하시오.
[20′ 비연] 교과와 관련하여 신입생 안내 책자에 수록할 내용 3가지를 말하시오.
[19′ 중연] 전환기 교육을 운영하는 방안을 말하시오.
[19′ 중연] 안전교육 7대 요소 중에 하나를 택하여 교과 연계 방안을 제시하시오. (생활안전교육, 교통안전교육, 폭력예방 및 신변보호 교육, 약물 및 사이버 중독 예방 교육, 재난안전교육, 직업안전교육, 응급처치교육)

1 수업 오리엔테이션 구상 기출

① 자기소개: 교사가 된 이유, 교육철학 등이 담긴 자기소개

② 수업 안내 사항: 평가 계획, 수업 약속, 교과를 통해 기를 수 있는 역량(동기 부여) 등

함께 채워 봅시다

수업 오리엔테이션을 구상해 보세요.

형식:

포함하고 싶은 말:

사이다 톡 talk! 첫 오리엔테이션은 학생에게 '이 수업을 들을지 말지', '저 선생님을 좋아할지 말지'를 결정하는 마치 티저 영상과도 같다고 생각해요. 주로 자기소개, 수업 안내 사항, 교과 특색을 보여줄 수 있는 짧은 활동 등을 한답니다. 저는 자기소개에 '교사의 철학'을 담을 것을 추천해요. 학생들에게 신뢰를 얻는 데 효과적이더라고요! 예시 사례를 말씀드릴게요.

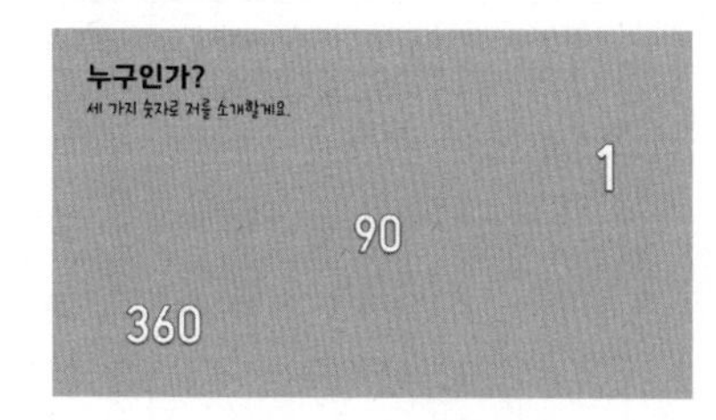

▲오리엔테이션 사례

"선생님을 360, 90, 1로 소개해 볼게요. 이 숫자를 보면 무엇이 생각나요?(의견 들어보기) 이 3가지는 선생님이 교사가 된 이유를 말해주는 숫자입니다. 선생님은 전교 360명 중 360등이었어요. 상당히 무기력한 삶을 살았죠. 그런데 중 3때 담임 선생님이 많이 도와주셔서 그 믿음에 보답하고 싶어 공부를 시작했어요. 그 결과 평균 90점을 만들었고 할 수 있다는 자신감을 얻었죠. 하지만 개인 사정은 나아지지 않았고, 고등학교에 올라오게 되면서 선생님을 잡아줄 담임 선생님도 이제 안 계시니 슬럼프가 왔죠. 그때, 선생님의 인생을 바꿔준 역사 선생님을 만나게 됩니다. 그분의 영향으로 역사 교사를 꿈꾸었고 역사를 전공하게 됐어요. 교사란 목표가 생긴 뒤론 항상 열심히 하게 됐고, 결국 대학교를 단과대학 1등으로 수석 졸업해 총장상을 받고 졸업한 뒤 여러분 앞에 이렇게 역사 교사로 인사를 합니다. 선생님의 인생은 이렇듯 의기소침하기도 무기력하기도 했고 열정적이기도 했어요. 그리고 이 모든 순간에 항상 선생님들이 계셨죠. 그랬기에 여러분이 어떤 모습을 가지고 있든 그 자체로 인정하고, 또 선생님의 선생님들이 그랬던 것처럼 1년간 여러분의 장점과 색깔을 찾는 데 적극적으로 조력하는 선생님이 돼줄 것을 약속합니다."
교사로서 선생님의 색깔과 철학이 있는 수업을 소개할 수 있는 첫 시간에 대한 고민을 꼭 해주세요!

② 나만의 수업 무기 구상

대체할 수 없는 나만의 수업 무기를 고민해 보세요. 수업 무기는 다음과 같은 내용을 고민한 후 버무리면 좋답니다.

교사로서 나의 강점:

전공 영역에서 나의 자부심:

나의 교과관, 학생관:

➡ "   " 영역에서 만큼은 자신 있는 수업을 만들 것이다!

사이다 톡 talk! 경기도교육청에서 지향하는 수업 방향이 뚜렷해졌어요. 앞서 살펴본 '사유하는 학생, 깊이 있는 학습'이 그것이죠. 교사는 여기에서 질문을 통해 학생들의 사고를 자극할 수 있어야 하고, 학생들이 좋은 질문을 할 수 있게끔 도움을 주기도 해야 해요. 학생 중심의 탐구 학습이나 토론 학습을 장려해야 하기도 하고요. 따라서 교사로서의 강점에는 이런 것들을 내포할 수 있는 '진짜 강점'이 되는 것을 적어야 해요. 자신이 스스로 생각했던 강점이 이러한 방향이 아니라면, 수업관을 조정할 필요가 있습니다. 전공 영역에서의 강점도 마찬가지예요. 나의 전공에서 학생에게 길러줄 수 있는 삶의 역량을 중심으로 그 역량 강화를 잘할 수 있다는 포부를 드러낸다면, 경기형 교사로서 매력을 아주 잘 보여줄 수 있을 거예요. 마지막으로! 학생관은 '주도적으로 성장할 수 있는 사람' 등 학생의 주도성, 잠재성을 믿어주는 관점이 내포돼야겠죠.

3 학생에게 길러주고 싶은 역량과 그 방법 구상

선생님의 수업을 통해 학생들에게 길러주고 싶은 역량은 무엇이고, 그것을 위해 어떠한 활동을 할 것인지 고민해 보세요.

▢ 자기관리 역량	▢ 지식정보처리 역량	▢ 창의적 사고 역량
▢ 심미적 감성 역량	▢ 협력적 소통 역량	▢ 공동체 역량
▢ 문제해결 역량	▢ 기타(　　　　)	

수업을 통해 길러주고 싶은 역량 선택:

그 이유:

필요한 활동과 교사의 역할:

사이다 톡 talk! 삶에서 필요한 역량을 중심으로 골라주세요. 이유도 삶과 앎의 연계라는 관점으로 접근해야 합니다. 교사의 역할은 교육과정 재구성자, 조력자, 촉진자의 모습이 돼야 합니다!

4 교과 특색 활동

(1) 교과 축제 기획 기출

축제 테마:

이유:

교사의 역할:

사이다 톡 talk! 자신의 전공과 관련된 학교 축제를 개설한다고 할 때, 어떤 프로그램을 기획하고 싶은지 고민해 보세요. 그 방안은 무엇이든 상관없지만, 학생의 체험 중심이 돼야 해요. 또한 축제를 지역사회와 함께할 수 있는 방안에 대해 고민해 본다면, 경기도교육청에 적합한 교사의 모습을 어필할 수 있습니다! 교육감이 바뀐 후로 '마을'이란 용어는 잘 사용하지 않는 추세이므로, '마을'보다는 '지역사회'라는 표현을 쓰시길 추천합니다.

(2) 교과 특별실 운영 계획 기출

공간을 통해 길러주고 싶은 역량:

교사의 역할:

사이다 톡 talk! 경기도교육청의 추진 방향을 고려해 공간 기획에서 중요한 점은 '구성원 의견 수렴'입니다. 그리고 다양한 활동이 가능하도록 '다양한 공간 활용', '가변적 공간'을 넣는 것도 중요하고요. '어떤 철학'을 가지고 '어떤 역량'을 기르기 위해 '이런 방향성'을 고민했다는 자기 생각을 분명히 전달하되, 독단적으로 구성하는 것이 아닌 교육공동체의 의견 수렴 과정을 거치겠다는 것을 꼭 전달하셔야 해요.

(3) 전환기 교육 방안 (기출)

학년 선택: ☐ 초1~2 ☐ 초6 ☐ 중3 ☐ 고3

학년 선택 이유:

전환기 교육 방안:

이유:

길러주고 싶은 역량:

사이다 톡 talk! 학기, 학년이 전환될 때 학생들이 방치되는 시간이 많죠. 대부분 영화를 관람하며 시간을 보내고요. 이 시간을 더 효과적으로 활용할 수 있는 방안을 고민하되 프로그램을 기획한 이유와 이를 통해 얻을 수 있는 학생들의 역량은 무엇인지 함께 언급해 설득력을 부여해 봐요.

5 범교과 7대 요소(+ 청렴) 연계 방안 (기출)

교과서를 펼쳐 한 단원을 선정한 후 대략적인 교육 방안을 고민해 보세요.

☐ 생활안전교육	☐ 교통안전교육	☐ 응급처치교육
☐ 재난안전교육	☐ 약물·사이버중독 예방 교육	☐ 청렴교육
☐ 직업안전교육	☐ 폭력 및 신변보호 교육	

8대 요소 중 하나 선택:

관련 단원:

교육 방안:

사이다 톡 talk! 현장에서는 교과 연계 7대 안전교육(+ 청렴교육)을 재구성해 운영 계획을 짜야 한답니다.

28 창의·융합교육 공

현장 이야기로 사이다열기

"AI 시대 주인공은 바로 나! 맞춤형 창의·융합교육으로 미래인재 육성"이라는 구호를 내걸며
경기교육은 '미래형 과학교육'을 기반으로 한 학생 맞춤형 창의·융합교육 정책을 추진하고 있어요.
융합교육이나 발명교육뿐 아니라 탄소중립교육, 영재교육, 수학교육도
창의·융합교육의 일환으로 보고 있다는 것을 알아두시고요!
과학, 수학 교과 선생님들! 특히 주목해서 살펴봐주세요.

#지도_방안

1 정의

창의적으로 사고하는 동시에 여러 상황에서 학습한 것을 종합하고 연결해 적용할 수 있는 성향과 능력을 갖춘 사람을 양성하는 교육

2 창의·융합형 인재와 필요한 역량

① 창의·융합형 인재: 인문학적 상상력, 과학기술 창조력을 갖추고 바른 인성을 겸비해 새로운 지식을 창조하고 다양한 지식을 융합해 새로운 가치를 창출할 수 있는 사람
② 필요한 역량: 자기관리 역량, 지식정보처리 역량, 창의·융합사고 역량, 심미적 감성 역량, 의사소통 역량, 공동체 역량

3 추진 배경 및 필요성

① 누구나 쉽게 답을 찾는 인공지능 시대에 질문과 창의력의 중요성 대두
② 과학적 호기심과 협력을 바탕으로 공적 가치를 실현할 수 있는 창의·융합형 인재 양성 필요
③ 정형화된 교육에서 벗어나 학생들의 잠재력을 발현할 수 있는 다양한 분야의 맞춤형 교육 요구

4 2024 경기도교육청 추진 방향

사이다 톡 talk! 경기도교육청에서 추진하고 있는 창의·융합교육 방안을 살펴봐요. 과학, 예술 관련 교과 선생님들은 더욱 집중해 주세요! 이런 방향에 맞는 교육 방안을 구안해야 합니다.

(1) 과학교육 활성화

① 과학 소양을 키우는 탐구 중심 과학교육 내실화
② 학생의 자기주도적 융합교육 참여 확대
③ 상상과 협력으로 꿈과 미래를 키우는 발명·메이커교육 운영
④ 학생의 재능과 꿈을 키워주는 영재교육 운영

(2) 외국어교육 활성화

① 의사소통 중심 외국어 교육과정 내실화
② 학생 맞춤형 영어교육 격차 해소 프로그램 운영
- 학생 맞춤 영어기초학력 튜터제, 영어캠프, 영어독서교육 등 운영
- 소외 지역 소규모학교 원어민 보조교사 배치 및 운영 지원
- AI 기반 학생주도형 말하기 학습시스템(AI 펭톡) 활용 확대

③ 미래형 AI 기반 에듀테크 활용 영어 수업 지원

사이다 톡 talk! 영어 수업에 AI 기반 에듀테크를 활용할 방안을 꼭 생각해 주세요.

(3) 예술·독서·인문교육 내실화

① 교육과정 중심의 학교예술교육 강화
② 학생의 예술활동 기회 확대
- 학교 유휴 공간을 활용한 학교갤러리, 예술공감터 운영 지원
- 1인 1특색 예술활동 활성화를 위한 예술중점학교(예술활동형) 운영
- 지역 중심 특색 있는 학교예술교육 활성화를 위한 지역거점 예술활동 운영

③ 지역과 연계한 학교예술교육 생태계 확장: 지역과 함께 하는 예술어울림한마당 운영
④ 학교 안과 밖을 연결하는 융합예술교육 경기학교예술창작소 운영
⑤ 학교 독서문화 조성 및 독서협력수업 활성화
- 교과(담임)교사와 사서교사 간 독서협력수업 운영 지원
- 지역 특색을 반영한 독서교육 활성화 협력 지원 및 실천사례 발굴·나눔

(4) 교육과정 연계 인문학교육 내실화

① 학교 특색을 반영한 인문학 프로그램 운영 지원(학교자율과제 운영)

② 학생 주도 글쓰기교육 강화: 학생책쓰기[나도작가] 프로젝트 운영 지원(학교자율과제)

③ 학생 주도 책 출판 기념회 및 책 전시회 운영

④ 교과 연계 책 쓰기

⑤ 학교도서관 공간 재구조화 추진

사이다 톡 talk! 자신의 전공과 관련해 학생이 책을 쓴다면 어떤 주제가 좋을까요? 생각해 보세요.

(5) 창의체험교육 내실화

① 지역별 특색 있는 체험처 발굴, 지역 연계 체험학습 지원

② 공유학교와 연계한 학생 중심 창의융합체험 강화

③ 현장체험학습 활성화 지원·기회 확대

5 기대효과

정보통신기술과 기존 산업 사회 간 융합이 이뤄지는 미래 사회 변화에 능동적 대처 가능

2025학년도에 나는교 사이다 – 나만의 [창의·융합교육] 방안 만들기

연계하고 싶은 교과와 그 이유:

융합 수업 주제:

융합 수업 방안:

---

29 초등 놀이 활성화 초

현장 이야기로 사이다열기

처음 현장에 놀이가 도입된다고 했을 때, 학습 효과에 대해 의문이 들기도 했어요.
하지만 곰곰이 생각해 보니, 아이들의 발달 과정과 학습 방식을 고려할 때, 놀이는 학습에 중요한 역할을 하겠더라고요.
놀이를 통해 아이들은 주변 세계를 탐구하고 다양한 개념을 자연스럽게 익힐 수 있습니다.
놀이 자체가 아이들에게 즐거운 활동이기 때문에 학습이 강요된 것처럼 느껴지지 않겠죠.
또한 놀이 속에서 다양한 상황에 따른 문제를 해결하고, 놀이 규칙을 만들고 수정하면서
창의적 사고와 문제해결 능력이 자연스럽게 발달할 수도 있습니다.
또래와 함께 놀이하는 과정에서 협력, 타협, 의사소통 같은 사회적 기술이 발달하기도 하고요!
놀이 중심의 교육과정은 단순한 휴식이나 즐거움 이상의 가치가 있고
아이들이 균형 잡힌 발달을 이루는 데 매우 중요한 교육 방안이 확실하더라고요.
이런 취지에서 시작된 경기도교육청 초등 놀이 활성화의 방향성을 이해하고,
놀이 학습을 위해 어떤 교육을 할 것인지 구체적인 교육 방안을 고민해 주세요.

#지도_방안

1 놀 권리

어린이가 놀이와 휴식, 여가를 자유롭게 즐기며 학습하고, 행복한 삶을 누릴 수 있는 권리(경기도조례 제6852호, 제2조)

2 목적

① 어린이들에게 주어진 새로운 과제를 놀이라는 즐거운 문제해결 과정을 경험하며 자연스럽게 상상력, 창의성, 사회성, 집중력, 의사소통 능력 등이 신장될 수 있음
② 학생들의 학습 부담을 줄이고, 놀이 자체를 즐기며 행복한 삶을 누릴 수 있는 환경을 조성할 수 있음

3 교육 방안

(1) 학교교육과정 계획 수립 시 놀이 활동 활성화 내용 포함

① 놀 시간, 놀 공간, 놀이시설 확보
② **자체 프로그램 운영:** 교육과정 재구성, 인성교육 연계, 지역사회 자원 연계 등

사이다 톡 talk! '경기함께놀자', '경기교육모아' 사이트에 가면 학년군별 교육과정을 연계한 다양한 놀이콘텐츠를 엿볼 수 있습니다. 놀이 영상을 올리기도 했으니, 직접 방문하셔서 좋은 아이디어를 얻어 가시길 바랍니다.

(2) 학교 자율성을 바탕으로 놀이 관련 교육과정 재구성 및 인성교육 기반 수업 설계

① 학년별 발달 단계에 맞는 놀이 수업 및 인성교육 적용 방법 개발
② 운동회, 체육대회, 학예회 등 교내 행사 시 놀이 프로그램 운영
③ 인성교육 및 마을 연계 창의·융합형 놀이 프로그램 개발·운영

(3) 탄력적 교육과정 운영으로 학생의 쉼이 있는 놀이 시간 운영

① 학습과 쉼의 조화, 자유놀이 시간 운영을 위한 블록타임 편성
② 1~2교시와 3~4교시 블록타임 편성으로 중간놀이 시간(20~30분) 운영 권장
③ 충분한 점심시간(50분 이상) 확보로 자유놀이 시간 보장

(4) 학생주도의 놀이 활동 활성화

① 성장이음과정 및 학교자율과정과 연계한 학생주도의 놀이 활동 운영

성장이음과정

- 초등학교 1~2학년 통합교과를 중심으로 교과 및 창의적 체험활동을 활용해 기초학력과 기본생활 습관을 형성할 수 있도록 유–초, 학년 간 연계를 고려한 교육과정 설계 모형
- 통합교과를 중심으로 학교에 적합한 주제를 새롭게 설정할 수 있으며, 교과와 창의적 체험활동 간 시수 20% 증감을 적극 활용해 학교 맞춤형 편제를 새롭게 설정할 수 있음

학교자율과정

학생이 주체적으로 삶의 역량을 기를 수 있도록 학생의 학습 선택권을 확대하고 학습 경험의 질과 폭을 심화하기 위해 교육공동체가 함께 개발해 운영하는 교육과정

② 중간놀이 시간, 점심시간 등을 활용한 자유놀이 활동
③ 교내 학교 행사와 연계해 학생주도의 놀이 활동 시간 편성

(5) 학교 놀이 공간 조성

① 학교 실정을 고려해 다양한 놀이 공간 확보
- 운동장을 놀이 중심의 공간으로 재구성
- 교내 유휴 공간을 놀이 공간으로 활용
- 다양한 틈새 놀이 공간 확보(교실, 복도, 건물 바깥 등)

사이다 톡 talk! 운동장, 유휴 공간을 어떻게 놀이 공간으로 조성할 수 있을지 고민해 보세요. 가장 먼저 안전에 우선순위를 둬야 합니다. 바닥에 매트 등을 깔아 재질을 안전하게 재구성하고, 모서리에는 보호 장치를 부착하는 등 초등학교 학생들이 안전하게 놀이 학습을 할 수 있도록 해야 합니다. 또한 운동장과 교실 모두 다양한 놀이 활동을 지원하기 위해 구역을 나누는 것도 좋겠죠. 한 가지 활동이 아닌 다양한 활동을 통해 창의력과 상상력을 자극할 수 있으니까요. 자연을 접할 수 있는 요소를 추가하면 더 풍부한 놀이 경험을 제공할 수 있고, 최근 교육 이슈인 생태환경 문제도 같이 해결할 수 있을 것입니다. 예를 들면, 학생들이 미니 정원이나 텃밭을 운영해 자연을 관찰하고 경험하는 기회를 줄 수 있어요. 또한, 공간을 설계할 때 학생들의 의견을 반영하면 더 효과적인 놀이 공간을 만들 수 있습니다. 무엇을 하고 싶은지, 어떤 놀이가 재미있고 흥미로운지를 조사한 후 공간에 반영하면 아이들이 더욱 만족하는 공간이 될 수 있습니다. 마지막으로 테마별 놀이 공간도 기획할 수 있을 것입니다. 예를 들어, 우주를 테마로 교실을 꾸며 별과 행성 모형을 두거나, 해양을 테마로 물과 관련된 놀이 도구를 활용하는 식으로요. 이러한 요소들을 고려하면, 초등학생들이 안전하면서도 다양한 놀이 경험을 즐길 수 있는 공간을 만들 수 있을 것입니다. 이 외에도 좋은 아이디어를 많이 생각해 보세요.

② 학교의 어디에나 놀이 소재 두기

- 교내 유휴 공간에 학생들의 자율적 놀이 활동을 위한 놀이 소재 마련해 두기
- 고정식 이동식 놀이시설 및 놀이도구 구비 예 전래놀이도구, 보드게임, 놀이 매트 등

③ 초등 1~2학년 학생 맞춤형 놀이중심 교육활동을 위한 교실환경 조성

- 놀이를 통한 한글교육, 수 개념 형성을 위한 교재 및 놀이도구 비치
  예 한글 교육 및 수 개념 수업을 위한 보드게임
- 교실 내 유휴 공간 놀이 환경 조성
  예 놀이를 통한 또래 관계 형성을 위한 게임 도구 비치

④ 학교 실내외 놀이시설에 대한 안전 강화: 놀이 교육과정 운영을 위한 수업 전 놀이시설 안전 점검 및 관리 철저

30 통일교육·탈북학생 교육 공

현장 이야기로 사이다열기

2024년에 경기도교육청에서 밝힌 통일교육과 탈북학생 교육 방안은 소략한 편에 속해요.
따라서 기본 계획에서 밝힌 내용 정도로만 기억해 둘게요.
초등 선생님들, 중등 도덕·역사·사회과 선생님들! 특히 주목해 주세요.

#지도_방안

1 통일교육

(1) 정의

자유민주주의에 대한 신념과 민족 공동체 의식 및 건전한 안보관을 바탕으로 통일을 이룩하는 데 필요한 가치관과 태도를 기르도록 하기 위한 교육(통일교육 지원법 제2조)

(2) 교육 방안

① **소통과 토론 중심의 학생 활동을 통한 융합 통일교육 프로그램 운영:** 통일·안보 주제 융합 소통·토론 수업
- **중학교 도덕:** 균형 있는 북한에 대한 이해 ➡ **중학교 역사:** 통일 방안 탐구
- **고등학교 국어:** 전인적 성장을 위한 보편적 가치(배려·포용·존중 등)에 기반한 통일 미래 토론대회 실시 등

② **지역별 특색 있는 통일교육 활성화 기반 조성:** 지역의 특성에 맞춰 초·중·고교의 통일 현장 체험활동

사이다 talk! 경기도교육청에서 제시한 교육 방안을 보면, 학생 주도라는 것을 알 수 있어요. 교사의 강의식 설명이나 영상 시청 중심이 아닌, 학생이 몸소 체득할 수 있는 방안을 고민해 주세요.

2 탈북학생 지도

(1) 정의

북한 또는 중국 등에서 태어나 한국에 입국한 후 학교에 재학 중인 북한이탈주민의 자녀

(2) 특성

모든 탈북학생들에게 적용되는 일관적인 특징은 없지만, 학교생활에 어려움을 겪는 이유는 다음과 같음

① **학교 교육 차이:** 용어 차이, 북한에서는 교과별로 학습해야 할 범위와 내용이 분명하게 설정돼 있고 교사가 매일 학생들의 학습 결과를 엄격하게 확인하고 통제하는 데 비해 한국은 자기주도를 중시하므로 탈북학생들의 혼란이 발생함

② **탈북학생임을 드러내기 어려운 조건:** 따돌림, 지나친 관심 등을 걱정해 탈북 신분 미공개 ➡ 수업 내용을 이해하지 못해도 이를 드러내고 질문하지 못하는 상황이 발생함

③ **부모의 지원을 기대하기 어려운 조건:** 한국 사회 정착에 어려움을 겪는 부모로부터 일상적 돌봄을 기대하기 어려우며, 북한에서는 학교 교사에게 자녀를 전적으로 맡기는 것이 일반적이므로 부모의 학교 참여를 기대하기 어려울 수 있음

사이다 톡 talk! 탈북학생 한 명 한 명을 위한 맞춤형 교육 지원이 필요해요.

(3) 탈북학생 지도 시 교사의 역할

① **학생의 필요 중심으로 교사의 역할 설정:** 수업에서의 활동보다 일상생활에서 특별히 가깝게 지냈던 교사와의 경험이 중요함 ➡ 적극적으로 관심을 가지고 친근하게 대해야 하며, 삶에 대한 이해를 토대로 교육 활동을 진행해야 함

② **탈북학생과 학부모에 대한 일반적인 이해:** 북한 사회의 최근 변화와 북한이탈주민의 삶의 여정 등에 대한 다양한 자료를 접하며 탈북학생과 학부모에 대한 일반적 이해를 높여야 함

③ **생활지도:** 첫 학기 2번 이상의 면담으로 학교생활 적응에 관해 물어봄. 북한에서의 생활총화(규칙에 위배된 행동을 한 동료들을 상호 비판하고 자아비판을 하도록 시킴) 경험으로 비판을 많이 하는 학생들에겐 그 이야기를 들은 후 대안을 스스로 제시하게 하는 방향으로 지도해야 함

④ **출신 배경 공개:** 북한 출신임을 교사가 먼저 밝히지 않고 스스로 결정할 수 있도록 해야 함. 다만, 자신의 신분이 드러나지 않을까 하는 불안감 속에서 생활하는 것이 심리적 고통이 될 수 있으므로 자신에 대해 긍정적인 자존감을 가질 수 있도록 격려하는 것이 필요함. 북한 출신을 밝히기로 했다면, 우호적인 학급 분위기를 형성해 적응력을 높일 수 있게 해야 함

(4) 탈북학생 교육 방안: 단계별 교육

① **입학 초기:** 기초학습 지도, 심리적응 치료, 초기적응 교육

② **전환기 교육:** 학업 보충, 사회적응 교육

③ **정착기:** 한국학생과 탈북학생의 통합 교육, 탈북학생 핵심역량 중심 진로교육

31 독도교육 공

현장 이야기로 사이다열기

독도는 한국의 주권과 자부심을 상징하는 중요한 요소입니다.
독도교육을 통해 학생들은 독도가 왜 한국의 중요한 영토인지, 이를 지켜야 하는 이유가 무엇인지,
깊고 정확하게 인식할 수 있습니다.
이는 자연스럽게 국가 정체성과 자부심을 고취시키며, 국민으로서의 책임감을 느낄 수 있게 합니다.
또한 세계화 시대, 디지털 정보화 시대에 왜곡된 정보가 국제사회에 잘못 퍼지지 않도록,
독도에 대한 올바른 정보를 학생들에게 교육함으로써 역사 왜곡을 바로잡는 데 기여할 수 있습니다.
독도교육 방안을 함께 모색해 봅시다.

#지도_방안

1 경기도교육청의 2024년 독도교육 방향

① **교과와 창의적 체험활동 등 교육과정과 통합해 10시간 이상 운영 권장:** 독도동아리 지원 강화 및 독도지킴이학교 운영

② **독도교육주간 운영:** 지역 및 학교 상황을 고려해 연중 한 주를 독도교육주간으로 자율 선정해 운영

③ **독도학습콘텐츠 보급:** 학생이 자기주도적으로 활용할 수 있는 교수·학습 콘텐츠 안내·보급

예 VR 콘텐츠(드론택시 타고 독도여행) 활용, AR 콘텐츠(말랑말랑 독도야 뭐하니?) 등 체험, 경기평생교육학습관 협업

2 독도교육 사례

① 학교자율과정 운영

예시

독도를 지키는 목소리(국어+한국사+통합사회 교과 융합 수업)

한국사와 연계해 독도가 한국의 영토임을 역사적 문헌과 자료를 통해 탐구하고, 일본의 주장에 대해 반박할 수 있는 역사적 근거를 태블릿을 통해 정확한 출처를 근거로 찾아보도록 함

➡ 국어 교과와 연계해 독도 뉴스 방송 대본을 작성한 후 발표하게 하거나, 논설문 및 시를 작성해 발표하도록 함

➡ 통합사회와 연계해 독도 문제를 다룬 뉴스, 다큐멘터리 등을 통해 국제사회에서 독도가 어떻게 다루어지는지를 탐구하고 왜곡된 정보와 사실을 구분해 봄. 이후 모의 국제회의를 통해 외교적 해법을 모색하도록 함

② **독도의 날 주간 이벤트:** 독도의 날과 관련 있는 제시어로 'N행시 짓기 이벤트' 개최
③ **교과 연계 독도교육 수업:** 사회과 교과 재구성을 통해 사료 및 최근 이슈 탐구, 일본 친구에게 편지쓰기, 독도 문제 홍보 영상 만들기 등 수행평가 진행
④ **자유학기제 연계 독도교육 활동:** 독도 ○×퀴즈, 독도 모형 만들기, 독도 강치 열쇠고리 만들기 등 일본의 영유권 침해에 대한 올바른 대응 방법 이해도 제고
⑤ **독도동아리 주관 독도 골든벨 대회 실시:** 독도동아리 학생 주도로 동아리가 제작한 독도 영상 시청 후 전교생 대상 독도 골든벨 실시
⑥ **독도 홍보 활동:** 독도 손글씨 쓰기, 독도 굿즈 제작·전시해 독도 홍보 활동 실시
⑦ **지역사회 자원 활용:** 독도체험관 등 지역사회의 독도 관련 시설을 활용한 체험 중심 독도교육 실시

사이다 톡 talk! 학생의 체험 중심, 학생 주도의 교육 방안이 돼야 합니다.

3 교사의 독도교육 관련 역량 강화 방안

① **체험관 방문:** 최근 신축·개선한 독도체험관과 우수 전시·박물관 견학·체험
② **독도교육 역량 강화:** 독도에 대한 기본 이해, 독도교육 정책 등 연수 이수
③ **체험관 프로그램 개발:** 체험 시나리오, 학생 학습지 등 프로그램 공동 개발·활용
④ **체험콘텐츠 개발·보급:** 인터랙티브 미디어 등 체험콘텐츠 공동 개발 및 보급
⑤ **관계기관 협력:** 동북아역사재단, 한국해양과학기술원, 반크 등 독도교육 자료를 개발·지원하는 공공·연구기관 및 민간단체와 협력해 독도교육 자료 안내

★★★ 빈출주제

- THEME 32. 학급 경영
- THEME 33. 학교폭력 예방 교육
- THEME 34. 초등 저학년 학교생활 적응 방안
- THEME 35. 학생 문화 이해
- THEME 36. 마약·도박·디지털 성범죄 예방 교육
- THEME 37. 자기주도학습
- THEME 38. 다문화교육
- THEME 39. 특수교육·통합 교육

9개년 출제 유형 분석

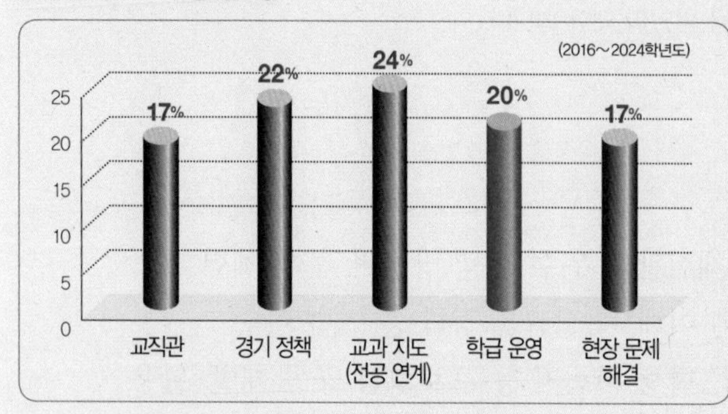

빈출주제 BEST 2

① 학급 경영 방안

② 학교폭력 예방 교육

만점 대비 공부법!

실제 교사가 됐다고 생각하고, 실질적이며 현실적인 방안을 강구해야 합니다. 특히 최근 시험 문제에서 중요하게 묻고 있는 학생 중심 교육 방안을 중점적으로 고민해 주세요. 또한 대안에 교육공동체와 협력하는 방안을 마련해 두셔야 경기도교육청이 지향하는 교사상에 부합한답니다. 교사로서 할 수 있는 실질적 행동을 가장 먼저 언급해야 한다는 걸 잊지 마세요. 그 다음에 관련 제도, 기관 등을 언급해야 한답니다.

★★★
32 학급 경영 공

현장 이야기로 사이다열기

담임교사는 교직관과 학급 특성을 토대로 1년 농사 프로젝트를 시행합니다.
저 같은 경우는 당해 경기도교육청에서 가장 중요하게 여기는 정책을 학급 프로젝트로 삼곤 해요.
인권 친화적인 반 만들기, 자기주도학습 능력을 갖춘 학급 만들기, 디지털 활용 능력 향상하기 등등 그때그때 달라진답니다.
반 아이들은 이 안에서 생활하며 1년간 관련 역량을 강화해 나가요.
학생에게 지대한 영향을 미치는 학급 경영!
나는 내년에 당장 우리 반을 어떻게 꾸릴 것인가?
실질적이고 효과적인 방안을 함께 고민해 봅시다.

#지도_방안

All 기출 문장 및 빈도 체크

연도	자기성장소개서 성			집단토의 토			개별면접 면		
	초	중	비	초	중	비	초	중	비
2016								✓	
2017	✓	✓	✓				✓		
2018								✓	
2019	✓	✓	✓					✓	
2020	✓								
2021	미시행								
2022							✓	✓	
2023								✓	
2024									

*공통 공

[23′ 중면] 학생들이 가장 선호하는 선생님은 '우리 요구와 목소리를 들어주는 선생님'이라는 점을 참고해 교과교사와 담임교사로서의 교육 방안을 말하시오.
[22′ 중면] 학급생활협약 규정에 대한 찬반 논쟁과 작년에 선생님이 정한 규칙과 벌 청소에 대해 부정적인 학생이 있는 상황에서 학급생활협약을 제정할 수 있는 구체적인 방안을 이야기하시오.
[22′ 초면] '새 학년 집중 준비 기간'에 학급 담임으로서 준비 및 계획할 것을 3가지 말하시오.
[20′ 초성] 인간 존엄교육을 추구하기 위해 다양한 학생들이 평화롭게 학교생활을 할 수 있는 학급 운영 방안을 제시하시오.
[19′ 중면] 개별학습 능력은 좋지만 협동학습 참여도가 낮은 학급 담임으로서 협동을 활성화할 방안을 3가지 말하시오.
[19′ 중면] 전환기 교육을 운영할 방안을 제시하시오.
[19′ 중비성] 자신이 경험한 학교 교육에 비추어 볼 때 학교자치 실현을 위해 교사로서 자신의 역할을 말하시오.
[19′ 초성] 현장 교사가 된 이후 어떤 방식으로 학교·학급자치를 풀어갈지 자신의 의견을 제시해 보시오.
[18′ 중면] 담임교사로서 존중과 배려가 있는 학급을 위한 경영 전략을 말하시오.

[17' 공성] 학생중심교육·현장중심교육을 실현하기 위한 방법을 수업, 학급 영역에서 한 가지 이상 제시하시오.
[17' 초면] 아침맞이의 긍정적 효과와 교사로서 어떤 아침맞이를 할 것인지 방안을 말하시오.
[17' 공성] 학급을 어떻게 운영할 것인지 인사말과 포부를 담아 가정통신문을 작성하시오.
[16' 중면] 경기도 정책인 행복한 학교는 '학생이 자신의 삶의 의미와 가치를 스스로 발견하고 핵심 역량을 체득하는 배움의 학교'를 의미한다. 학급 내 실현 방안을 말하시오.

1 새 학년 집중 준비 기간 계획 기출

(1) 새 학년 집중 준비 기간

학생들이 등교하기 전인 2월 중순~말의 기간을 의미함

(2) 교사가 할 일

① 교실 환경 정비: 교실 청소, 학급 비품 마련, 학생들 이름표 및 학급 시간표 준비 등

사이다 톡 talk! 학생들이 편안한 마음으로 새 학년을 시작할 수 있도록, 안전하고 따뜻한 공간을 미리 준비해야 해요.

② 가정통신문 작성: 첫인사, 교직관, 학급 운영 계획, 교칙, 학부모님에 대한 신뢰와 존중의 표현, 학사 일정 등

사이다 톡 talk! 학기 초 첫 가정통신문에 작성하고 싶은 내용을 고민해 보세요. 꼭이요! 또한 가정통신문은 새 학년 집중 준비 기간 외에도 시험 기간, 어버이날 등에 마음을 담아 보내면 좋아요. 소통하는 교사는 학부모에게 신뢰를 주고 전문성을 입증할 수 있답니다.

③ 오리엔테이션 준비: 첫날 담임 소개 자료 및 학생 상담지 제작 등
④ 학생 이해: 신입생이 아니라면 작년 담임 선생님과 소통해 미리 확인할 사항을 점검

사이다 톡 talk! 거창한 프로그램을 네이밍해 이야기하는 것이 아닌, 선생님들이 3월 2일 개학을 위해 진짜 준비해 두어야 할 실질적인 것을 고민하셔야 해요!

2 학급 운영 원칙: 학급자치

(1) 학급생활규약 제정 기출

① **학급생활규약의 필요성**: 학칙, 교칙이 존재하지만 우리 학급만의 특성을 반영한 규약을 상호 협의하에 제정해야만 스스로 책임감을 가지고 질서 있는 학급을 만들 수 있음

② 규약 제정 방향

- 학칙, 교칙 등의 원칙과 사례는 교사가 안내하되 학급자치회 중심으로 회의·토론을 통해 학생들 스스로 학급규칙 및 의견을 수렴해야 함
- 일회성에 그치는 것이 아니라 주기적으로 회의를 통해 수정·보완하며 성찰의 과정으로 학급 특색을 반영해야 함
- 민주적 원칙에 입각하되 소수의 의견도 존중하는 분위기를 조성해야 함

(2) 학급자치회 선거

시민교육의 일환으로 학생들이 모의 선거를 체험하는 과정에서 투표의 중요성을 인지하고 사회 참여 역량을 강화하는 방향으로 진행해야 함

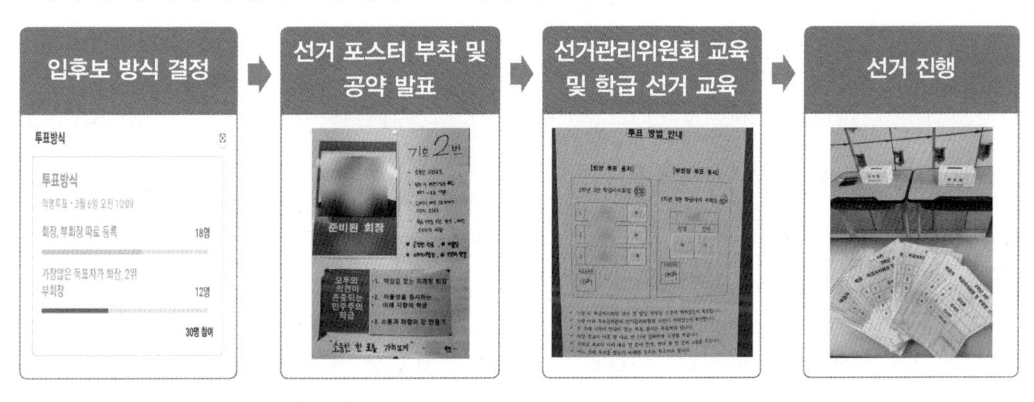

① **입후보 방식 결정**: 출신 학교마다 방식이 다르므로 사전 투표를 통해 결정

② **선거 포스터 부착 및 공약 발표**: 공약 중심의 포스터 부착 및 후보자 공약 발표

③ **선거관리위원회 교육 및 학급 선거 교육**: 공정한 선거를 위해 투표함 수거·개표 업무 담당
➡ 선거관리위원회가 학급 선거 교육 진행(비밀투표 원칙의 중요성, 투표 도장 찍는 법, 진행 순서 등 안내)

④ **후보자 토론회**: 공약 이행 세부 계획 발표, 패널 질문, 후보자 간 토론 등

⑤ **선거 진행**: 3번의 검토 후 '바를 정'자로 표기, 투표 인원과 투표용지 개수가 일치하는지 확인 후 당선 소감 발표

(3) 1인 1역 선정

책임감, 책무성을 바탕으로 스스로 학급을 운영하기 위해 자신이 잘하는 일을 중심으로 업무 배정 ➡ 서기, 우유 급식 당번, 휴대폰 수거 담당 등 30개의 업무를 정하고 학생 스스로 결정하게 함

사이다 talk! 학기 초에 정한 1인 1역을 끝까지 가져가는 게 아니라, 학기 말이나 2학기 초에 1인 1역 현황을 함께 점검해 보며 토의를 통해 문제점을 해결해 수정·보완하면 좋아요. 문제점을 분석해 보고 해결책을 찾는 과정에서 학생들은 시민 역량을 기를 수 있고 진정한 자치를 실현할 수 있답니다. 재작년에 학급에서 있었던 일을 말씀드릴게요. 저희 반은 1학기 때 매일 하는 업무와 이벤트성 업무가 나뉘다 보니 교실에서 일을 하는 사람만 하게 된다는 문제가 있었어요. 필요해서 만든 자리인데, 막상 잘 하지 않게 되는 업무도 있었고요. 예를 들어 서기 업무는 매번 손이 가는 업무라서 신경 쓸 것이 많지만 행사 알리미, 시험장 설치 같은 경우는 단발성으로 치러지는 것들이라 빈도가 달랐죠. 다들 불만 없이 잘해주긴 했으나 이 부분에 조정이 필요하다고 생각해서 몇몇 친구가 안건을 냈고 회의가 열렸어요. 2학기에는 자발적으로 1학기 때 업무를 덜한 친구들이 주요 업무를 맡기로 했어요. '서기' 업무를 두고 학생들이 약간 주저했으나 업무를 둘로 나누고, 방역 도우미를 1명으로 축소하는 방식으로 부담을 덜었습니다. 공동체 생활을 하다 보면 때론 누군가가 일을 많이 하는 순간도 있고, 누구는 무임승차를 하기도 하죠. 그렇다고 누군가를 비난하거나 혹은 생색을 내는 것이 아니라 고충을 알리고 우리 반의 사정을 고려해 다 같이 해결 방법을 찾아나가려는 아이들을 보니 정말 흐뭇했습니다. 이렇게 1인 1역을 만들어 놓고 끝내기보다 보완·발전하겠다는 의지를 보인다면 현장성 있고 전문성 있는 교사로서의 역량을 잘 드러낼 수 있을 거예요.

(4) 상시적 학급회의 진행

학급의 문제 상황, 갈등 상황을 교사가 혼자 판단하고 결론을 내리는 것이 아닌, 구성원들과 공유하며 좋은 방향을 함께 모색해야 함

3 유의미한 조회 활동

① **부서별 조회 진행**: 학습부, 정보부, 환경부 등 부서를 조직해 1주씩 돌아가며 부서별 주요 사항을 학생들이 직접 전달 ➡ 자기주도 역량, 의사소통 능력, 시민 역량 강화

② **음악 감상**: 학생들의 인생곡을 접수해 사연과 함께 하루에 한 곡씩 공유 ➡ 인성·감성교육, 공동체 역량 형성

③ **독서 낭독**: 독서 주간을 설정해 각자 고른 책을 읽고, 의미 있는 구절 발표 ➡ 독서교육, 인성교육, 공감대 형성

④ **학급 규칙 체크리스트 및 스터디 플래너 점검**: 학급별, 개인별 목표를 정하고 체크리스트로 점검하며 수정하고 다시 계획 수립 ➡ 자기주도 역량 강화

⑤ **나침반 안전교육**: 나를 지키고, 침착하게 대처하려면, 반드시 익혀야 하는 5분 교육. 조회 시간을 이용해 5~10분 내외 안전교육 영상 시청 ➡ 짧은 시간 여러 번 반복해 안전의 중요성에 대해 각인 가능

사이다 톡 talk! 단순히 방안만 구상하지 말고 교직관이 담긴 방안을 만들어 주세요. "저의 교직관은 ~이고 그래서 ~ 방안을 생각해 보았습니다."라고 표현한다면, 훨씬 와닿겠죠? "왜" 이것을 하고 싶으며, 이 속에서 "어떤 효과(어떤 역량 강화)"를 줄 수 있을지 함께 고민해 답변에 설득력을 부여해 주세요.

2

4 학급 특색 활동 사례

(1) 인권친화적 학급 문화 만들기 기출

① **필요성:** 인간 간의 소통, 배려, 존중의 가치가 중요해지는 현대 사회에서 인성교육의 중요성 대두

② **교사의 역할:** 교사 스스로 학생들의 말을 경청하고, 의견을 수렴하며 의사소통에 원활한 모습을 보여 자치와 존중의 학급 문화를 만들 수 있는 분위기 형성

③ **고맙day 진행:** 친구에 대한 고마움을 편지에 적어 전달하는 과정과 이를 시상하는 과정을 통해 감사함을 생활화하고 친구에게 따뜻한 마음을 전달받아 친화적인 학급 분위기 조성

④ **의견 수렴:** 작은 안건이라도 학급회의를 개최하고 의견 수렴 활성화

예 카카오톡 단체카톡방 비밀투표 기능을 이용해 익명 투표하기, 소통 우체통 만들기

(2) 색깔 있는 교실 만들기

① **방법:** 체육부, 수학부, 인문·예술부, 과학부, 융합부 등 학생들이 관심 있는 분야로 소모둠을 구성하고 자투리 시간을 활용해 관련 활동을 하며 교실 문화를 다채롭게 가꿔감

② **필요성:** 공동성을 기반으로 조회 시간, 쉬는 시간, 점심시간 등 교육 활동 외의 시간을 보다 유의미하게 활용하는 과정에서 협동심과 사회성을 기를 수 있으며, 관심 있는 분야의 역량을 강화할 수 있음

③ **주의 사항:** 교사는 소모둠이 자율적으로 운영될 수 있도록 '학생 주도적 학급 분위기'를 만들어야 하며, 이를 위해 중간 피드백과 동기 부여를 해야 함

사이다 톡 talk! 경기도교육청은 보편적·일상적 예술교육의 중요성을 강조하고 있어요. 인문예술부 등에서 학생들이 자투리 시간을 통해 만든 작품을 '예술공감터'를 활용해 전시하겠다고 밝혀도 좋겠어요! 예술공감터란 학교에서 누구나 참여하는 전시·발표의 일상적 예술 활동 공간을 의미한답니다. 학급 활동에서 그치는 것이 아닌 학생들의 결과물을 전시하고 공유한다는 것을 꼭 밝혀주세요! 그래야 학교에서 이러한 유의미한 문화가 자리 잡을 수 있을 테니까요.

5 학급 학생 문제 상황 해결

(1) 친구 관계에 어려움이 있는 학생

① 문제 원인이나 유형 파악: 관찰, 면담, 또래 지명, 학부모 상담 등 다양한 구성원들이 협력해 종합적으로 파악해야 함 ➡ 위축형, 미숙형, 문제행동형, 상호무관심형 등으로 구분 가능

② 개입 및 지도 방법

- 위축형: 관계 기술을 가르치고 친구관계에서 연습의 기회를 많이 주며, 잘하는 행동이나 활동을 포착해 그 순간에 칭찬함. 단기간의 변화를 강요하지 않음
- 미숙형: 관계의 기술을 가르침. 친구의 감정 표현에 어떻게 반응해야 하는지 설명하고 공감하기, 위로하기 등을 알려줌
- 문제행동형: 친구들과 재미있게 놀고 싶어하는 욕구를 인정하되, 현재의 행동 방식으로 인해 고립되고 힘들어지므로 스스로 변화의 필요성을 느낄 수 있도록 도움. 문제행동 시 상대방의 느낌을 유추해 볼 수 있도록 하고 바람직한 방식을 구체적으로 알려줌
- 상호무관심형: 일상생활에 지장을 주지 않고 관심 분야에 몰입하고자 한다면 무리하게 관계 형성을 촉구하는 것보다 학생의 강점을 발휘하도록 함

③ 유의 사항

- 시간이 걸리더라도 학생이 관계 기술을 습득하고 연습할 수 있도록 돕고 칭찬과 격려로 지지해 주어 근본적인 성장이 이루어져야 함
- 관계 기술이 서툴거나 소심한 학생에게 교사가 억지로 친구를 만들어주면 얼마 지나지 않아 관계가 틀어지기 쉽고, 이 경우 또다시 실패했다고 여겨 자신감을 잃을 수 있음

(2) 학교에 오기 힘들어 하는 학생

① 원인: 학업 수행, 친구 관계, 우울증, 인터넷·스마트폰 과의존, 학교폭력으로 인한 어려움 등

② 특징

- 두통, 복통, 잦은 소변 등 신체적으로 표현하기도 함
- 학교 가기 싫은 마음을 솔직하게 표현하지 못하고 여러 이유를 들어서 지각과 조퇴를 반복함

③ 지도 방안

- 학생 마음 이해: 너무 심각하게 받아들이거나 야단치기보다는 학교에 오기 싫은 이유에 대해 마음을 열고 들어줌
- 학생의 긍정적 행동과 변화에 대한 관심과 칭찬: 학생들이 많은 곳에서 비난하거나 부정적 평가 등을 하는 것보다는 학생이 잘하고 있는 행동에 먼저 관심을 줌

- **긍정적 표현을 사용한 해결방안 제시:** '~하지마'보다는 '~을 멈추고, ~했으면 좋겠다'라는 긍정적인 표현을 사용하며 해결방안을 함께 제시
- **학생의 현재 상황 파악 및 목표 수준 탐색:** 자신과 타인, 문제 상황과 목표수준 및 본인의 노력에 대해 구체적인 탐색을 통해 객관적으로 살펴보도록 함

건강한 습관과 공동체성을 기르는 20일간의 챌린지

2022년에 고등학교 1학년 담임을 맡았어요. 그 친구들은 중학교 1학년 때 자유학년제, 2~3학년 때 코로나19로 온라인 수업을 한 세대입니다. 그러다 보니 자기주도 역량이나 사회성이 부족한 친구들이 꽤 있었고, 학습에 몰입하는 것 자체를 상당히 힘들어했어요. 그래서 그해의 학급 경영 목표는 "건강한 생활·학습 습관을 만들고, 공동체 역량을 기르자."였어요. 특히 기억에 남는 프로젝트가 있는데요. 늘어질 수 있는 방학에 온라인으로 시행한 '20일간의 습관 챌린지'입니다.

어떤 일을 20일간 반복하면 그것이 습관이 된다고 하잖아요. 크게 공부, 운동, 인문·예술 3가지 영역으로 나눠 관심 있는 부분에 참여하며 20일간 꾸준히 카카오톡으로 인증사진을 보내는 방식으로 습관을 기르자는 취지였어요. 공부하고 싶은 사람은 자기의 하루 목표치를 정해 매일 매일 그것을 인증하는 것이고, 누군가는 운동을, 독서를, 그림 습작을 하는 것이죠. 담임인 저는 3가지 그룹에 모두 참여했고, 방학이 시작된 후 카카오톡 단체카톡방을 만들어서 다음 날부터 매일 인증을 했습니다.

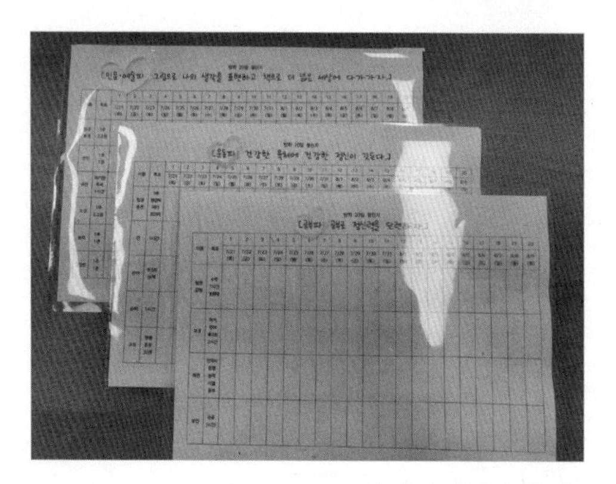

▲20일 습관 챌린지 출석부

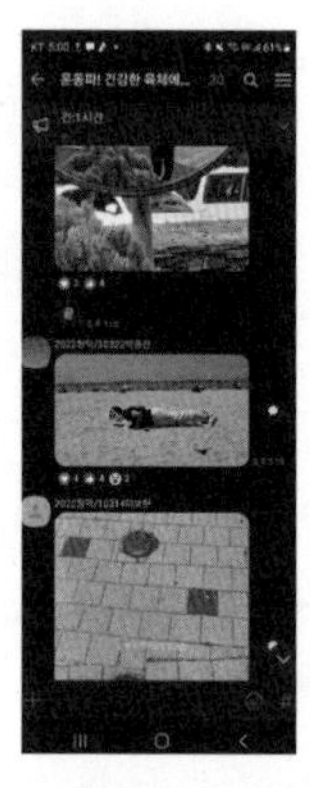

▲ 운동부 단체카톡방

효과적으로 운영하기 위해 팀장을 선출했고, 관심 있는 친구들이 자진해 신청해 줬어요. 학생들은 여름휴가를 가서도 바닷가에서 팔굽혀펴기 인증사진을 보내고, 몸이 안 좋은 날에는 아침, 저녁 2번으로 나누어 맨몸 운동을 하는 등 이 챌린지에 성공하기 위해 꾸준히 노력했어요. 저 역시 비오는 날에 우산을 쓰고 걸으며 목표로 했던 1만보 걷기를 매일 인증했고요. 혼자라면 포기했겠지만 친구들이 올리는 사진을 보고 자극을 받고, 동기부여도 하고, 서로 칭찬도 해가면서 20일간의 챌린지를 함께 이어나갔습니다.

학생들은 이때의 경험이 정말 즐거웠다고 말해주었습니다. 늘어질 수 있는 방학에 무언가 할 것이 있다는 생각으로 덜 나태해졌다고 해요. 그리고 '내가 무언가를 위해 이렇게 꾸준히 할 수 있는 사람이구나.' 생각하며 자존감도 올라가고 학교에서 보지 못한 다른 친구의 끈기, 열정, 부지런함 등 새로운 장점을 발견할 수 있어 즐거웠다고 했습니다. 저 역시 이 챌린지를 통해 무려 3년간 읽어야지, 읽어야지 하고 미뤄뒀던 책을 단 이틀 만에 다 읽기도 했고, 우리 학생들의 또 다른 장점들을 볼 수 있어서 참 행복했어요. 방학이 끝나고 2학기가 시작돼서도 이러한 인증 챌린지 문화는 저희 반만의 하나의 유행이 돼 여기저기에서 소그룹이 자율적으로 만들어졌답니다!

33 학교폭력 예방 교육 공

현장 이야기로 사이다열기

학교폭력이 사회 문제로 대두되며 가해학생에게 엄중한 대처를 예고하고 있습니다.
학교폭력 가해학생 조치 사항 학생부 기재 기간을 최대 2년에서 4년으로 연장하고,
대입의 경우 학생부 위주 전형뿐 아니라 수능, 논술, 실기/실적 위주의 전형에도 학교폭력에 관한 기록을 하겠다는 것이죠.
청소년 시기의 상처는 평생 씻을 수 없다는 점에서 교사들은 무엇보다 학교폭력 예방을 위해 힘써야 합니다.
사안 처리 중 유의 사항이 존재하니 이 점도 꼭 기억해 두어야 합니다.
또한 빈번하게 이루어지는 사이버폭력에 있어서 교사의 역할은 무엇일지도 함께 고민해 봅시다.

#교사_의무 #사이버폭력_정의 #지도_방안 #유의_사항

All 기출 문장 및 빈도 체크

연도	자기성장소개서 ⓢ			집단토의 ⓣ			개별면접 ⓜ		
	초	중	비	초	중	비	초	중	비
2016									
2017									
2018								✓	
2019									
2020									✓
2021	미시행								
2022	미시행								
2023				미시행				✓	
2024				미시행					

*공통 공

[23′ 중면] 최근 처벌 중심 사안 처리가 한계로 지적되고 있다. 학교폭력 문제에 대한 다음 상황을 분석하고 담임교사로서 교육적 해결 방안과 처리 시 유의 사항 말하시오.
[20′ 비면] 정신적 폭력을 줄일 수 있는 방안을 말하시오.
[18′ 중면] 사이버폭력 대처 방안과 존중과 배려가 있는 학급 경영 전략을 말하시오.

1 학교폭력

(1) 정의(학교폭력예방법 제2조)

학교 내외에서 학생을 대상으로 발생한 상해, 폭행, 감금, 협박, 약취·유인, 명예훼손·모욕, 공갈, 강요·강제적인 심부름 및 성폭력, 따돌림, 사이버 따돌림, 정보통신망을 이용한 음란·폭력 정보 등에 의해 신체·정신 또는 재산상의 피해를 수반하는 행위

(2) 유의 사항

① 강제로 일정한 장소로 데려가는 행위만으로도 신체폭력에 해당됨

② 여러 사람 앞에서 상대방의 명예를 훼손하는 구체적인 말(성격, 능력, 배경) 등을 하거나 그러한 내용을 인터넷 SNS로 퍼트리는 행위는 그 내용이 진실이라고 해도 범죄이고, 허위인 경우 형법상 가중 처벌 대상이 됨

③ 돌려줄 생각이 없으면서 돈을 요구하는 행위나, 옷과 문구류 등을 빌리고 돌려주지 않는 행위도 금품갈취에 해당됨

- 개념에서 제시하는 유형은 예시적으로 열거한 것으로, 신체·정신·재산상의 피해를 수반하는 모든 행위는 학교폭력에 해당한다.
- 학교폭력은 폭행, 명예훼손·모욕 등에 한정되지 않고 이와 유사하거나 동질한 행위로서 학생의 신체·정신 또는 재산상 피해를 수반하는 모든 행위를 포함한다(서울행정법원 2014구합250 판결).

사이다 talk! 교사는 학생들에게 학교폭력의 범위에 대해 교육해야 합니다. 사소한 괴롭힘이나 학생들이 장난이라고 여기는 행위도 학교폭력이 될 수 있음을 인식할 수 있도록 분명하게요!

2 사이버폭력

(1) 정의

정보통신망과 기기를 이용해 글, 이미지, 음성 등 언어적·비언어적 형태로 괴롭히는 모든 행위

(2) 대표 유형

① **사이버 언어폭력:** 게시판, 이메일, 채팅창, 모바일 메신저에서 욕설을 하거나 상대를 비하하고 거짓말이나 비방하는 글을 올리는 행위

② **사이버 명예훼손:** 사이버 공간에서 상대를 비하할 목적으로 사실 또는 거짓말을 해 상대방의 명예를 떨어뜨리거나 인격을 침해하는 행위

③ **사이버 갈취:** 사이버 머니, 모바일 데이터, 게임머니 등 사이버상의 금품을 강제로 빼앗는 행위

④ **사이버 스토킹:** 사이버 공간에서 원하지 않은 문자, 사진, 동영상을 반복적으로 보내 상대방에게 불안함과 두려움을 주는 모든 행위

⑤ **사이버 따돌림:** 인터넷 대화방, SNS 단체 채팅방에서 상대방을 퇴장하지 못하게 한 뒤 놀리고 욕하거나 대화에 참여하지 못하게 하는 행위

⑥ **사이버 영상 유포:** 정보통신망을 이용해 상대방의 동의 없이 개인의 사생활과 관련된 특정 신체부위나 각종 유해성 사진, 영상 등을 전송·유포해 괴롭히는 행위

(3) 특징

① 시공간의 제한이 적음

② 은밀하게 발생할 수 있음

③ 기록이 영구적으로 남을 수 있음

④ 가해행동이 집단적으로 이루어질 수 있음

(4) 사이버폭력 관련 주요 Q & A

Q 굴욕사진을 SNS에 올리는 것은 폭력인가요?

A 네, 공개된 사이버 공간에 올리는 글, 사진 등으로 상대가 명예를 잃거나 부정적인 이미지가 생기게 되는 경우 「형법」 제311조에 따라 모욕죄로 처벌될 수 있습니다.

Q 1:1 채팅이나 개인적 쪽지로 욕을 보내는 것도 폭력인가요?

A 네, 1:1 채팅 또는 쪽지로 지속적인 욕설을 보낸다면 「정보통신망 이용촉진 및 정보보호 등에 관한 법률」 제74조 '공포심이나 불안감을 유발하는 부호, 문언 등을 반복적으로 상대방에게 도달하게 한 경우'에 해당해 처벌될 수 있습니다.

3 성폭력

(1) 정의

상대방의 의사에 반해 성을 매개로 가해지는 모든 폭력(신체적, 심리적, 언어적, 사회적) 행위로 성추행, 성폭행뿐만 아니라 개인의 '성적 자기결정권'을 침해하는 행위를 포함

(2) 성폭력 사안 발생 시 대처 요령

① 성폭력 사안 발생 인지 후 즉시 신고

② 성폭력 피해학생 응급조치 및 전문상담기관과의 연계

③ 성폭력 사건 피해학생에 대한 보호 조치

④ 피해학생 보호 관련 학부모와 협의

⑤ 피해학생의 등교 기부 시 조치 및 성적 처리에서의 불이익 금지

(3) 유의할 점

① 피해학생 보호 및 진술오염 방지를 위해 초기 진술은 녹음하는 것이 좋음
② 성폭력 발생 시 피해자 동의 여부와 상관없이 수사기관에 반드시 신고함
③ 성폭력 사건을 숨기거나 학교 내에서 임의로 해결하려고 하지 않음
④ 다른 교직원이나 학생들에게 비밀이 누설되지 않도록 유의하고 침착하게 대응함

(4) 성폭력 피해학생 상담 방안

① 피해로 인한 고통에 대해 충분한 공감과 신뢰를 바탕으로 대화를 진행함
② 신고하고 도움을 요청한 피해학생의 용기에 충분한 지지를 보냄
③ 피해학생의 평상시 태도를 지적하거나 학생에게 원인이 있다고 학생 탓을 하는 등 사건과 무관하거나 불필요한 발언을 하지 않고, 가해자를 대변하거나 두둔하는 발언을 하지 않도록 주의해야 함
④ 피해 후 고통 정도 및 지속 정도는 개인에 따라 다르게 나타날 수 있기에, 겉으로 보이는 것이 전부가 아닐 수 있음을 인지하고 지속적 관심으로 충분한 회복지원을 도움

4 교사의 의무와 책임

(1) 법률에 따른 교원의 의무: 학교폭력 신고 및 감지·인지의 노력

① 정의
- 감지: 학생들의 행동이나 교실 분위기 등을 보고 학교폭력이라고 느껴 알게 되는 것
- 인지: 학생 또는 학부모의 직접 신고, 목격자 신고, 제3자 신고, 기관 통보, 언론 및 방송 보도, 상담

② **신고의 의무(학교폭력예방법 제20조 제1항)**: 학교폭력을 알게 된 자는 누구라도 지체 없이 신고해야 함
③ **교원의 보고의무(제20조 제4항)**: 교원이 학교폭력을 감지·인지하게 된 경우 학교의 장에게 보고하고 해당 학부모에게 알려야 함
④ **신고자 및 고발자에 대한 비밀누설 금지 의무(제21조 제1항)**: 학교폭력 신고자 및 고발자와 관련된 자료를 누설해서는 안 됨

(2) 교사의 관찰 및 조사 요령

① **피해학생 관찰**: 피해학생이 신체적으로 혹은 심리·정서적으로 어려움을 겪고 있는지를 파악하고 관계 회복 등 피해학생의 구체적인 욕구를 파악함

② 가해학생 관찰: 가해학생이 특정 학생을 괴롭히는지 혹은 다수의 학생들을 괴롭히는지, 가해학생이 반 내에서 다른 학생들과 어떤 관계를 형성하고 있는지 등을 파악함
③ 주변학생 관찰: 학교폭력과 관련된 학생들은 더 없는지, 학교폭력 사안에 어떻게 연루돼 있는지, 목격학생 및 주변학생들의 심리상태(불안감 등)는 어떠한지 등을 살펴봄
④ 학교폭력 조사 요령
- 교사가 학교폭력 사안을 인지하고 있다는 것에 대해 말하지 않고, 학교생활이나 교우 관계 등을 물어보고 다양한 방식으로 관찰해야 함. 가해학생 등에게 교사가 학교폭력 사실을 알고 있다는 것을 너무 성급히 이야기하면 다른 학생들을 더 괴롭힐 위험이 있으므로 주의해야 함
- 다수 또는 다른 학생이 보는 앞에서 피·가해 사실을 조사하지 않고 관련 학생을 개별로 조사해야 함
- 학생들의 진술이 일치하지 않더라도 사실관계를 추궁하거나 대답을 강요하는 행위는 지양하고 객관적 증거를 확인해야 함

(3) 사전 예방 활동(학교폭력예방법) 기출

① 학생, 학부모, 교직원 대상 예방 교육(제15조): 학기별 1회 이상 실시(연 2회 이상) ➡ 학급 단위로 실시하는 것이 원칙이며 강의, 토론, 역할 연기 등 다양한 방법을 활용해야 함
② 학교폭력 실태조사(제11조): 학기별 1회 이상(연 2회 이상)
③ 인권친화적인 학급 분위기 형성

사이다 톡 talk! 학교폭력이 발생하기 전에 사전 예방을 위한 학급 분위기 형성, 교육이 무엇보다 중요하답니다. 소속감을 느낄 수 있는 공동체 활동과 소통이 가능한 유연하고 온화한 학급 분위기 형성에 꼭 신경 써야 함을 기억해 주세요.

④ 책임 규약 규정: 교육 3주체(학생, 교사, 학부모)가 학교폭력 및 책임, 준수를 확인하는 책임규약을 규정하고 서명해 안전한 학교문화를 조성함
⑤ 학교폭력 예방 교육 프로그램 운영
- 학교폭력 대응 예방활동 강화: 학생이 스스로 학교폭력에 대한 문제점을 찾고 해결방안을 모색하는 프로젝트 수업 구성
- 학교폭력 예방 특별교육 주간 운영: 학교폭력 예방, 사이버폭력 예방, 언어문화 개선 캠페인 추진

⑥ 사이버폭력 예방 방안
- 학생들의 학교생활과 사이버 활동에 관심을 가지고 주기적으로 모니터링을 함

이럴 때! 주의 깊게 보세요

- ☐ 잘 모르는 사람들이 학생의 소문을 알고 있다.
- ☐ 학생이 갑자기 SNS 계정을 탈퇴하거나 아이디를 삭제한다.
- ☐ 문자 메시지나 메신저를 본 뒤 당황하거나 괴로워한다.
- ☐ SNS 글귀나 사진 분위기가 우울하거나 부정적으로 바뀐다.
- ☐ 스마트 기기를 자주 확인하고 민감하게 반응한다.

• 학생들에게 피해 상담 혹은 신고 시 보복 또는 불이익을 당하지 않는다는 안정감과 확신을 심어줌

사이다 톡 talk! 학생들은 자신이 신고했다는 사실을 가해학생과 그 친구들이 알게 되면 보복을 당할 수도 있다는 두려움을 가지고 있기 때문에 교사는 학생들에게 비밀보장에 대해 꼭 알려주어야 해요. 피해학생이나 사안을 인지·목격한 학생이 신고했을 때, 교사들이 반드시 비밀보장을 할 것이며, 최선을 다해서 적절한 대처를 해주겠다는 것을 인식시켜 주어야 한답니다.

• 사이버폭력이 처벌받는 불법행위임을 구체적 사례로 지도함
• 주기적으로 사이버폭력 신고 절차와 신고 방법을 교육함

교육에 포함할 내용

• 누구라도 사이버폭력에 노출될 수 있음을 알고, 무심코 한 행동이 다른 사람에게 피해를 주는 건 아닌지 항상 신중하게 생각하고 행동할 것
• 사이버상에서 익명성을 이용하거나 다른 사람인 척 활동하지 않고 정정당당히 활동할 것
• 나와 다른 사람의 개인정보를 소중하게 여길 것
• 올바른 사이버 언어습관과 예절을 익힐 것
• 확신할 수 없는 정보나 음란물을 함부로 게시하지 않을 것
• 타인의 정보에 대해서는 반드시 동의를 구할 것
• 낯선 사람과의 오프라인 만남은 피할 것
• 모르는 상대의 쪽지 또는 대화 신청에 답변하지 않을 것

• 사이버폭력 예방 앱 사용

사이다 톡 talk! 사이버폭력 예방을 위한 앱을 사용하면 좋아요. 직접 피해자가 돼, 사이버 공간 속에서의 고통을 체험해 보는 것이죠. 중요한 것은 이게 응보적, 즉 처벌적 방식으로 '너도 한번 당해봐.'가 돼선 안 된다는 것이에요. 사건 발생 전, 예방 차원에서 사용해야 한다는 것에 주의해 주세요.

5 학교폭력 사안 처리 시 유의 사항 기출

① 공정하고 객관적인 자세를 견지하고, 적극적인 자세로 학교폭력 사안 처리를 위해 노력해야 함

② 학생과 학부모의 상황과 심정에 대한 이해와 공감을 통해 신뢰를 형성하고, 불필요한 분쟁이 추가적으로 발생하지 않도록 노력해야 함

③ 학교폭력 사안 조사 시에는 가해학생과 피해학생을 분리해 조사하고, 축소·은폐하거나 성급하게 화해를 종용하지 않도록 함

④ 학교폭력대책자치위원회 결정 전까지는 가해학생, 피해학생을 단정 짓지 말고 '관련 학생'이라는 용어를 사용해야 함

⑤ 비밀을 엄수하도록 하고, 개인정보 보호에 각별히 유의해야 함

⑥ 학교폭력 사안 조사는 가능한 한 수업 시간 이외의 시간을 활용하고, 부득이하게 수업 시간에 할 경우에는 별도의 학습 기회를 제공해야 함

6 가해학생과 피해학생 분리 시 유의 사항

① 학교는 가해자 분리를 위해 학교 내에 별도 공간을 마련하고 분리 기간 동안 관련 학생의 학습권 보장을 위해 교육자료 제공, 원격 수업 등의 방안을 마련해야 함

② 학급, 학년이 다를 경우에도 분리 의사를 확인하고, 분리를 원하는 경우 수업은 각자 소속 학급에서 수강하되, 수업 시간을 제외한 쉬는 시간, 점심시간, 교실 이동 시간 등에 대한 동선 분리 및 생활지도 계획을 수립해 피해학생 보호를 위해 노력해야 함

③ 피해학생 1명이 학급, 학년 전체를 신고한 경우에는 학교 여건 및 환경, 피해학생 의견 등을 종합적으로 고려해 피해학생을 분리시켜 보호 가능함

④ '가해자와 피해학생 분리'는 가해학생에 대한 징계성 조치가 아님을 안내해야 함

7 학생 상담 시 유의 사항

(1) 피해학생 상담

① 초기 상담 시 피해학생의 이야기를 판단이나 충고 없이 적극적으로 경청하고, 적절한 위로와 지지를 해줌

② 피해학생이 신체적, 심리·정서적으로 어떤 어려움을 겪고 있으며, 필요한 도움은 무엇인지 상황과 욕구를 파악함

③ 가해학생으로부터 보복을 당하지 않도록 학교에서 책임감을 가지고 지도·관리할 것을 알려줌

④ 사안처리 절차(학교장 자체해결, 심의위원회 개최) 및 내용, 진행과정, 보호조치 등을 설명해 주어, 학생이 안심하고 학교생활을 해나갈 수 있도록 도와줌

(2) 가해학생 상담

① 초기 상담과정에서 학생을 낙인찍지 않고, 가해학생의 이야기를 판단이나 충고 없이 경청함. 경우에 따라서는 쌍방 피해로 결론이 나거나 피해학생과 가해학생이 뒤바뀌는 상황이 전개될 수 있음을 고려함

② 가해학생들이 폭력을 사용하게 된 상황(가정적 요인 포함)에 대해 충분히 탐색함

③ 폭력은 용인되지 않으며 가해학생이 저지른 행동은 잘못된 것이라는 사실을 알려주고 피해학생이 당한 충격과 상처를 이해시킴

④ 가해학생에게 사안처리 절차(학교장 자체해결, 심의위원회 개최) 및 내용, 진행과정, 보호조치 등을 설명해 주고 자신의 잘못을 인정하고 사과할 의사가 있는지 여부를 파악함

⑤ 피해학생에게 사과할 의사가 있을 경우, 먼저 피해학생이 사과를 받아들일 마음이 있고 준비된 상황에서 진심어린 사과를 해야 함을 안내함

(3) 피해학생 보호자 상담

① 피해학생 학부모의 감정이 격앙됨을 이해하고 수용하는 것이 중요함

② 피해학생 보호자가 말하는 상황이 해당 사안과 직접적으로 관련한 사실이 아닐지라도 처음에는 온전히 들어주는 것이 필요함

③ 피해학생 학부모가 심리·정서적으로 어떤 어려움을 겪고 있으며, 필요한 도움은 무엇인지 상황과 욕구를 파악함

④ 교사의 개인적 의견을 묻는 경우, 공정한 업무 처리를 위해 개인적 의견을 언급할 수 없음을 정중하게 전달함

⑤ 피해학생이 학교에서 상담을 받는 것을 불편해할 경우 외부 전문기관에 연계해 상담을 받을 수 있음을 안내함

(4) 가해학생 보호자 상담

① 가해학생 보호자 역시 자녀가 다른 학생에게 폭력을 휘둘렀다는 사실에 당황스러움과 혼란스러움, 의심, 미래에 대한 불안감 등을 경험하게 됨을 이해함

② 가해학생 보호자가 학생의 가해행위를 부정하는 경우, 논쟁하기보다는 접수하는 태도로 반응함

③ 가해학생 학부모가 피해학생 및 학부모에게 사과할 의사가 있을 경우, 먼저 피해 측에서 사과를 받아들일 마음이 있고 준비된 상황인지 알아보고, 진심어린 사과를 해야 함을 안내함. 일방적인 사과는 피해학생 측을 더 힘들게 할 수도 있음을 안내함
④ 학교에서는 가해학생 역시 걱정하고 있으며 교육적으로 적절하게 지도할 것임을 안내하고, 정확한 사실을 확인하고 이에 따라 대응하는 것이 가해학생과 피해학생 모두를 위한 것임을 안내함

8 관계회복

(1) 개념

관련 대상자들이 발생 상황에 대해 이해, 소통, 대화 등을 통해 원래 상태 또는 일상생활로 돌아갈 수 있도록 함께 노력하는 것

(2) 목적

① 상호 이해 및 소통, 대화하는 과정을 통해 피해학생 측 입장을 충분히 고려한 진심어린 사과와 가해학생 측의 반성에 대한 올바른 인식 정립을 하고 나아가 관계 개선을 통한 회복을 도모함
② 심리·정서적 안정 및 학교와 일상생활, 또래(교우) 관계 등의 안정적 적응과 신속한 복귀, 회복을 조력함

(3) 운영 대상 및 방법

① 학교폭력 사안이 발생한 해당 관련 학생(피해 및 가해 측)을 대상으로 진행함
② **사전 개별면담**: 양측 학생을 개별적으로 면담해 각각의 욕구와 사안에 대한 해결 방식, 심리·정서적 상태 등을 탐색함
③ **관계회복 프로그램(직접대면 및 소통)**: 양측 학생이 준비와 동의가 됐을 때 서로 대면해 소통의 과정을 통해 관계회복을 하도록 조력함

(4) 관계회복 진행 시 유의 사항

① 관계회복 프로그램은 양측 학생이 동의한 경우에만 진행할 수 있음
② 관계회복 프로그램은 한 명이 중단하고 싶으면 중단될 수 있음
③ 관계회복 프로그램을 진행했다고 해서 갑자기 사이가 좋아지거나 관계가 개선되는 것은 아니라는 점을 이해해야 함
④ 관계회복 프로그램은 양측 학생이 학교 및 일상생활과 또래와의 관계에 잘 적응할 수 있도록 돕는 것임을 안내함

⑤ 피해학생에 대해 모든 단계 시작 시 현재 마음과 생각, 2차 피해(재발 및 보복 등), 참여 의사 등을 확인함으로써 관계회복 프로그램 진행이 강제적인 것이 아닌 피해학생 의사를 우선으로 고려해 진행됨을 확인시켜 주는 것이 중요함

2025학년도에 나는교 사이다 – 나만의 [학교폭력 및 사이버폭력 예방] 방안 만들기

①

②

③

34 초등 저학년 학교생활 적응 방안 초

– 수업·나눔 연계

현장 이야기로 사이다 열기

1학년과 6학년은 초등학생이라는 하나의 범주로 보기엔 모든 면에서 큰 차이를 보입니다.
따라서 초등학교 교사라면, 발달 단계에 따른 학년별 교육과정 편성·운영의 중점 사항을 더욱더 다양하게 고려해야 합니다.
특히 초등 1학년 입학 초기 학생들은 안정적인 학교생활 적응을 위해 집중적인 지원이 필요한데요.
정서적, 학습적 측면뿐 아니라 유치원과의 연계 등 측면에서도 세심한 지도가 필요합니다.
성장배려학년제는 이와 같은 취지에서 만들어진 제도입니다.
초등 저학년 학교생활 적응 방안에 대해 함께 고민해 봅시다.

#정의 #기대효과 #교사의_역할

All 기출 문장 및 빈도 체크

연도	자기성장소개서 ㉳			집단토의 ㉰			개별면접 ㉷		
	초	중	비	초	중	비	초	중	비
2016									
2017									
2018									
2019									
2020									
2021	미시행						✓		
2022	미시행								
2023				미시행					
2024				미시행					

*공통 ㉿

[21′ 초㉷] 1학년 학생들이 겪는 어려움은 무엇일지 말하고 이를 해결할 수 있는 방안을 말하시오.

1 초등 성장배려학년제 정의

초등 1~2학년 학생들의 안정적인 학교생활 적응을 위해 관계 형성-놀이 활동-기초학습 등을 집중 지원하는 교육과정

2 도입 목적

① **교육 형평성 제고:** 위기 및 부적응, 취약계층 학생 및 초등학교 저학년 학생 등 다양한 형태의 교육적 소외집단이 존재하며 교육 기회 접근 제한 ➡ 교육차별 및 교육격차 실태를 파악하고 집단 특성에 맞는 대응 필요

② **적응을 위해 중요한 시기:** 초등학교 1~2학년은 학교생활의 적응 여부를 가름하는 결정적이고 중요한 시기이자 교육 정책을 통한 지원 및 단위 학교에서의 집중적인 배려와 지원이 필요한 시기

③ **공교육 책무성 확보:** 학교급 전환기에 있는 학생들의 다양한 계층, 지역·문화적 배경, 가정의 양육문화 특성 등을 이해하고 개별 학생의 특성에 적합한 맞춤형 교육과정 운영에 대한 교사의 전문성 지향

3 방법 기출

(1) 학교 적응을 지원하는 교실 문화 조성

① **학교 적응을 위한 집중적 배려와 지원:** 학생의 관심, 심리, 행동, 성장 배경 등을 고려한 배려와 지원

② **저학년 발달 단계를 고려한 쉼이 있는 놀이시간 운영 및 놀이 환경 구성:** 충분한 점심시간, 한글 및 기초 수학 관련 게임·퍼즐·블록 등의 놀이도구 확보

③ **학부모와의 교육적 상호작용:** 초등 입학생 학부모용 안내 자료 개발 및 홍보 강화

(2) 기본 교육을 강화하는 교육과정 운영

① 국어 시수 확대에 따른 한글교육 내실화 및 기초 수학 강화

② 초등 저학년 맞춤형 교과, 주제별 융합프로젝트 수업 설계 및 실천

③ **학생 개개인의 흥미와 요구를 고려한 놀이중심 교육과정 운영:** 온·오프라인 놀이중심 수업 자료 및 놀이 활동 콘텐츠 개발

사이다 톡 talk! 학생 개개인에 대한 관심, 흥미를 먼저 파악하는 것이 매우 중요합니다!

4 교사의 역할

① 초등 성장배려학년제의 의미와 필요성 공유
② 1~2학년 학생들의 발달 단계와 개별 학생들의 특성 파악
③ 효과적인 1~2학년 담임 배정(연임제, 중임제 등)
④ 1~2학년 교사학습공동체를 운영하고 평가 및 환류를 통해 교육과정 개선
⑤ 학부모와 상시적으로 소통하며 협력적 관계 형성

5 기대효과

① 학생 개개인의 특성과 상황을 정확히 파악 가능
② 맞춤형 교육 기회 제공

사이다 톡 talk! 경기도교육청은 초등 저학년 '학습지원 협력 교사' 지원 사업에 관해 의견을 밝혔어요. '학습지원 협력 교사' 지원 사업은 초등 1~2학년 학생의 안정적인 학교생활 적응과 기초학력 보장 지원을 위해 마련한 제도인데요. 선정교가 되면 1교당 1명의 학습지원 협력 교사가 배치되는 거예요. 기초학력 학습지원 대상자, 다문화가정 학생, 취약계층 학생 비율 등을 고려해 해당 학교를 선정한 후 협력 교사가 담임교사와 협력 수업, 수업 자료 공동 준비, 방과 후 기초학력 지도 등을 하는 것이죠. 교육청이 초등학교 저학년 학생들의 안정적인 학교생활 적응 지원에 대한 비전을 밝힌 만큼, 초등학교 학생들의 성장 단계를 고려해 학년별 세분화 교육 및 맞춤 교육의 중요성을 이해하고 이 방향으로 교육 방안을 고민하셔야 합니다.

35 학생 문화 이해 공

현장 이야기로 사이다열기

스마트폰의 일상화로 친구 간의 소통 방식과 교우관계를 맺는 방식이 빠르게 변화하고 있어요.
예컨대, 먼저 온라인으로 인스타그램 맞팔로우를 한 후, 메시지를 주고받으며 친해지다가 현실에서 베스트프렌드가 된다거나,
자기를 어떻게 생각하는지 직접 물어보지 않고 인스타그램 속 스토리 기능을 통해 설문을 받는 형식으로요.
또한 유튜브, 게임을 단순 시청하는 것을 넘어 생산자로 활동하며 수입을 벌어들이는 친구들도 꽤 있고요.
학업에 초점을 맞추거나 온라인 속 세상이 위험하다고 인식하는 학부모님들과 학생들 사이에는
큰 문화적 괴리가 존재하고 때론 교사들도 학생과 세대 차이를 느끼는 순간도 많아요.
이제 사회에서 아주 익숙하게 쓰는 "꼰대"라는 표현에는
권위적인 사고를 가진 어른이나 선생님에 대한 학생들의 불만이 담겨있는데요.
학생들의 문화를 이해하면서도 우려되는 부분을 해소할 수 있는 효과적인 소통 방안을 함께 고민해 봅시다.

#학생_문화_이해 #지도_방안

All 기출 문장 및 빈도 체크

<table>
<tr><th rowspan="2">연도</th><th colspan="3">자기성장소개서 성</th><th colspan="3">집단토의 토</th><th colspan="3">개별면접 면</th></tr>
<tr><th>초</th><th>중</th><th>비</th><th>초</th><th>중</th><th>비</th><th>초</th><th>중</th><th>비</th></tr>
<tr><td>2016</td><td></td><td></td><td></td><td></td><td></td><td></td><td></td><td></td><td></td></tr>
<tr><td>2017</td><td></td><td></td><td></td><td></td><td></td><td></td><td></td><td></td><td></td></tr>
<tr><td>2018</td><td></td><td></td><td></td><td></td><td></td><td></td><td></td><td></td><td></td></tr>
<tr><td>2019</td><td></td><td></td><td></td><td></td><td></td><td></td><td>✓</td><td></td><td></td></tr>
<tr><td>2020</td><td></td><td></td><td></td><td></td><td></td><td></td><td></td><td></td><td></td></tr>
<tr><td>2021</td><td colspan="6" rowspan="2">미시행</td><td></td><td></td><td></td></tr>
<tr><td>2022</td><td></td><td></td><td></td></tr>
<tr><td>2023</td><td></td><td></td><td></td><td colspan="3" rowspan="2"></td><td></td><td></td><td></td></tr>
<tr><td>2024</td><td></td><td></td><td></td><td></td><td></td><td></td></tr>
</table>

*공통 공

[19' 초면] 학생 문화 중 하나를 골라(K-pop, 외모 가꾸기, 유튜브, 신조어 등) 지도 방안을 말하시오.

1 학생 지도의 주안점

① 우선 이해하고 존중하기: 학생의 문화를 존중하고, 학생이 문화를 접할 때 드는 기분과 생각을 물어보고 공감하기 ➡ 그 후 우려되는 부분을 전달하기

② 스스로 깨닫게 하기: 과한 사용으로 초래될 수 있는 문제에 대해 스스로 깨닫고 통제 계획을 세우게 하기

예 프로젝트학습 등을 구성해 토의를 통해 문제를 스스로 깨닫게 하고 함께 해결 방안을 모색하기 등

③ 가정과 연대하기: 행동에 대한 충고나 지시를 멈추고, "요즘 인스타, 인스타 하던데 그게 뭐니? 어떤 건지 엄마도 알려줘."와 같은 관심 어린 질문을 할 수 있도록 안내하기 ➡ 선(先) 관심, 후(後) 대화법

2 인터넷·스마트폰 문화

(1) 인터넷 서비스 이용 현황(2020)

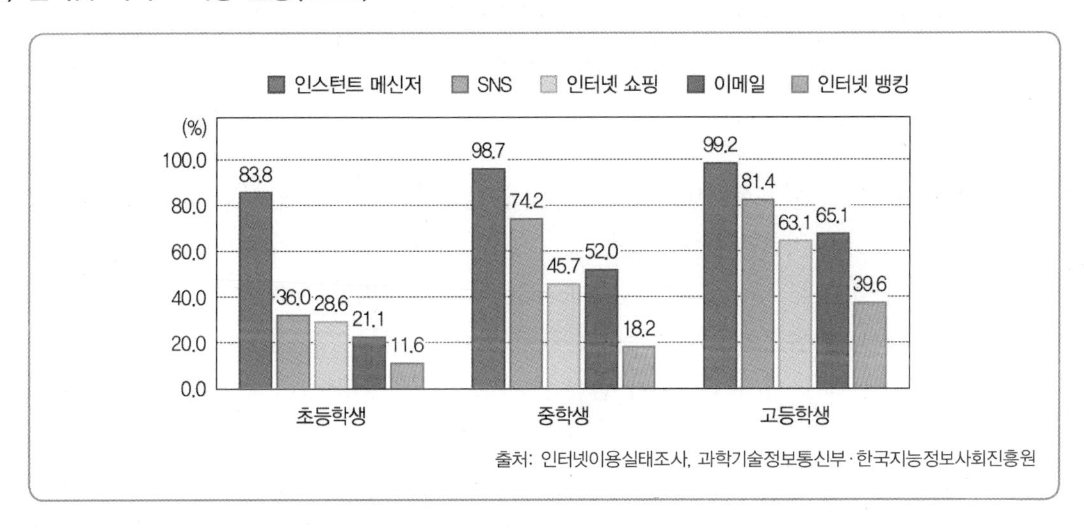

출처: 인터넷이용실태조사, 과학기술정보통신부·한국지능정보사회진흥원

인스턴트 메신저란 인터넷을 통해 쪽지, 파일, 자료들을 실시간 전송할 수 있는 서비스로 채팅이나 전화와 마찬가지로 실시간으로 의사소통이 가능하다. PC 시대의 가장 혁신적인 발명품 중 하나로 꼽히는 메신저는 인터넷을 통해 실시간으로 대화나 데이터를 주고받을 수 있어 '인스턴트 메신저'라고 불린다.

출처: [네이버 지식백과] 인스턴트 메신저(시사상식사전, pmg 지식엔진연구소)

(2) 교육 방안

① 이해하고 소통하기: 인스턴트 메시지와 SNS 사용의 순기능(교우관계, 추억 저장 등)을 이해하고, 이 매체를 활용해 직접 소통하기

② **매체 활용 교육하기**: 등장인물의 가상 SNS 만들기, 친구 작품에 댓글 달기 활동으로 피드백하기 등 매체의 친숙함을 활용한 교육하기, 태블릿PC로 온라인 교과서 수업하기

③ **올바른 이용 교육하기**

- **필요성**: 시공간을 초월한 즉각적인 소통 및 타인 초대 기능 등을 통해 사이버폭력이 쉽게 일어날 수 있고 캡처와 전송 기능을 통해 정보 확산이 쉽기에 비밀 이야기 등이 외부로 빠르게 노출될 수 있음
- **교육 방안**: 조·종례 시간을 활용한 짧고 반복적인 교육으로 경각심 고취, 피해를 보았을 경우 대처 방안을 안내하기(THEME 33 학교폭력 예방 교육), 초상권 및 정보 노출로 인한 위험성도 있음을 함께 강조하기(THEME 6 정보통신 윤리 교육)

3 대중문화 기출

(1) 정의

대중매체를 통해 새롭게 생겨난 상업적·대중적 문화

예 대중가요, 만화, 웹툰, 영화, 텔레비전 프로그램, 웹소설 등

(2) 학교 교육의 필요성

① 대중문화를 잘 활용한다면 여가 시간을 즐길 뿐 아니라 또래 사이에 소속감을 느끼고 소비자·생산자 역할을 할 수 있음

② 학교 교육을 통해 대중문화를 접하게 되면 문화를 소비하는 수준이 높아지게 되고 그에 따라 창작자의 수준이 높아지는 선순환이 생김

③ 대중문화 콘텐츠 산업의 범위가 점점 넓어지고 있는 상황에서 대중문화 인재 양성을 위해 노력해야 함

(3) 교육 방안: 단순 비평을 넘어, 올바르게 소비하는 방법을 가르쳐야 함

① **대중문화 비평 교육**

- 은어를 사용하거나 과장된 드라마 및 예능 내용을 함께 살펴보며 언어 순화해 다시 대본 작성하기
- 프로그램에서 볼 수 있는 사회 문제 토론하기 예 드라마 속 양성평등 문제

사이다 톡 talk! 단순히 교사가 강의하는 것을 넘어 학생 스스로 성찰할 수 있도록 '학생주도학습'이 돼야 해요! 학생 주도성은 현 경기도교육청이 매우 강조하고 있는 표현이니, 의도적으로 많이 노출하면 좋아요.

② **대중문화를 활용한 교과 수업**: 학생들에게 친숙하게 다가가 흥미 있는 교육 가능

- 역사: 랩으로 왕조 암기하기, 주요 왕의 업적을 노래로 개사하기, 왕에게 바치는 상소문을 랩으로 표현하기
- 국어: 가요에서 비유법 찾기, 가요를 시로 만들기, 8분 미만의 유튜브용 짧은 드라마 대본 써보기
- 사회: 뮤지컬·연극으로 모의재판 진행하기, 〈그것이 알고 싶다〉 같은 다큐멘터리 형식으로 사회 문제 보도하기 등
- 미술: 웹툰으로 표현하기, 이모티콘 개발하기, '휴먼○○체'와 같이 자기 이름을 딴 글꼴 만들기 등

(4) 기대효과: 창의성 개발, 진로 체험 가능

4 유튜브 문화 (기출)

먹방, 게임, 청소년 메이크업, 명품 하울, 공부 스터디 등 다양한 분야의 10대 크리에이터 등장 ➡ 학생들은 간접 경험을 하고, 크리에이터를 모방함

(1) 학교 교육의 필요성

① 학생들은 '유튜브'에서 정보 검색을 많이 하며, 많은 조회 수나 크리에이터의 유명세를 믿고 영상 내용을 신뢰 ➡ 미디어 리터러시 교육이 필요함
② 명품 하울 영상을 보며, "1,000만 원 플렉스하기" 등이 학생 버킷리스트에 등장 ➡ 건전한 가치관 형성이 필요함
③ 초등학생 장래희망 중 새롭게 '유튜브 크리에이터'가 상위권에 오름 ➡ 관련 역량을 길러줄 교육이 필요함

(2) 교육 방안

미디어 리터러시 교육, 학급 채널을 만들어 직접 운영하며 역량 기르기 등

5 게임 문화

(1) 게임 문화 이해의 필요성

① 청소년들은 게임을 관계 형성의 중요한 수단으로 여김 ➡ 사회적 거리 두기로 밖에서 친구를 만나거나 함께 놀지 못하는 상황에서 더욱 발달함 ➡ 문화로 보는 시선이 필요함

② **게임시간 선택제 도입:** 셧다운제도(만 16세 청소년은 00~06시까지 게임에 접속할 수 없음. 청소년보호법 제26조 제1항)가 폐지되고 만 18세 미만 청소년 본인 또는 법정대리인의 요청 시 원하는 시간대로 게임 이용 시간을 설정함 ➡ 청소년의 자기결정권 및 가정 내 교육권을 존중해 자율적 방식으로 청소년의 건강한 게임 여가 문화가 정착되도록 지원하려는 시도

(2) 교육 방안

① **학생의 재능 인정하기:** 게임을 통해 캐릭터 제작 판매, 스트리머 활동 등으로 수익을 창출하고 있거나 직업 계획을 세우고 있다면 학생의 재능을 인정하고 존중하기

② **학생의 특성 이해하기:** 자기효능감이나 자존감이 낮은 아이는 더 쉽게 게임이나 SNS에 빠지게 됨 ➡ 오프라인에서 할 수 있는 취미 활동을 하면서 중간에 포기하지 않고 끝까지 완성하도록 도와 성취감을 느끼게 하기

③ **게임으로 인해 초래될 수 있는 문제 언급하기:** 청소년들을 상대로 범죄 행각을 벌이는 어른들이 있음을 고지, 금전 거래로 인한 사기 행위를 안내하기

④ **스스로 깨닫고 통제 계획 세우게 하기:** 스스로 사용 시간을 짚어보고 통제 계획을 세우게 하기

사이다 톡 talk! 이 외에도 초등 기출문제로 나온 외모 꾸미기, 신조어 등의 지도 방안도 고민해 봐요. 외모 꾸미기에 대해 '꼰대적인 시각'에서 "학생이 무슨 화장이야."라고 말한다면 전혀 와닿지 않겠죠? 예뻐지고 싶은 마음을 이해하고 존중하되, 피부 건강이나 서클렌즈로 인한 안구건조증 유발 등을 언급하며 걱정하는 마음을 전달해야 소통이 원활하게 진행되겠지요! 그리고 남학생보다 여학생이 외모에 관심이 많은데, 여학생들의 외모 검열이나 과한 다이어트는 'THEME 50 양성평등 및 성인지 감수성'에서 살펴보듯이 사회에 뿌리 깊게 자리 잡은 성 불평등에 속하는 일이라는 것도 자연스럽게 이해할 수 있도록 교과 연계 수업을 하면 좋을 것 같아요. 신조어 교육은 아이들이 낯선 단어를 사용하고 있다면 바로 검색해, 부모님을 욕하는 단어라든지, 성에 관련된 비속어라면 그냥 넘어가지 않고 상담하거나 학급 차원에서 자치 시간을 활용해 프로젝트 학습으로 구성해 학생들이 언어의 뜻을 찾아보고 서로 토의하며 올바른 언어 사용에 대해 스스로 성찰할 수 있는 시간을 부여해야겠지요! 일방적인 지도를 넘어 스스로 깨닫게 할 방안을 모색해야 해요!

2025학년도에 나는교 사이다 – 나만의 [학생 문화 이해] 방안 고민하기

① 문화 선택과 그 이유:

교육 방안:

② 문화 선택과 그 이유:

교육 방안:

③ 문화 선택과 그 이유:

교육 방안:

36 마약·도박·디지털 성범죄 예방 교육 공

현장 이야기로 사이다열기

최근 SNS 등 인터넷을 통한 마약 거래 증가로 10~20대 마약사범이 증가하고 있다고 해요.
지난해 서울 강남 지역 학원가 일대에서 학생들을 대상으로 시음 행사를 가장해
마약이 든 음료를 마시게 한 사건이 발생하면서 마약 예방 교육의 관심과 필요성이 본격적으로 논의됐죠.
또한 최근 청소년들 사이에 스마트폰을 통한 사이버 도박이나 성범죄가 빠르게 퍼지고 있어
이 문제 역시 수면 위로 떠올랐습니다.
인터넷에서 클릭 몇 번으로 쉽게 접할 수 있기 때문에 마약·도박·디지털 성범죄 예방 교육은 특히 중요합니다.
학생들에게 마약·도박·디지털 성범죄 예방 교육을 효과적으로 제공하기 위해서는 학생들이 단순히 정보를 수용하는 것이 아니라,
적극적으로 참여하고 스스로 인식하며 행동을 변화시킬 수 있는 방법이 필요합니다.
이를 위해 참여형 교육과 실제적 학습 경험을 결합하는 것이 중요한데요.
자세한 교육 방법을 함께 고민해 봅시다.

#필요성 #방법

1 마약 예방 교육

(1) 청소년 마약 경험 현황

대검찰청의 《2023 마약류 범죄 백서》에 의하면 2023년 마약류 사범 중 20·30대 비중이 전체 54.5%를 차지했고(15,051명), 10대 청소년도 1,477명으로 전년 대비 3배 급증

(2) 청소년이 마약 범죄에 연루되는 과정

① 친구의 권유에 의해 호기심으로 접근
② 스스로 SNS를 통해 온라인으로 구입
③ 직접 병원을 방문해 허위로 처방

(3) 마약의 위험성

① 도파민을 과다 분비시켜 뇌세포와 중추신경계 파괴
② 감정 조절, 충동 조절의 어려움
③ 투약이 반복될수록 내성이 생겨 더 많은 양을 필요로 하는 약물중독 현상 발생
④ 강한 중독성으로 일상생활이 어려울 정도의 금단 현상 발생
⑤ 폭력, 성범죄 등 각종 강력 범죄와 연결

(4) 예방 교육 방안

① 가정과 연계: 가정통신문, 학부모 연수 등으로 청소년 마약 범죄의 심각성을 공유하고 공동의 연대를 통한 예방 교육

② 학교에서 주기적인 예방 교육

- 창의적 체험활동과 같은 교육과정 연계 학습: 실태를 보여주는 동영상 시청 후 토론 활동으로 마약 중독의 심각성과 문제점 각인
- 학생 주도 활동: 마약 예방 포스터 공모전, 마약 금지 캠페인 활동 등 학생이 주도적이고 능동적으로 문제를 해결할 수 있도록 행사 개최

③ 인터넷 사용 습관 점검: 온라인을 통해 접근한다는 사실에 기초해, 온라인 속 유해 정보와 상황을 스스로 분별해 차단할 수 있도록 디지털 리터러시 및 디지털 시민성 교육 시행

④ 현장과 지역사회와 합심한 협력 체계 구축: 전문가의 찾아가는 강연, 경찰청 및 한국마약퇴치운동본부 등 유관 기관과의 협의체 구성

2 도박 예방 교육

(1) 청소년 도박 문제 실태

연도	구분	비문제군	위험군*	문제군*	계
2018	경기(4,690)	94.2%	4.7%	1.1%	100%
	전국(17,520)	93.6%	4.9%	1.5%	100%
2020	경기(4,083)	98.0%	1.5%	0.5%	100%
	전국(15,349)	97.6%	1.7%	0.7%	100%

* 위험군: 지난 3개월간 도박 경험이 있으며, 경미한 수준의 조절실패 및 폐해 발생
* 문제군: 지난 3개월간 반복적인 도박 경험이 있으며, 심각한 수준의 조절실패 및 폐해 발생

출처: 2018년 청소년 도박문제 실태조사·2020년 청소년 도박문제 실태조사, 한국도박문제예방치유원

(2) 예방 교육 방안

① 인식 제고 및 예방 단계

- 학생 도박 문제 예방 교육 강화: 강연, 영화 감상 후 소감문 작성, 카드 뉴스 제작 등
- 역할극을 통한 학습: 학생들이 다양한 역할(피해자, 가해자, 목격자, 친구 등)을 맡아 시뮬레이션을 진행하고, 문제 상황에서 어떻게 대응해야 하는지 스스로 고민해 보게 함 ➡ 이후 소모둠 토론을 통해 느낀 점을 공유하며, 바람직한 행동과 잘못된 행동에 대해 분석함 ➡ 실제로 상황에 처했을 때의 감정과 대응 방식을 몸으로 체험함으로써 경각심을 높이고 실질적인 예방 행동을 익힐 수 있음

- **교원직무연수 및 학부모 도박 문제 예방 교육**: 도박 문제에 관한 관심 제고 및 대처 방법 등의 안내를 위해 연 2회(학기당 1회) 가정통신문 발송
- **학교 단위 도박 문제 예방 캠페인 운영**: 도박 문제 예방 홍보 포스터 및 리플릿 교내 배치, 등하굣길 피켓 캠페인, 예방 홍보영상 상영 등

② 대응 및 지원체계 구축 단계

- **전문기관 협력체계 구축**: 도박 전문기관인 한국도박문제예방치유원과 협력체계 구축
- **학교 내 대응체계 구성**: 학교 내 타 위원회와 중복 운영 가능

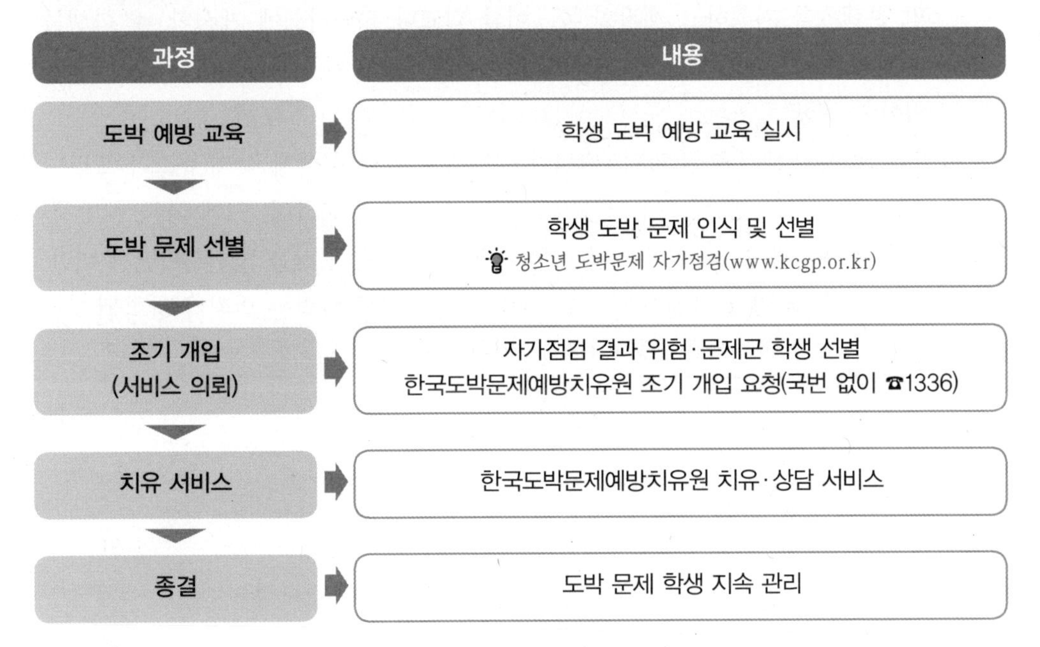

- **한국도박문제예방치유원 상담 및 치유 지원**: 도박 문제 학생에 대한 맞춤형 온·오프라인 프로그램 무료 운영

3 디지털 성범죄 예방 교육

(1) 디지털 성범죄 유형

① **지인 능욕**: 지인의 사진을 음란물과 합성하거나 모욕성 글과 함께 올리는 행위

② **몸캠피싱**: 음란 화상채팅을 유도해 이를 녹화하고 휴대폰에 악성코드를 전송해, 전송된 해킹 프로그램에서 탈취한 연락처로 영상을 유포하겠다고 협박하는 범죄 행위

③ **온라인 그루밍**: 성적 의도를 가지고 피해자에게 접근해 신뢰 관계를 쌓은 뒤 심리적으로 피해자 지배 ➡ 신체 촬영 등 성적인 가해 행동을 자연스럽게 받아들이도록 길들이는 행위

④ **불법 촬영**: 타인의 동의 없이 신체를 촬영하는 행위

⑤ **비동의 유포**: 촬영 동의 여부와 관계없이 유포에 동의하지 않았으나 촬영물을 유포 및 재유포하는 행위

⑥ **유포 협박**: 금전, 재회, 괴롭힘 등을 목적으로 성적 촬영물을 유포하겠다고 협박하는 행위

(2) 예방 교육 방안

① 피해 유형에 대해 인지시켜 디지털 성범죄에 대한 경각심을 가지도록 함

② **디지털 콘텐츠 제작 프로젝트**: 소그룹으로 나누어 각 그룹이 해당 주제와 관련된 창의적인 콘텐츠를 기획하고 제작한 후, 이를 학교나 지역사회에 게시함 ➡ 학생들이 교육의 수동적 소비자가 아닌 콘텐츠 제작자로 참여함으로써, 주제에 대한 깊이 있는 이해와 몰입이 가능함

③ **토론 및 문제 해결 중심 과제**: 디지털 성범죄와 관련된 실제 사례(뉴스나 드라마에서의 사건)를 제시하고, 학생들이 그룹별로 해당 문제를 분석하며, 그에 따른 예방책과 대응 방안을 도출하게 함 ➡ 학생들이 토론을 통해 자신의 생각을 발전시키면서 비판적 사고 능력을 기를 수 있고 자신이 생각한 예방 방안을 실천하려는 의지가 강화됨

37 자기주도학습 [공]

현장 이야기로 사이다 열기

임태희 교육감은 취임 전후로 자율, 균형, 미래 3원칙을 줄곧 강조해 왔습니다.
그중 자율의 원칙은 학생 스스로 역량을 점검·보완하는 학습 체제를 마련하는 것인데요.
탄탄한 기초학력을 기반으로 스스로 자신의 길을 개척할 수 있도록 여건을 마련하겠다는 것이죠.
즉, 기초학력과 자기주도학습의 중요성을 강조하고 있습니다.
자기주도 능력은 어쩌면 미래 사회에 가장 중요한 역량 중 하나라는 생각이 듭니다.
곳곳에 널린 정보를 자기의 필요에 맞게 취합하고, 기획하며 설계하는 능력이 그 어느 때보다 중요해진 시기임에 분명합니다.
이를 위해 학교에서는, 교사는 어떠한 노력을 해야 할까요?
경기교육에서 지향하고 있는 방향성에 맞추어 함께 고민해 봅시다.

#중요성 #교육_방안

All 기출 문장 및 빈도 체크

연도	자기성장소개서 (성)			집단토의 (토)			개별면접 (면)		
	초	중	비	초	중	비	초	중	비
2016									
2017									
2018									
2019									
2020									
2021	미시행								
2022									
2023							✓		
2024									

*공통 [공]

[23' [초][면]] 자신의 교직관을 바탕으로 제시문 (가), (나)에서 공통적으로 강조하는 것을 분석하고(자기주도학습 능력), 이를 실현할 방안을 3가지 제시하시오.

1 정의

학습자가 주체가 돼 학습 과정을 스스로 이끌어나가는 학습 활동으로 ➡ 학습의욕(동기), 학습전략(인지), 학습실천력(행동)으로 구성

(1) 학습의욕(동기): 학습을 시작하게 하는 내재적인 힘

① **자기 효능감**: 스스로의 능력에 대한 믿음, 과제를 성공적으로 수행할 수 있는지에 대한 자신감 ➡ 학습동기 유발, 학습과정에서 발생하는 문제를 극복할 수 있는 원동력

② **목표 지향성**: 학습을 하는 목적을 어디에 두고 있는지에 대한 방향성

- **학습목표 지향**: 학습이 즐거워 자신의 능력을 신장시키는 것에 목표를 두고 공부하는 것
- **수행목표 지향**: 자신의 능력이 타인에 비해 우월하다는 것을 나타내려는 목적 ➡ 좋은 성적을 받지 못했을 때 학습동기 상실

학습목표와 수행목표 지향성이 균형을 이룰 때 학업성취도 극대화

(2) 학습전략(인지): 학생이 자료나 정보를 기억하고 이해하는 데 사용하는 실제적인 전략

① **시연(rehearsal)**: 학습내용을 소리 내어 읽거나 특별한 단서를 활용해 반복 암기

② **정교화(elaboration)**: 새로운 지식과 기존의 지식 사이의 내적 연결

③ **조직화(organization)**: 학습내용 간의 관계를 논리적으로 구성 예 노트 필기

④ **학습점검**: 학습계획–학습점검–학습평가 예 오답 노트, 계획 점검·조정

(3) 학습실천력(행동)

① **시간 관리**: 주어진 시간을 최대한 계획적으로 사용하는 것 예 학습 플래너 작성

② **도움 요청**: 공부를 잘하는 학생들은 모르는 내용이 생겼을 때 도움을 잘 구함

예 스터디 그룹 조직, 교재나 참고서적 활용

③ **학습 전반에 대한 점검과 개선**: 시간 관리, 계획, 실천, 평가 활동에 대한 자율권을 학생이 가지고 있을 때 자기주도적인 학습자로 성장 가능

사이다 톡 talk! 이런 구성요소를 기억하고, 이를 강화시켜줄 역할에 대해서 고민해야 합니다.

2 중요성

① 학생들은 실시간으로 쏟아지는 정보의 홍수 속에 살고 있음 ➡ 제대로 된 정보 습득 능력을 갖고 지식 생산자로 활동하기 위해서는 자기주도학습 능력이 수반돼야 함

② 학생들이 가장 고민하는 공부 문제를 해결하기 위해 스스로 학습할 수 있는 힘을 길러 주어야 함

> **Q** 우리나라 13~18세 청소년이 가장 고민하는 문제
>
> **A** 공부(46.5%) ➡ 외모(12.5%) ➡ 직업(12.2%)
>
> 출처: 2021 청소년 통계, 통계청·여성가족부

③ 자기 스스로 목표를 세우고 공부하는 능력이 있어야 평생 학습 시대를 살아갈 수 있음
④ 코로나19로 시작된 온·오프 연계 활동으로 학생들의 자기주도 역량이 더욱 중요해짐

3 교사의 역할

(1) 내재적 동기 형성

학습 과정에서 학생의 선택 인정, 개방적인 학습 과정 구성, 공부를 해야 하는 이유 설명 ➡ 점진적으로 책임감을 학생에게 이양

(2) 각 교과에 적합한 공부 전략 소개

청킹, 범주화, 두운법, 노트 필기 방법 등

효과적인 노트 필기법!
- 자기가 이해한 문장으로 적기
- 복잡한 관계, 시대의 흐름 등은 그림, 도표, 연표 등을 사용하기
- 자주 나오는 지시나 주의 사항, 용어는 자신만의 기호나 약자로 표시하기

(3) 주의집중을 위한 수업 원리 활용

① 흥미를 유발할 수 있는 자극 선택
예 특징적이거나 대비적인 속성을 지니고, 학습자의 일상 및 경험, 현상과 관련된 것 등
② 기존에 알고 있던 지식이나 상식으로는 해결되지 않는 문제를 통해 호기심 유발
③ 시각·청각·촉각·운동 감각 등 다양한 수업 방식 활용
④ 경험 및 선행 학습과의 관련성

(4) 성찰 시간 부여

학습이 끝난 후 스스로 평가하고 반성하는 시간을 부여해, 자신의 학습 방법이 효과적이었는지 확인하고, 개선할 점을 찾도록 함

(5) 실패를 통해 배우는 바람직한 학습 행동

교사는 학생들의 실패를 '노력 부족'으로 돌려야 함 ➡ 능력을 탓하면서 학생을 동정하고 위로하면 열등감과 무력감을 느낌

(6) 멘토링 및 상담

학습 과정을 점검하고 어려움을 해결할 수 있는 멘토링 시스템을 마련해 학생들이 어려움에 부딪혔을 때 상시 도움을 받을 수 있도록 함 예 정기적인 학습 상담, 개인 맞춤형 조언 제공

4 자기주도학습을 유도하는 수업 방법

① **협동 학습**: 직소우Ⅱ, 학생팀 성취 분담학습(STAD), 팀 보조 개별학습(TAI: Team Assisted Individualization) 등 개인의 역할이 분명하고 협동을 병행한 학습은 학생의 자기주도학습 능력을 함양할 수 있음

② **프로젝트 중심 학습**: 학생들이 실제 문제를 해결하는 프로젝트를 수행하면서 학습하는 방식. 교사는 기본적인 가이드라인만 제공하고, 학생들이 주도적으로 자료를 탐색하고 문제를 해결하게 함 예 환경 보호와 관련된 프로젝트에서 학생들이 자료를 조사하고, 자신만의 해결책을 제시하는 과정
➡ 학습자가 학습을 설계하고 계획하며 결과물이나 수행을 만들어내는 과정에서 새로운 지식과 기술을 습득할 수 있음

③ **토론 학습**: 학생들이 서로 의견을 나누고, 협력해 문제를 해결하는 과정에서 자기주도적인 학습을 유도할 수 있음 ➡ 비판적 사고와 문제해결 능력을 키우는 데 유익함

④ **학생 주도 발표 수업**: 학생들이 수업 시간에 특정 주제를 맡아 직접 발표하거나, 토론을 주도하게 함으로써 학습 내용을 깊이 있게 이해하도록 유도함 ➡ 발표 준비 과정에서 자기주도적으로 학습을 진행하게 됨

⑤ **거꾸로 학습(flipped learning)**: 수업 전, 학생들이 교사의 강의나 학습 자료를 미리 학습하고, 수업 시간에는 이를 바탕으로 토론, 문제 해결, 프로젝트 등을 진행함 예 수학 수업에서 이론을 미리 동영상으로 학습하고, 수업 시간에 문제를 풀며 교사와 함께 해결하는 방식

2025학년도에 나는교 사이다 – 나만의 [자기주도학습] 방안 고민하기

38 다문화교육 공

현장 이야기로 사이다 열기

"모두에게, 모두를 위한 다문화 교육!"
다양한 문화와 인종이 공존하며 다문화 사회가 가속화되고 있습니다.
학교에서도 다문화가정 학생의 현황은 점점 늘어나고 있는데요.
중앙다문화교육센터 통계에 따르면 2010년 31,788명이었던 다문화가정 학생이 2023년 181,178명까지 늘어났다고 합니다.
다문화 시대에 살아가며, 이를 이끌어나갈 학생들이 세계시민 역량을 갖추기 위해서는 어떤 교육이 필요할까요?
이번 테마는 1급 정교사 연수에서 뵈었던 경기대학교 김연권 교수님의 〈다문화사회와 교사의 역할〉을 참고했습니다.
함께 살펴보겠습니다.

#정의 #교육_방안

All 기출 문장 및 빈도 체크

연도	자기성장소개서 성			집단토의 토			개별면접 면		
	초	중	비	초	중	비	초	중	비
2016									
2017									
2018									
2019									
2020									
2021	미시행								✓
2022	미시행								
2023				미시행					
2024				미시행					

*공통 공

[21′ 비면] 자신의 전공과 연계하여 다문화 감수성 함양 교육 방안을 제시하시오.

1 '다문화' 용어에 대한 성찰

(1) 필요성

초·중·고등학교 전체 학생 수는 감소한 반면, 다문화가정 학생 수는 증가 ➡ 올바른 교육, 용어 사용의 필요성 강조

(2) '다문화'라는 용어의 변질

① 문화적·인종적 다양성의 가치를 존중하는 긍정적 용어에서 우리 사회를 다문화화하는 사람들로 변질·고착

② 다문화 학생보다는 다문화가정 학생으로 명명하는 것이 적합함

나쁜예 "아, 이번에 전학 온 1반에 그 다문화?"

2 한국 다문화교육의 방향

(1) 방향

① 다문화가정 아동이나 이주민을 보호의 대상으로 여기지 않고, 그들의 문화적 특성과 요구를 적극적으로 반영해 인권의 관점에서 교육이 이루어져야 함

② 소극적 관용주의에서 벗어나 이들의 성장주기별·특성별 맞춤형 교육 필요

③ 다문화 감수성 함양을 중심으로 세계시민교육을 지향하는 방향으로 교육의 목표와 지향점 수정[교육부(2019. 03. 05.), 2019년 다문화교육 지원 계획]

(2) 대상

학교 안팎 다문화가정 청소년 및 모든 학생 ➡ 심리·정서적 지원, 생활 및 언어교육, 세계시민교육 등

(3) 성장단계별 다문화가정 학생 교육지원 방안(경기도교육청)

① 진입형: 다문화가정 학생의 공교육 진입과 초기 적응 지원

- 경기도형 다문화예비학교 운영
- 다문화학력심의위원회를 통해 다문화가정 자녀의 공교육 진입 지원
- **초, 중 징검다리 학교 운영을 통한 학교 진입 초기 지원**: 학교급 간 연계교육, 학교 편입학 전 초기 적응을 위한 입학 전 프로그램 운영
- **다문화 특별학급 지정 운영**: 다문화가정 학생의 초기 학교 적응 및 한국어 조기집중 교육 지원, 다문화 특별학급 편성 운영

② **적응형:** 다문화가정 학생의 교육 회복과 학업중단 예방 지원
- 교육 회복을 위한 맞춤형 교육 지원 강화
- **학교적응을 위한 심리·정서 지원 사업 강화:** 찾아가는 이중언어 심리상담 운영(러시아어, 중국어), 찾아가는 마음치료교실(전문기관 연계사업)
- 학교생활 부적응 중등 다문화가정 학생의 학업중단 예방 및 공교육으로의 복귀 지원을 위한 위탁형 다문화대안교육기관 지정 운영

③ **성장형:** 다문화가정 학생의 자아존중감, 꿈·희망 찾기 지원
- **다문화가정 학생 이중언어 교육 지원:** 교육 지원 및 다문화가정 학생 이중언어 말하기 대회 운영
- **다문화가정 학생을 위한 진로·진학 교육 프로그램 개발:** 진학 안내 자료 번역 제공

3 다문화교육을 위해 필요한 교사의 역량

① **다문화 수용성:** 교사가 다문화에 대해 긍정적이고 편견 없는 태도를 가지고 있는 경우 수업뿐만 아니라 생활지도 전반에 영향을 미침 ➡ 이는 잠재적 교육과정으로 학생들의 다문화 수용성 증진에 긍정적으로 작용할 수 있음

② **다문화교육에 대한 지식:** 다문화교육을 적절하게 실행하려면 이에 대한 교사의 지식이 선행돼야 하고 이를 학급 상황에 맞게 재구성해 다문화교육을 실천할 수 있어야 함

③ **수업 구성 및 운영 역량:** 다문화학생과 비다문화학생 모두의 다문화 수용성을 증진시켜 주기 위해서 교과와 창의적 체험활동 연계 다문화 이해교육을 구성하고 운영할 수 있는 역량이 필요함

④ **정보력:** 다문화학생을 지원해 주는 지역다문화교육센터, 다문화가족지원센터 등의 도움을 요청할 수 있는 정보력이 중요함

⑤ **현장 실천 역량:** 다문화학생이 새로운 학급에 전학 왔을 때 다문화학생에 대한 이해를 바탕으로, 학생을 지원해 줄 수 있는 다양한 정책과 사업에 대해 파악하고 해당 학급 학생에게 필요한 지원을 선별해 실제적으로 제공해 줄 수 있는 역량이 필요함

⑥ **다문화 수용성 증진 교육 실천 역량:** 다양성 인식, 관계성 증진, 반차별·반편견 의식, 세계시민의식과 태도를 가지는 것이 필요하고, 이를 다양한 교육 활동으로 재구성하는 능력이 중요함

④ 다문화가정 학생 지도 방안

① **이주 배경에 대한 정보 수집하기**: 책, 영상 등을 통해 학생이 경험한 문화에 대한 배경지식을 갖추고 특징적인 비언어적 표현을 습득해 활용함 ➡ 사전 탐색은 학생과 학부모를 더욱 잘 이해하겠다는 태도로 여겨져 상담 시 신뢰 관계를 형성하는 데 도움이 됨

② **개별적인 특성 파악하기**: 개별 학생의 성장 환경 및 이주 배경, 사회경제적 조건, 가족 특성, 지적·정서적 특성 등을 구체적으로 파악함

③ **심리적 지지자가 되기**: 이주배경학생은 관계 상실 경험이 많고 부모와의 애착이 잘 형성되지 못한 경우도 있어 심리적 지지가 필요함

④ **올바른 자아정체성 확립 지원하기**: 자신의 정체성을 긍정적으로 인식할 때 다른 사람과의 관계도 건강하고 안정적일 수 있음을 안내함

⑤ **학급 내 친구관계 형성 돕기**: 학급의 친구들에게 이주배경학생이 혼자 있을 때는 서로 친구가 돼주도록 부탁함. 고운 말투와 바른 대화법을 지도해 교우 관계를 개선하고 모둠활동을 강화해 소속감을 고취함. 필요시 다양한 배경을 이유로 차별하는 행동은 인권침해가 될 수 있다는 점을 모든 학생에게 교육함

⑥ **한국어 이해 및 기초학력을 위해 지원하기**: 생활한국어는 구사할 수 있으나 학습한국어 영역에 어려움을 보이는 경우 '스스로 배우는 교과서 어휘' 등의 교육자료를 제공함. 두드림학교, 학습종합클리닉센터 등과도 연계 가능

⑦ **이중언어교육 장려하기**: 이중언어능력이 미래 사회에 필요한 글로벌 역량임을 알려주어 자부심을 가지고 이중언어교육에 참여하도록 독려함 ➡ 이중언어 말하기 대회, 글로벌 브릿지 사업, 다문화언어강사 배치 등 각종 지원 제도를 활용함

⑧ **다국어로 정보를 제공하기**: 다국어로 제공되는 각종 교육자료와 가정통신문, 드림레터 등을 적극적으로 활용

- **다누리(다문화가족지원 포털) 웹사이트**: 13개 언어로 한국 생활 적응에 필요한 기본 정보와 다문화 관련 최신 정보를 제공함
- **경기다문화교육지원센터 웹사이트**: 33개 언어로 경기도 다문화교육 정책 안내, 학부모용 교육 관련 자료를 제공함
- 지역별 가족센터(또는 다문화가정지원센터), 다문화교육지원센터, 드림스타트 등 다문화가정을 지원하는 기관의 정보를 제공함

5 다문화 감수성 교육

(1) 정의

공동체의 구성원이 모두 다양한 문화적 배경을 가지고 있음을 수용하고 서로 다른 문화를 상호존중하고 이해하는 태도를 기르는 교육

(2) 교사의 역할

교사가 다문화에 대해 어떻게 인식하고 이해하느냐에 따라 학생들이 받아들이는 수업 활동의 내용과 질이 달라지고 결과가 달라질 수 있음

① 교과 융합으로 학생 중심·과정 중심 활동을 통해 학생 스스로 질문을 생성하고 타인의 의견에 경청하며 협력하는 태도 마련

② **교사 스스로 다문화 감수성 함양:** 인종에 대한 편견 성찰·타파, 타 문화에 대한 열린 태도

나쁜예 일본 사람은 나쁜 놈들이야, 베트남은 원래 그런 나라야

③ **다문화가정 학생에 대한 올바른 이해와 관심:** 정체성 혼란, 언어 및 문화 부적응에 대한 이해와 도움, 이중언어 교육 및 이중 정체성의 장점 언급 등

④ 대학생 다문화 멘토링 등 다양한 다문화 감수성 교육 프로그램 적극적 활용

(3) 교사의 역량 강화 방안

교원 대상 다문화·세계시민교육 연수 참여, 전문적 학습공동체

(4) 물리적 환경 조성

학교와 교사의 물리적 환경은 가르침과 배움의 전반적 분위기를 조성하는 중요한 요소 ➡ 포용적·참여 지향적 학습 환경 조성 ➡ 자기 생각을 말하고 의견을 표현하는 데 자유롭도록 상호 신뢰·존중이 기저에 있는 학습 환경 조성

① **다문화 세계시민교육 도서 공간 구성:** 평등, 정체성, 다양성, 세계 이슈 등을 반영한 도서나 이중언어 동화책 등 구비 ➡ 독서 및 토론 활동 장려

② **다문화 세계시민교육 테마형 교실 및 교구 마련:** 유휴 교실 중 하나를 교육 공간으로 구성 ➡ 세계 여러 나라의 놀이도구, 도서, 학습자료 등을 상시 비치 ➡ 타 문화에 대한 친숙함 증진, 다문화적 수용성과 감수성, 세계시민적 자질을 높이는 토대 마련

③ **복도, 학급 게시판에 다문화, 세계시민 내용 전시:** 세계 여러 나라의 문화, 언어, 최신 이슈 등을 게시

④ **다문화가정 밀집지역 교육력 제고:** 이중언어 교육에 대한 현장의 관심을 제고하기 위한 전국 이중언어 말하기 대회 개최 등

사이다 톡 talk! 경기도교육청은 2022년 9월 3일 이중언어 말하기 대회를 개최했어요. 대회 참가자들은 한국어로 먼저 이야기하고 이어서 부모의 모국어인 중국어, 러시아어, 프랑스어, 일본어 등 다양한 언어로 '나'와 '나의 진로'에 대해 발표했지요. 이 대회는 다문화가정 학생에게 강점이 될 수 있는 이중언어 학습을 장려하고 다양한 언어와 문화를 접하는 기회를 확대해 글로컬 역량을 높이는 행사로 자리매김하고 있답니다. '글로컬 인재'란 표현은 이번 임태희 교육감이 유독 강조하고 있는 단어이므로 적극 활용해 주세요.

(5) 지역사회와 연계

도서관, 박물관 다문화 프로그램과 연계

사이다 톡 talk! 경기도 정왕어린이도서관에서는 다문화 프로그램을 지속적으로 운영하고 있다고 해요. 여러 나라의 전통의상, 전통놀이, 전통악기의 3가지 주제 중 한 가지를 선택해 이주민 교사와 소통하며 다양한 나라의 생활상을 알아보고 직접 체험하는 방식이랍니다. 그 과정에서 어린이들은 세계 곳곳의 문화에 대한 배경지식뿐 아니라 이해와 존중의 가치를 자연스레 배울 수 있게 될 텐데요. 이러한 지역 자원을 잘 이해하고, 체험활동을 추천하겠다는 교사의 실천 방안이 포함되면 좋겠죠.

(6) 교육 제도

① **초·중·고 학교급별 교육과정 연계**: 교과, 비교과 연계를 통해 연간 2시간 이상 다문화 교육 운영 필수, 다문화가정 학부모 진로·진학 연수 확대, 비다문화가정 학부모 다문화 감수성 연수 도입

② **상호문화이해학교 운영 확대를 통한 다문화 감수성 신장**: 교육과정·교과연계교육·방과후학교·학교행사 등을 통해 다양한 방법으로 다문화교육을 적극 운영, 세계시민교과서 연계 교육 활동 개발·적용

(7) 유의점

① 국내 출신, 중도 입국, 외국 출신, 탈북학생 등으로 세분화해 접근해야 함

② 지역 특성에 맞는 맞춤 교육 필요

6 다문화교육을 위한 관련 기관

① **경기도형 다문화 예비학교**: 한국어 교육과 학교생활 적응 교육 실시

② **다문화 특별학급**: 다문화가정 학생의 조기 적응과 맞춤교육 지원을 위해 다문화가정 학생 밀집지역 초·중학교에 개설된 특별학급 ➡ 정규 교사 지원

③ **한국어 학급**: 학교 밖 다문화가정 자녀들의 공교육 진입을 위해 ➡ 경기도 내 초·중학교에 개설된 한국어 집중 교육프로그램

④ **중도 입국 자녀 한국어교실**: 중도 입국 자녀의 한국어 능력과 한국 문화 이해를 돕기 위해 한국어 강사가 지원되는 1:1 맞춤형 한국어 집중 교육 프로그램

⑤ **위탁형 다문화대안교육기관**: 중·고등학교 다문화가정 학생 중 한국어 및 학교생활 부적응 등의 이유로 학교생활이 어려운 학생을 위탁받아 운영하는 교육기관

⑥ **상호문화 이해학교(다문화 중점학교)**: 다문화가정 학생과 일반 학생 간의 어울림 통합교육 프로그램을 운영하고 일반화시키기 위해 노력하는 학교

⑦ **미래 국제학교**: 다문화가정 밀집지역에 다문화 학생과 일반 학생이 함께 어울려 언어교육을 중심으로 각 나라의 문화, 역사, 철학 등 다양한 학습을 통해 스스로 성장하고 세계에 공헌할 수 있는 미래 사회에 적합한 세계시민 육성을 목표로 하는 학교

사이다 톡 talk! 이런 기관을 알고, 연계하겠다고 답변하면 좋겠죠. 단! 교사의 역할이 먼저 선행돼야 해요. 이런 기관부터 언급하며 마치, 다문화가정 학생을 전적으로 맡겨버리겠다(?)는 느낌이 아니고, 교사가 먼저 할 수 있는 방안을 언급하고 이러한 제도들도 필요하다면 연계하겠다고 살짝 양념을 치는 형식으로요!

2025학년도에 나는교 사이다 – 나만의 [다문화 감수성 교육] 방안 고민하기

39 특수교육·통합교육 공

현장 이야기로 사이다열기

"누구보다 저력이 있었던 만능 스포츠맨"
특수교육 대상학생에 대해 '많이 도와줘야지', '학급친구들과 잘 어울릴 수 있게 해야지' 정도로만 생각하고 있었어요.
우리 반 만능 스포츠맨을 만나기 전까지요!
2년차 학급에 다리가 불편한 친구가 있었어요. 하지만 이 친구는 운동의 신이었습니다!
주 종목은 탁구! 불편한 하체에 힘도 기르고 자유로운 상체를 원활하게 쓸 수 있는 탁구를 엄청 잘해서
장애인탁구대회에서 금메달도 따고, 교내 스피드스택스대회에서 동메달을 수상하기도 했습니다.
만능 스포츠맨이었던 저의 제자를 가르치며 약점 보완이 아닌 강점을 바라보는 계기가 됐어요.
특수교육과 통합교육 방안을 통해 현장에서 어떠한 자세로 학생들을 바라보고 학급 운영을 해나갈지 고민해 봅시다.

#유의_사항 #교육_방안

1 용어 이해

① **특수교육대상자**: 특수교육을 받는 학생으로 모두가 장애인인 것은 아님

특수교육대상자	장애인
'학습의 어려움'에 중점 (교육부 지정)	'삶의 어려움'에 중점 (보건복지부에 등록)

② **특수학급**: 특수교육대상학생이 배치된 학급

③ **통합학급(교육)**: 특수교육대상학생이 통합교육을 받는 학급, 특수교육대상자가 일반학교에서 장애 유형·장애 정도에 따라 차별을 받지 아니하고 또래와 함께 개개인의 교육적 요구에 적합한 교육을 받는 것(장애인 등에 대한 특수교육법 제2조 제6항)

2 특수교육

(1) 특수교육대상자 선정 절차

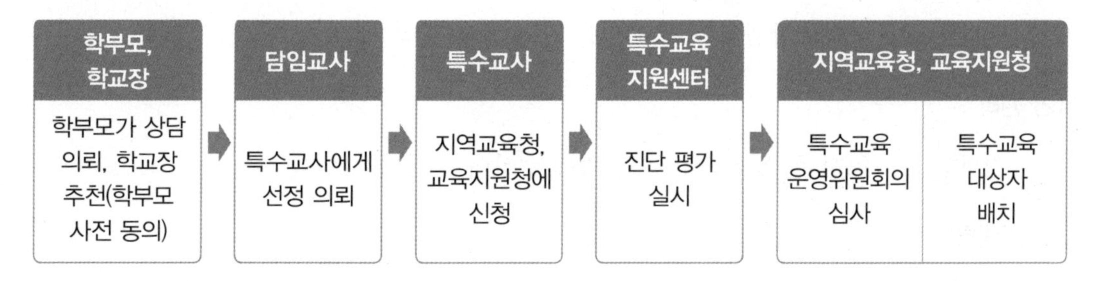

(2) 특수교육 지원 확대 정책

① 복합 특수학급 확대 운영

> **복합 특수학급이란** 중도중복장애학생의 통합교육을 위해 일반학교에 설치하는 전일제 형태의 특수학급. 중도중복장애 특성에 적합한 교육과정과 집중적인 특수교육 관련 서비스를 제공

② **병원학교 확대 운영:** 만성질환 치료로 학업중단위기에 있는 건강장애 및 중도중복장애학생을 위해 지역별·병원 등 수요조사 및 지역사회의 병원학교 추가 설치(병원 내에 설치)

③ **대학 연계 특수교육 봉사학습 도입:** 특수교육 전공 대학생 등 예비교원이 유·초·중·고·특수학교에 재학 중인 특수교육대상학생을 대상으로 자발적이며 교육적인 방법으로 전문화된 봉사활동 도입

3 장애를 보는 시각

① 장애(인)가 불쌍하고 도움이 필요한 존재라는 인식을 강화하지 말아야 함 ➡ 장애인을 시혜, 동정의 대상으로 여기거나 특별한 어떤 시각으로 보는 것이 아닌 단지 장애가 있는 평범한 사람으로 보는 시각이 필요

② 무조건 칭찬하는 것도 편견일 수 있으므로 정당하고 합리적인 시각으로 봐야 함

③ 무조건적 도움보다 필요한 부분을 지원하며, "어떻게 해주면 되니?" 하고 먼저 물어봄

4 통합교육

(1) 정의

장애학생과 비장애학생이 함께 수업을 받는 교육 방식

(2) 원리

장애인도 가능한 한 정상적인 문화 속에서 살아야 한다는 철학

(3) 기대효과

구분	기대효과
비장애학생	• 공감 능력 및 협동 능력 향상 • 인간의 다양성 수용, 유연한 사고 • 장애를 가진 학생에 대한 편견 타파 • 장애로 인한 제한을 극복하는 모습에 동기 부여
장애학생	• 분리교육에서 초래할 수 있는 낙인과 고립감에서 탈피 • 비장애학생과의 동등한 교류를 통해 자존감 향상 • 또래 학생들과의 상호작용을 통해 의사소통 능력과 적응력 함양

(4) 교육 방안

① 유의 사항

- 학급 아이들에게 장애를 모든 사람이 지니고 있는 특성 중 하나로 받아들이도록 지도
  ➡ 친구를 비하하는 말로 '야! 이 장애인아' 등의 부적절한 표현을 쓰지 않도록 지도
- 몸이 불편하다고 체험학습, 체육대회 등에서 제외하는 것이 아닌 함께 활동해 원활한 사회적 관계를 형성할 수 있도록 지원
- 자립심을 잃지 않도록 지나친 도움 삼가

② 학급 운영 및 교과 지도 방안

학급 운영	교과 지도
• 학생에 대한 관심 가지기, 이름 불러주기, 눈 맞춤하기 • 문제행동이 반복될 경우 특수학급 교사와 협동 지도하기	
• 조·종례 시간을 통해 학급구성원들의 수용적인 태도와 배려가 특수교육대상학생들의 학교생활 적응에 큰 도움이 됨을 지도하기 • 정해진 규칙을 똑같이 적용하기 예 복장, 청소당번, 1인 1역 등 • 각종 행사 참여하게 하기	• 주의집중 시간이 짧고 이해하기 어려운 내용이 많아 흐트러질 수 있으나 일부 시간 동안이라도 바른 자세를 유지하고 수업을 경청할 수 있도록 지도하기 • 수업활동 중 특수교육대상학생이 부분적으로라도 참여 가능한 활동과 방법을 고민하기

사이다 톡 talk! 임태희 교육감은 전국 최초로 특수학교 학생들에게 '활동중심 체험형 영어 수업'을 지원하겠다고 발표했어요. 특수학교 영어교육을 위해 원어민 강사가 놀이·활동 중심으로 영어교육을 진행하며 오감체험을 통해 상황에 맞는 표현을 익힐 수 있도록 하겠다는 것이에요. 발달장애, 시각장애, 청각장애 학생들도 재미있게 영어 학습을 할 수 있도록 스킨십, 맛보기, 문장 보고 이해하기 등 다양한 감각을 활용할 수 있다는 점에 주목해야 합니다! 이런 방향성을 고려해 교과 수업 방안을 고민해 봅시다.

2025학년도에 나는교 사이다 – 나만의 [통합교육] 방안 만들기

합격자의 달달한 조언! 달달함 +1

중등 특수 면접 및 통합교육 문제 답변 전략

면접 연습 시 특수교과에서 흔하게 언급되는 단어를 사용하면 좋습니다. 제가 응시했던 2017학년도 2차 면접 문제는 특수교사가 되고 싶어 하는 학생의 진로 상담을 하는 것이었습니다. 저는 이 문제를 학교생활과 관련지어 '또래 도우미', '모델링', '사회적 통합'이라는 키워드와 연결했습니다. 말로만 진로 상담을 하는 것이 아니라 특수교사가 되고 싶어 하는 학생에게 역할을 부여하고 그 과정에서 느끼는 것을 통해 특수교사라는 직업에 더 다가갈 수 있도록 할 것이라고 답변했습니다. 답변 중에 봉사, 책임감, 사명감이라는 단어들은 쓰지 않았습니다. 이러한 단어는 통합교육을 받는 학생들을 단순히 장애를 가져 돌봐야 하는 대상처럼 여기고 있기 때문입니다. 스스로 할 수 있는 존재, 교육을 통해 성장할 수 있는 대상으로 보고 접근하는 것이 중요합니다. 이러한 몇 가지 단어들이 별것 아닌 것처럼 보여도, 당락을 가르는 주요한 관점이라고 생각합니다.

2017학년도 합격자 안희진 선생님

THEME 40~50
현장 문제 해결 방안

★★★ 빈출주제

학생 문제
- THEME 40. 문제행동 학생
- THEME 41. 위기 학생
- THEME 42. ADHD 학생

수업 문제
- THEME 43. 교육 약자
- THEME 44. 수업 문제 상황

관계 문제
- THEME 45. 갈등 문제
- THEME 46. 회복적 생활교육
- THEME 47. 학부모와의 소통 및 연대

문화 문제
- THEME 48. 청렴 문화
- THEME 49. 갑질 및 직장 내 괴롭힘 대응
- THEME 50. 양성평등 및 성인지 감수성

9개년 출제 유형 분석

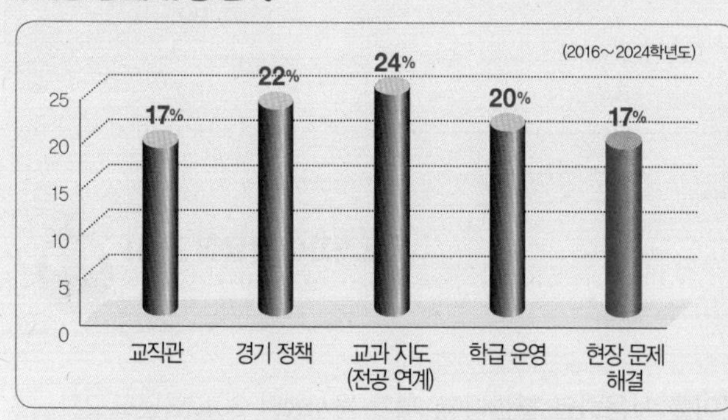

빈출주제 BEST 3(공동)

① 갈등 문제 해결 방안

② 학부모 소통 및 연대

② 수업 문제 상황 해결

- 기출문제의 단골 유형인 '현장 문제 해결 방안'을 마련하기 위해 출제 패턴에 맞게 학생 문제, 수업 문제, 관계 문제, 문화 문제로 유형화했습니다.
- 학생 문제는 크게 문제행동을 일으키는 학생과 위기에 처해 있는 학생으로 구분해 접근 방법을 함께 고민하고자 합니다. 수업 문제는 수업을 진행하면서 겪을 수 있는 문제 상황에 대해 알아보고 대응 방안을 살펴보겠습니다. 관계 문제는 학교의 다양한 교육 주체들 간의 갈등 양상과 해결 방안을 볼 것이며, 마지막으로 문화 문제는 기존 학교의 문화를 개선하기 위해 현장에서는 어떠한 노력을 하고 있는지 알아보겠습니다.

만점 대비 공부법!

무엇보다 '실질적 적용 방안'에 대해 많이 고민해 보셔야 합니다. 나라면 이 상황을 어떻게 해결할 것인지 생각하며 자기만의 해결 방안을 꼭 마련해 두세요. 또한, 문화 개선을 위한 현장의 노력을 파악하고 이에 발맞추어 봅시다.

★★★
40 문제행동 학생 공

현장 이야기로 사이다열기

신규 교사 시절에는 문제행동 학생을 대하는 일이 그저 너무 고단하고 힘이 들었습니다.
'나'라는 사람에게 화를 내거나 '내 지도'에 불응한다고 생각해서 자존감도 낮아졌고요.
하지만 경력을 한 해 두 해 쌓으며, 많은 경험을 통해 깨달은 점은 문제행동에는 분명한 원인이 있고,
그 원인은 대부분 학생 스스로 견디기 버거운 문제이기에 세상에 화를 내고 있는 것이란 거예요.
학생의 세상이란, 학교가 거의 전부이기에 학교 안에서 문제행동을 반복하는 거죠.
자신도 방법을 모르겠으니 무의식적이고 반복적으로 문제행동을 하게 되고,
자각은 하지만 제어가 안 돼 자신도 많이 힘들어 하더라고요.
교사인 우리가 학생이 처한 환경까지 해결해 줄 순 없지만 학생의 마음을 다잡는 데에는 도움을 줄 수 있지 않을까요?
효과적인 방안을 함께 고민해 봅시다.

#지도_방안

All 기출 문장 및 빈도 체크

연도	자기성장소개서 성			집단토의 토			개별면접 면		
	초	중	비	초	중	비	초	중	비
2016									
2017									✓
2018									
2019				✓					
2020								✓	
2021	미시행								
2022									
2023									
2024									

*공통 공

[20' 중면] 면담 시 다른 곳 응시, 잦은 지각, 수업 중 다른 행동을 하는 학생을 지도하는 방안을 말하시오.
[19' 초토] ADHD 학생의 행동을 모방하는 학생의 담임을 맡은 A 교사를 지원할 수 있는 협력체제와 그 역할에 대해 논하시오.
[17' 비면] 교복을 입지 않고 등교하는 학생을 어떻게 지도할지 평가위원을 학생이라고 가정하고 말하시오.

1 주안점 (기출)

① 교사가 마음을 먼저 열고 우호적인 관계를 형성하면 학생은 교사를 신뢰하고 자신의 마음을 솔직하게 털어놓을 수 있음

② 학생생활교육위원회(선도) 등 규정이나 절차를 도입하기 전에 상담을 통해 학생의 마음과 감정을 들어보는 시간을 갖고 원인 파악을 위해 노력해야 함

사이다 톡 talk! 요즘 뉴스를 접하다 보면, 갈등이 발생할 때 소통이나 대화 없이 '법대로 하자'는 분위기가 만연한 사회가 돼 버린 것 같아 안타까울 때가 있어요. 작은 사회인 학교 역시 이 모습을 그대로 닮아 있죠. '절차나 규정'을 적용하기 전에 대화, 상담 등을 시도해 보려는 노력이 차가운 공간을 따뜻하게 바꿔나가는 데 기여할 것입니다.

③ 문제행동 학생뿐 아니라 다른 학생의 학습권, 교사의 교권 또한 소중한 권리임을 서로 인지하며 접근해야 함

④ 학생의 습관이 개선될 때까지 꽤 시간이 걸릴 수 있음을 이해하고 사소한 관심을 보이거나 감정을 궁금해하고, 주기적인 개인 상담을 병행해야 함

⑤ 자존감이 낮을 때 문제행동을 일으키는 경우가 많으므로 관심 있게 지켜보고 작은 일에도 크게 칭찬하며 자존감 형성에 도움을 줘야 함

⑥ 교사 혼자만의 책임과 해결이 아닌 동료 교사, 학부모, 지역사회와의 연대를 통해 해결할 수 있어야 함

사이다 톡 talk! 그동안 학생 인권이 강조되는 분위기 속에서 '인권 침해'란 이유로 많은 것들을 포기해야 했어요. 하지만, 같이 수업을 받는 학생들의 인권과 학습권, 교사의 교권도 무척이나 소중한 권리입니다. 상호존중하는 분위기를 형성해 학교란 공간에서 그 누구도 상처받는 일이 없길 바랍니다.

2 교사에게 화를 내거나 지도에 불응하는 학생

① 화를 잘 내고 공격적인 학생에 대한 교사의 관점
- 아동·청소년기에는 분노나 슬픔과 같이 강렬한 감정을 느낄 때 이성적인 판단이나 생각을 하지 못하는 것을 이해해야 함
- 행동의 이면을 이해하되, '용납될 수 없는 행동'에 대해 한계 설정을 분명히 해야 함

② 잠깐 멀어져 감정 가라앉히기: 교과 수업이나 생활지도 중 교사와 대립각을 세우는 학생을 마주했을 때 바로 일을 처리하고자 하면 서로 감정적으로 해결할 수 있음. 사안이 발생한 장소가 아닌 곳으로 옮기거나, 언제 어느 시간에 만나자고 약속해 서로 감정을 가라앉힌 후 상담하는 것이 좋음

③ 학생의 이야기 들어보기: 학생이 화를 내거나 지도에 불응한 이유에 대해 이야기를 들어봄 ➡ 자신의 마음을 표현하고 이해의 말을 듣는 것만으로 마음이 진정될 수 있음

④ **나의 감정 전달하기**: 그 자리에서 느낀 교사의 감정을 '교사의 입장'에서 전달함, 학생을 탓하거나 다그치지 않음
⑤ **약속 맺기**: 교사와 학생의 입장을 서로 주고받으며 앞으로의 해결 방안에 대해 같이 이야기를 나눔
⑥ **학부모 및 담임교사와 연대하기**: 상담 전후로 담임교사와 학생에 대한 이야기를 나누며 지도 방안을 공유하거나 학부모님과 공유해 효과적인 해결 방안을 모색함
⑦ **천천히 다가가기**: 이후 small talk, 작은 관심 등을 내비치며 관계 회복을 위해 천천히 다가감

사이다 톡 talk! **교사와 라포르를 형성하지 않으려는 학생에 대한 지도 방법** 기억에 남는 학생이 있어요. 또래 친구들과는 아주 잘 지내지만, 교사와 라포르 형성을 하지 않으려는 친구였지요. 교칙을 지키는 것에 거부감이 심하고 훈화의 말을 하면 대놓고 부정적인 피드백을 던져 당황을 시키곤 했습니다. 단순히 저를 싫어하는 줄 알고 울기도 많이 울고 수업에 들어가기 싫었습니다. 이 문제를 해결하고 싶어서 담임 선생님, 주변 선생님에게 상황을 설명하고 도움을 요청하니, 그 학생은 직전 연도에 선생님과 안 좋은 일이 있었고, 가정환경 문제로 어른에 대한 부정적인 인식이 심겨 있더라고요. '선생님들은 엘리베이터를 타면서 우리에겐 타지 말라고 한다.', '어른들은 호통치면서 학생들한테만 조용히 하라고 한다.' 등등 과거의 경험으로 교사에 대한 선입견을 만들고 곁을 내어주지 않았던 것입니다. 이런 친구들에겐 시간이 필요합니다. 저는 원인을 파악하고 학생이 그런 마음을 가질 수 있다는 것을 이해했어요. 그리고 학생의 관점에서 비합리적인 어른들의 행동이 무엇인지 고민해 보며 신뢰를 쌓고자 했어요. 점차 개인적인 대화의 빈도도 높여갔고요. 한 학기가 지나고, 1년이 지나며 점점 더 그 학생과 가까워질 수 있었답니다. 이 사건을 계기로 '원인 파악', '공감과 소통'의 중요성을 다시 한번 깨닫게 됐어요.

3 지각이 잦은 학생

① **원인 파악하기**: 지각의 원인이 무엇인지 파악해야 함 ➡ 생활 습관, 가정환경, 교통 문제 등 다양한 원인이 존재함
② **약속 맺기**: 어떤 이유든 지각에 관한 규정은 일관적으로 적용돼야 함을 스스로 깨닫도록 이야기를 나눔 ➡ 시간 약속의 중요성 강조, 담임교사로서 도와줄 수 있는 일이 있다면 함께 돕겠다고 이야기함
③ **가정과 연대하기**: 학부모님께 상황을 말씀드리고 협조를 부탁함
④ **긍정적 강화하기**: 약속을 잘 지켰을 때는 구체적인 근거를 들어 칭찬하고 행동을 한 즉시 칭찬함 예 "OO이가 스스로 일찍 일어났다니 매우 기특하네. 잘했어" ➡ 학생의 작은 변화를 진심으로 칭찬하면 학생은 교사를 신뢰하고 학생 스스로 노력을 하게 됨

4 교칙 불이행 학생

(1) 이해 및 학생의 생각 듣기

① 또래와 어울리고 싶으면서도 차별화되고 싶은 청소년기 마음을 먼저 이해함
② 문제행동에 대한 학생의 생각을 들어봄(무슨 마음이었는지, 어떤 감정이었는지)
③ 학생이 생각할 때 비합리적인 교칙이 있다면, 이것을 어기는 것이 아닌 학급회의 및 학생자치회에 건의해 절차에 따라 바꿔야 함을 인지시킴

(2) 깨달음 부여하기

① 사회에는 규칙과 법이 존재하고 작은 사회인 학교에서 역시 이것을 지켜야 함을 스스로 깨닫도록 대화함
② 교칙 불이행으로 인해 공동체 질서가 깨지는 것을 이해시키고 책임감을 부여함

(3) 약속 맺기

강요가 아닌 스스로 깨달음에 의해 질서를 지킬 것을 약속하고 행동의 변화를 기다리며 긍정적 강화를 함

5 학급 분위기를 저해하는 학생

① **상황 파악하기**: 해당 학생, 담당 교과 교사, 학생들의 의견을 수렴해 객관적으로 문제 상황 판단을 해야 함
② **원인 파악하기**: 학급 친구들과의 갈등 때문인지, 개인적 행동 조절 실패인지, 주의력 결핍 때문인지, 교과교사와의 갈등인지 학생 및 학부모와의 상담을 통해 문제의 원인을 정확하게 파악해야 함

사이다 톡 talk! 주의가 산만해 학급 면학 분위기를 저해하는 친구가 있다고 해서, ADHD(주의력결핍-과잉행동장애, Attention-Deficit Hyperactivity Disorder)일거라고 섣부르게 판단하지 않도록 주의해야 해요. 발달 과정에서 나타나는 주의산만과 충동적인 모습은 올바른 지도를 통해 점차 개선될 수 있으므로 그 방법에 대해 충분히 이해해야 한답니다! 적절한 지도에도 불구하고 지속되거나 학급의 분위기를 해치는 경우에는 ADHD라고 판단하기 전에 전문가나 전문기관의 도움을 받아야 해요.

③ **학생의 생각 듣기**: 스스로 문제라고 생각하는 점, 변하고 싶은 방향 등에 대해 고민하고 다짐할 시간을 부여하고 경청함
④ **공동의 노력으로 해결하기**: 해당 학생, 학급 친구들, 교과교사, 동 학년 교사들과 공동의 노력으로 해결해야 함

★★★

41 위기 학생 공

현장 이야기로 사이다열기

매해 담임을 맡을 때마다, 교실 안에 위기에 처한 학생이 항상 존재했습니다.
원인도 다양하고 위기의 형태도 다양해서 어떻게 접근해야 맞는 것인지 고민했던 적이 많습니다.
이 과정에서 교사가 반드시 알고 있어야 할 지도 방법이 존재하기도 합니다.
위기의 유형과 절차 등을 통해 다양한 유형의 위기 학생들을 어떻게 효과적으로 지도할지 살펴보겠습니다.
무엇보다 중요한 것은! 어떠한 정책을 적용하기 전에 교사의 관심과 애정 어린 조언으로 학생을 이해하고
정서적인 지지를 해야 한다는 것입니다.
그 뒤에 제도를 적용해야만 합니다.

#지도_방안

All 기출 문장 및 빈도 체크

연도	자기성장소개서 성			집단토의 토			개별면접 면		
	초	중	비	초	중	비	초	중	비
2016									✓
2017									
2018							✓	✓	
2019									
2020								✓	
2021	미시행								
2022									✓
2023									✓
2024									

*공통 공

[23' 비면] 가족 간 갈등으로 스트레스를 느끼는 학생이 증가하는 상황에서 자신의 교과와 연계하여 지역사회와 함께하는 건강회복 프로그램 방안을 말하시오.

[22' 비면] 우울감을 느끼는 학생이 증가하는 상황에서 자신의 교과와 연계하여 지역사회와 함께하는 건강회복 프로그램 방안을 말하시오.

[20' 중면] 자해를 시도한 학생의 지도 방안을 말하시오.

[18' 중면] 담임교사로서 학업중단에 빠진 학생을 지도하기 위한 방안을 말하시오.

[18' 초면] 가정폭력이나 아동학대가 의심되는 학생이 있을 때 교사의 행동 조치를 말하시오.

[16' 비면] 직무와 관련하여 위기 청소년을 어떻게 발견하고 도울 것인지 말하시오.

1 위기 청소년 정의

가정 문제가 있거나 학업 수행 또는 사회 적응에 어려움을 겪는 등 조화롭고 건강한 성장과 생활에 필요한 여건을 갖추지 못한 청소년(청소년복지 지원법 제2조 제4호)

예 우울증, 불안장애 학생, 자해 및 자살 시도 경험 학생, 아동학대 의심 학생, 학업중단위기 학생 등

2 위기 학생 유형별 지도 방안

(1) 우울증이 있는 학생

- 2022년 중·고등학생의 스트레스 인지율: 고등학생 43.0%, 중학생 39.8%
- 2021년 청소년 사망자 수는 전년 대비 1.3% 증가한 1,933명 ➡ 사망 원인은 고의적 자해(자살) ➡ 안전사고 ➡ 악성신생물(암) 순

출처: 2023 청소년 통계, 통계청·여성가족부

① 청소년 우울증

- **주요 특징**: 무기력함보다는 짜증과 예민함, 충동적인 행동 등이 나타남
- **가면 우울증 증상**: 우울한 기분이 마치 가면을 쓰고 있는 것처럼 겉으로 드러나지 않아 주위에서 알아채지 못하는 경우가 있음 ➡ 드러내지 않으려고 해도 신체증상, 비행, 공격적 행동 등으로 표출되며 갑작스러운 문제행동을 보이기도 함

② **개입이 필요한 이상 징후들**: 자살을 시도하려는 청소년들은 어떤 방법으로든지 자신의 죽음에 대해서 알리고 표현하는 경우가 많으므로 이를 미리 알아채고 마음을 다독일 수 있도록 주변 어른들의 따뜻한 관심과 세심한 관찰이 필요함

- 평소 잘 하지 않던 주변 정리를 할 때
- 갑자기 성적이 급격히 하락할 때
- 섭식과 수면 습관에 변화가 생길 때
- 짜증, 분노가 많아질 때
- 죽음에 대한 얘기를 많이 할 때
- 무모하고 위험한 일에 가담해서 사고가 발생했을 때
- 약이나 칼 등을 찾을 때

③ 무기력하고 우울한 학생들을 도와주는 방법

- 학생이 마음을 표현할 수 있도록 눈높이에서 대화를 시도하며 진정성 있게 이야기를 들어주기 예 ○○아, 수업 마치고 선생님과 얘기 좀 나눌래? 요즘 들어 표정이 어둡고 기운도 없어 보여서 혹시 무슨 일이 있는 건 아닌지 걱정돼.

- 학생을 이해하기 위한 노력과 관심, 돕고 싶은 마음을 전달하기: 학생도 혼자가 아니라는 생각이 들고 마음의 문을 열 수 있음 예 ○○아, 선생님이 모든 것을 다 알 수는 없겠지만, ○○이를 이해하기 위해 노력하고 도움도 되고 싶어. 우리 같이 방법을 찾아보자.
- 무기력감을 보이는 학생을 게으름이나 꾀병으로 판단하거나 비난하지 않고 시작에 대한 응원과 격려, 성취감을 경험하도록 돕기: 교사의 진심 어린 격려와 지지는 학생의 변화를 점차 이끌어낼 수 있고 용기를 얻는 데 많은 도움이 됨 예 "○○아, 애썼다.", "참 수고 많았다.", "○○이가 충분히 노력했구나."
- 학급 내에 모둠 활동, 소그룹 동아리 활동을 장려해 자연스럽게 친구들과 어울릴 수 있는 기회를 만들어 주고, 학생들 사이에서도 서로 관심을 갖고 인사를 나누는 분위기를 만들어 줌
- 학급 내에서 멘토링을 실시해 친구가 힘든 이야기를 할 때 서로 들어주고 도와주는 역할을 할 수 있도록 교육함
- 교내 위(Wee)클래스를 포함해 위(Wee)센터, 청소년상담복지센터, 정신보건복지센터 등에서 심층적인 상담을 받을 수 있음을 안내하고 도움을 받을 수 있도록 함

(2) 불안장애가 있는 학생

① 특징

- 학교생활: 주변 사람들이 자신을 어떻게 생각할지 지나치게 걱정 ➡ 자기 의심, 자기 비하, 시험 시 시간초과, 체육활동 회피
- 또래 관계: 학기 초 친구 맺기에 대한 두려움, 소극적 의사 표현, 부탁을 거절하지 못함
- 가족 관계: 가족에게 지나치게 의존
- 정서: 안절부절, 예민, 짜증, 우울, 자살 생각
- 신체적 건강: 스트레스 상황에서 두통, 복통, 어지럼증, 구역감, 피로 등 호소

② 불안장애가 있는 학생 지도 방안

- 호흡과 이완으로 몸을 편하게 만들고, 평소 좋아하는 이미지를 만들어 놓고 불안할 때 자주 떠올리게 함
- 비합리적인 사고에 대처하게 함

비합리적인 사고	합리적인 대처
• 지나친 과장(~하면 큰일이다) • 과도한 책임감(그 일을 잘하지 못하면 그건 100% 내 책임이다) • 최악의 상황 가정 • 사고 비약(모 아니면 도, 흑백 논리)	• 있는 그대로 수용 • 무조건 자기 탓을 하기보다는 상황을 전체적으로 인식 • 반대되는 증거 탐색 • 유연한 생각

- **자기를 존중하기 위한 조건을 달지 않게 함:** 자기 역할을 다하고 있는지에 관계없이, 잘했는지 못했는지에 상관없이, 다른 이들의 인정과 칭찬을 받고 있는지 여부와 무관하게, 자기 자신을 있는 그대로 존중하려는 마음가짐을 지니도록 조언함
- **남들을 있는 그대로 바라보게 함:** 다른 사람들도 나처럼 미숙하고 실수할 수 있는 사람이라는 사실을 잊지 말라고 이야기함
- **주변에서 벌어지는 사건에 흔들리지 않게 함:** 바꿀 수 있으면 바꾸려고 노력하고, 바꿀 수 없다면 있는 그대로 받아들이기를 조언함

사이다 톡 talk! 《인스타 브레인》(안데르스 한센)에 따르면 스트레스와 불안을 해결하는 데 가장 좋은 방법은 '운동'과 같은 신체 활동을 하는 것이라고 합니다. 불안 민감도가 높은 학생들을 대상으로 실험 연구를 한 결과, 운동을 한 학생들은 불안감이 감소했고 프로그램 종료 후에도 그 효과가 유지됐다고 해요. 일주일에 2시간씩만 움직여도 많이 해소가 된다고 하니, 이 연구 결과를 인용해 교육 활동에 신체 움직임을 활용한 교육 방안을 고민해 본다면, 면접 시 전문적으로 보이면서도 학생의 전인적 성장을 고민해 본 참교사라는 느낌을 줄 수 있겠죠?

③ 불안장애가 있는 학생에 대한 잘못된 지도 방법

- 무조건 학생을 안심시킴 ➡ 학생이 불안을 보일 때마다 무조건 안심시키는 것은 결과적으로 학생을 더 의존적으로 만들 수 있음
- 지나치게 지시하거나 개입함
- 불안해하는 상황을 회피하도록 허용함

(3) 자해 행동을 보이는 학생

① 자해 행동하는 학생을 도와주는 방법

- **자해 행동이나 스트레스 상황에 대해 비판하지 않는 태도로 이야기를 들어주기:** 당황하지 않고 안정감 있게 대해야 함
- **구체적인 상황을 대답하게 하는 개방형 질문하기:** "어떤 상황에서 이러한 행동을 하게 되니?" ➡ 만약 학생이 자해에 대해 이야기하고 싶지 않다고 한다면, 그러한 반응이 당연할 수 있다고 생각하고 기다려 줌
- **학생과 스트레스에 대한 대처 방안 탐색하기:** 무작정 멈추라고 말하지 않음, 대인관계 기술을 향상할 수 있도록 도움
- 학생이 가진 장점이나 잘한 행동에 대해서 지지하고 격려하기
- **협력체계 구축하기:** 위기관리위원회를 개최해 학교 내 협력체계 구축, 상처가 심각하거나 자살 의도가 있거나, 심리·정서적 문제가 있는 경우 외부 전문기관과 연계
- **학부모와 협력하기:** 학부모의 다양한 감정들을 우선 공감한 후, 자해에 대한 정확한 정보와 자녀의 자해 행동에 대한 대처 방법 안내

② 유의할 점

- 자해는 쉽게 주변 학생들에게 확산될 수 있으므로 공개적으로 자해 행동에 대해 거론하지 않는 것이 좋음
- 자해 행동 자체의 심각성에 압도되지 말고 자해하는 학생의 심리적 원인에 주목할 것
  ➡ 자해 행동 자체에만 관심을 두고 접근하면 자칫 부정적인 행동으로 주위의 관심을 얻으려는 의식적·무의식적 행동이 증가할 수 있음
- 학생이 비밀 유지를 요청하더라도 절대적인 비밀 유지를 약속해서는 안 되고, 필요시 외부에 이를 알리고 도움을 받아야 한다는 사실을 미리 안내하고 설득해야 함

③ 교사가 피해야 할 태도

- 무작정 자해를 멈추라고 말하지 않음
- 일방적으로 학생에게 훈계하듯 이야기하지 않음

(4) 자살 징후를 보이는 학생

① 체계적 개입 방안

- **경청하고 이해하기:** 1:1 상담을 통해 학생의 말에 집중하고 감정 이입해 경청하는 순간 외로움에서 해방될 수 있음
- **전문가의 도움받기:** 학생의 상황을 있는 그대로 관찰한 후 상담 내용 등을 통해 교내 WEE클래스 상담교사와 연계해 전문적 상담으로 연계함
- **또래 상담사 이용하기:** 자살 등의 문제로 고민하는 친구에게 따뜻한 친구의 위로나 말 한마디는 어른들의 이야기보다 크게 도움이 되기도 함

또래 상담 시 상담자가 지녀야 할 관점

- 친구의 어려움과 괴로움을 공감하고 이해하기: 조언을 주기보다 마음을 헤아려주어 정서적 유대감을 만들기
- 문제의 심각성을 간과하지 않기: 정신적 위기에 처한 친구의 입장에서 진지하게 고통에 대해 경청하는 자세를 가지기
- 친구의 긍정적인 측면을 강조하기: 자살을 생각하는 친구들은 부정적인 생각을 하는 경우가 많음. 이때, 옆에서 긍정적인 측면을 얘기해 주면 자존감이 향상될 수 있음

- **보호자에게 알리기:** 현재 상황을 알리고 전문기관의 도움을 받길 권유하며, 가정에서 자녀를 잘 살펴보도록 안내하고 위험한 도구를 치우도록 설명함

② 지도 시 유의 사항

- 학생이 말하지 않은 감정까지 확대해서 판단하거나 별일 아니라는 듯이 대하지 말기
  예 "비참했겠구나.", "무시당했구나.", "누구나 그 정도는 힘들어."
- 교사 혼자만의 책임이 아닌 공동체와의 연대를 통해 효과적으로 해결하기: 위기관리위원회를 통해 학교 내의 협력체계를 구축하고 자살 시도 학생과 관련한 교사들이 함께 협력
- 자살에 대해 직접적으로 질문하기: 자살위험징후를 알아차렸을 때 직접적으로 자살에 대해 질문해 현재 상황 확인 ➡ 자살위험 수준을 알아보기 위해 자살 생각, 자살 동기, 자살 계획, 자살 시도 경험 순으로 질문을 하고 자해 여부 확인

자살 생각	"죽고 싶은 마음이 있니?", "그 마음에 점수를 준다면 10점 만점에 몇 점을 줄 수 있을까?"
자살 동기	"어떤 이유 때문에 죽고 싶을까?", "어떤 점이 그렇게 고통스러울까?"
자살 계획	"죽는 데 구체적인 계획이 있니?", "막연히 죽고 싶은 생각만 있니?"
자살 시도	"이전에 죽으려고 시도를 한 적이 있니?", "어떤 방법을 사용했었니?", "실패해서 마음이 어땠니?"
자해	"자해하고 있지 않니?", "자해하고 나면 마음이 어떠니?"

자살 생각이 있는 학생과 대화할 때 주의점

- 섣불리 학생을 설득하려고 하는 것은 문제 해결에 별다른 도움이 되지 않음
- 비밀 보장이 가능하고 조용히 대화를 할 수 있는 공간에서 학생이 죽음을 생각할 정도로 고통스러워하는 상황에 대해 이해하려고 노력해야 함
- 보호자가 학생의 상황을 알아야 할 의무가 있으므로 비밀 보장의 한계에 대해서도 학생에게 미리 고지함

도움이 되는 대화법	도움이 되지 않는 대화법
• ○○이가 그렇게 힘들었구나. • ○○이 입장에서는 그렇게 느껴지는 것이 당연하겠구나. 선생님도 ○○이 입장이었다면 그랬을 것 같다. • 선생님은 학생의 생명과 연관된 이야기를 알게 됐을 때는 꼭 보호자에게 알리도록 돼 있어. 혹시 부모님에게 알리게 됐을 때 걱정되는 것이 있니?	• 죽을 용기로 더 열심히 살아야지. • 누구나 그 정도 고통은 다 겪어. • 뭐 그런 문제로 죽을 생각까지 해? • 설마 자살하고 싶은 것은 아니지? • 이건 절대 비밀이야, 나만 알고 있을게.

사이다 톡 talk! 학급에서 우울증으로 오랜 기간 병원 치료를 받는 학생을 만난 적이 있어요. 첫 만남에서 자기소개 상담지를 받아보았을 때, 자기를 비하하는 표현, 세상을 원망하는 문구 등이 있어 학부모님께 안부 인사 형식을 빌려 전화를 드렸고 학생의 상황을 넌지시 말씀드렸더니 먼저 말씀하시더라고요. 자기 외모와 이를 대하는 친구들의 태도에 상처받고 2년 정도 교우관계를 맺지 않고 있었다고 해요. 꾸준히 병원에 다니며 상담을 받고 약물치료를 하는 친구에게 담임으로서 어떤 일을 할 수 있을지 고민하며 그 친구를 많이 관찰했어요. 그 친구에겐 뚜렷한 장점이 있었습니다. 청소를 굉장히 성실히 하고 그림을 진짜 잘 그렸어요. 그래서 저는 조·종례 시간에 학생의 성실성과 그림 실력을 자주 언급하며 칭찬을 해주었어요. 또 교내 대회에 나가볼 것을 적극 추천하고 상을 받아왔을 때 학급에서 크게 박수를 쳐주었죠. 항상 소극적이고 고개를 숙이고 있던 친구였는데 칭찬받는 횟수가 늘어나니 친구들도 미술 활동을 할 때 그 친구를 찾게 됐고, 청소 시간에도 수다 떨며 즐겁게 청소를 하더라고요. 점점 자신감도 가지게 돼 더 이상 고개를 숙이며 걷거나 우울한 표정으로 친구들을 마주하지 않았어요. 교사의 관심과 관찰, 가정과의 연대, 학급의 인권 친화적인 분위기가 한 사람을 살릴 수도 있구나, 다시 한번 깨닫게 된 계기가 됐답니다.

(5) 아동학대 의심 학생

① 정의

- 아동: 만 18세 미만인 사람(아동복지법 제3조 제1호)
- 아동학대: 보호자를 포함한 성인이 아동의 건강 또는 복지를 해치거나 정상적 발달을 저해할 수 있는 신체적·정신적·성적 폭력이나 가혹행위를 하는 것과 아동의 보호자가 아동을 유기·방임하는 것(아동복지법 제3조 제7호)
- 아동학대행위자: 아동학대범죄를 범한 사람 및 그 공범을 의미하므로, 아동학대범죄를 직접 범하지 않았더라도 그를 교사·방조했다면 아동학대행위자에 해당(아동학대처벌법 제2조 제5호)

② 아동학대 유형

- 신체학대: 아동에게 행하는 신체적 폭력 또는 가혹행위
- 정서학대: 아동에게 행하는 언어적 폭력, 정서적 위협, 감금이나 억제
- 성학대: 아동을 대상으로 하는 모든 성적 행위
- 방임·유기

물리적 방임	• 기본적 의식주를 제공하지 않는 행위 • 상해와 위험으로부터 아동을 보호하지 않는 행위
교육적 방임	보호자가 아동을 학교에 보내지 않거나 아동의 무단결석을 허용하는 행위
의료적 방인	아동에게 필요한 의료적 처치를 하지 않는 행위
유기	아동을 보호하지 않고 버리는 행위

③ 아동학대 현황과 접근 방향성

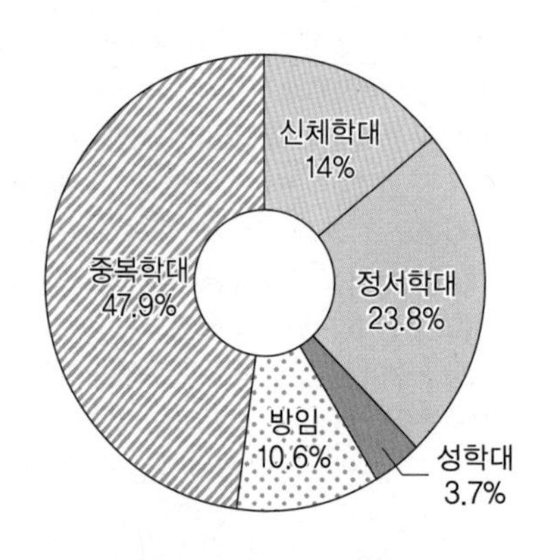

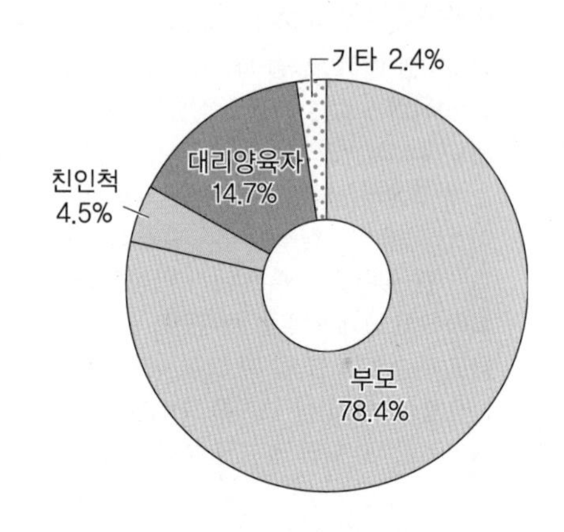

높은 중복학대의 비율, 정서학대 증가	학대행위자의 79%가량이 부모
▼	▼
통합적 접근 필요	부모교육과 가족 기능 강화를 위한 적극적 지원 필요

출처: 2018 아동 학대 주요통계, 보건복지부·아동권리보장원

사이다 톡 talk! 아동학대 의심 학생을 지도할 때, 이 통계를 인용해 주 대상자가 '부모'이며, '중복학대'가 절반 정도라는 것을 염두에 두고 교육 방안을 짜야 해요. 또한 면접 시 이 통계를 언급한다면 발언에 더 큰 신뢰감을 줄 수 있을 거예요.

④ 아동학대로 의심되는 학생의 특징

- 사고로 보기에 미심쩍은 상흔 또는 폭행으로 보이는 멍이나 상처가 보임
- 영양실조, 발달 지연을 보이거나 보호자가 예방접종, 의학적 치료를 이행하지 않음
- 계절에 맞지 않는 옷을 입거나, 청결하지 못한 상태를 보임
- 자주 결석하거나 결석에 대한 사유가 불명확함
- 성학대로 의심될 성 질환이나 나이에 맞지 않는 성적 행동을 보임
- 보호자에 대한 거부감, 두려움을 표현하거나 집(보호기관)으로 돌아가는 것을 두려워함
- 아동이 히스테리, 강박, 공포 등 정신 신경성 반응을 보이거나 공격적이거나 위축된 모습 등의 극단적인 행동을 함

⑤ 아동학대 신고의무자(아동학대처벌법 제10조 제2항) 기출

- 아동학대인 것을 알면서도 방치하는 것을 막기 위해 법적으로 신고 의무 부여 ➡ 초·중·고교 직원, 의료인, 아이돌보미, 보육 교직원 등이 해당되며 정당한 사유 없이 신고의무를 불이행할 경우 1,000만 원 이하의 과태료(아동학대처벌법 제63조 제1항 제2호)

• 아동학대 신고의무자의 신고 절차

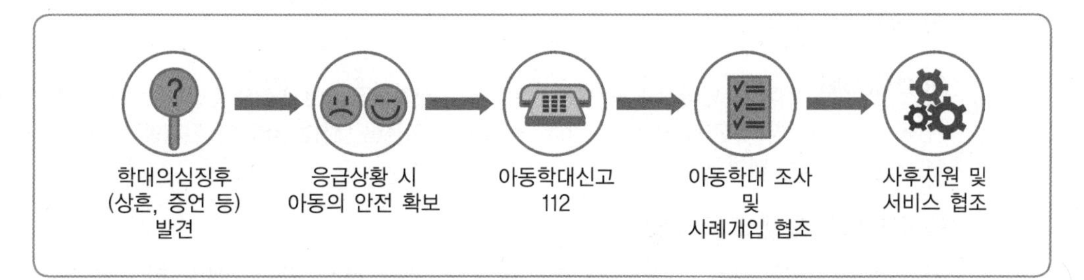

• 아동학대 신고 시 유의 사항
 _ 보호자에게 신고 내용을 알리는 등 아동학대 증거가 은폐되지 않도록 주의하기
 _ 가능한 한 증거 사진을 확보하고 아동학대 조사에 적극적으로 협조하기
 _ 아동이 불안에 빠지지 않도록 큰일이 난 것처럼 행동하지 않고 일상적으로 대하기
 _ 성학대의 경우 증거 확보를 위해 씻기거나 옷을 갈아입히지 않기
 _ 성학대의 경우 아동 진술 오염 방지를 위해 상담하지 말고 바로 112 신고하기
 _ 진술의 오염이 있으므로, 학대에 대해서 캐묻거나 유도 질문을 하지 않기

• 신고 후 아동을 대하는 태도
 _ 신고 전과 동일한 태도로 아동을 대하기
 _ 아동의 욕구에 민감하게 반응하기
 _ 존중과 이해로 대하도록 노력하기
 _ 아동의 분위기 변화 파악하기
 _ 아동의 말 경청하기, 비언어적인 대화에도 반응하기
 _ 학대받은 것이 아동의 잘못이 아님을 확인시켜주기

⑥ 아동학대 관련 법 주요 개정 사항

• 방향성: 아동학대 현장에서 제기돼 온 문제점을 보완해 아동학대의 예방 및 재발 방지를 위한 법적 토대 마련
• 현장 조사 이행력 강화: 학대 행위자의 현장조사 거부 시 불응 방해에 대한 과태료를 500만 원에서 1,000만 원으로 상향 조정
• 아동보호전문기관 기능 전환: 아동학대 조사 및 사례 관리기관에서 심층 사례 관리 전문기관으로 전환해 사례 관리를 주도하면서 가족 기능 회복 지원 및 재학대 방지 기능 강화
• 위기 아동 조기 발견 노력
 _ 교육복지사 등을 통해 방학 기간 및 신학기 모니터링
 _ 가정방문으로 위기 아동 적극 발굴

• 위기 아동 조기 발견 활성화: 아동행복복지 시스템으로 분기별 위기 아동 가정방문 실시, 공무원 교육 강화

사이다 톡 talk! 개정안의 방향성을 꼭 기억해 두세요. '교사의 적극적인 관심으로 조기에 발견하겠다.'는 이야기가 꼭 포함돼야 합니다. 조기 발견-신고의무-신고 이후 아동을 대하는 태도 등 단계별로 이야기하면 교사의 전문성을 드러내는 데 효과적일 거예요.

⑦ 아동학대 의심 학생 도움 방법

• 아동학대 발견을 위한 노력: 지속적으로 관찰하고 관심 갖기, 매일 학생의 건강과 안전을 살핌, 평상시와 다른 상흔 또는 감정의 변화가 있는지 확인함, 친구나 이웃 등의 제보에 관심을 갖고 주변의 이야기에 귀 기울이고 기록함

• 학생의 미인정(무단) 결석에 대해 적극적으로 대응하기: 결석 학생의 결석 사유를 확인함, 출석 독려, 가정 방문 및 내교를 요청함, 소재 불명, 안전 확인 불가 시 경찰에 수사를 의뢰함

• 상흔이나 감정의 변화에 대해 개방적인 질문을 던지기: "많이 아파 보이는데, 어떻게 하다가 다친 건지 말해줄 수 있니?", "오늘 매우 힘들어 보이네. 불안해 보이기도 하고. ○○이에게 힘든 일이 있는 것은 아닌지 걱정되는구나. 무슨 일인지 선생님에게 말해줄 수 있겠니?"

• 대화 과정에서 학대받은 정황이 드러날 경우 마음 알아주기: 학생의 힘든 마음을 알아주고 결정을 존중해 줌 예 "그동안 정말 많이 힘들었겠다. 그 힘든 일을 너 혼자 견뎌내고 있었다고 생각하니 선생님 마음이 너무 아파."

• "네 잘못이 아니야."라고 말해주기: 아동은 학대를 당하는 과정 속에서 폭력을 정당화하는 가해자의 논리를 그대로 받아들여 자신을 탓하기도 하므로 본인의 잘못으로 인해 일어난 일이 아님을 알려줌 예 "이건 네 잘못이 아니야. 네가 이상한 사람이라서 그런 일을 겪은 것이 아니니까 스스로를 탓하거나 미워하지 않았으면 좋겠어."

⑧ 유의 사항

• 약속을 하지 않아야 함: 다른 사람에게 말하지 않을게. 내가 지금부터 네가 학대를 당하지 않도록 해줄게. (×)

• 학대를 가정한 질문이나 유도 질문은 하지 않도록 함: 혹시 누가 너를 때리거나 괴롭혀서 생긴 상처니? (×)

• 학대의 이유를 아동에게 물으면 자신이 잘못해 그런 일을 당하는 것이라고 생각할 수 있으니 이유는 묻지 않는 것이 중요함: 그 사람이 너를 왜 때렸을까? (×)

(6) 학업중단위기 학생

① 학업중단을 고민하는 학생과의 상담: 학업중단 의사를 밝힌 학생이 있다면 원인을 탐색하고, 학생의 심정에 대해 공감해 줌 예 "○○이가 학교를 그만두는 것을 고민하고 있다니 선생님도 걱정이 되는구나. ○○이 나름대로 어떤 이유가 있을 것 같은데 선생님한테 이야기해 줄 수 있을까?"

② 학업유지와 학업중단에 대해 같이 고민해 보기

- 학업을 유지했을 때와 중단했을 때의 장단점, 고민하는 문제의 해결 정도를 함께 정리해 본 후 이야기 나눔
- 학교와 학교 밖에서의 직간접적인 교육 활동을 통해 학생이 진로에 대해 신중히 선택하고, 성장해 나갈 수 있도록 지도함

③ 학업중단숙려제 안내

- 정의: 학업중단위기 학생에게 1주(7일간)~7주(49일간)까지 숙려 기회를 부여하고 상담 및 매일 프로그램을 지원해 ➡ 신중한 고민 없이 이루어지는 학업중단을 예방하는 제도
- 대상
  _ 해당 학생: 학교에 학업중단 의사를 밝힌 초·중·고 학생
  _ 해당되지 않는 학생: 연락 두절·해외 이민·질병 치료 등으로 숙려제 운영이 불가능한 상태인 학생, 출석 정지나 퇴학 조치를 받은 학생
- 목적
  _ 학업중단위기 징후 학생을 조기 발견해 학업중단 사전 예방
  _ 학업중단위기 학생에 대한 상담 등 적극적 개입으로 학교 적응력 증진
  _ 학업중단으로 발생할 수 있는 다양한 문제에 대한 숙려 기회 제공으로 학업중단 예방
- 운영 방법
  _ 기간: 최소 1주~최대 7주(49일, 주말·공휴일·휴업일·방학 포함)
  _ 횟수: 최대 7주를 당해 학년도 2회까지 나누어 운영
  _ 프로그램

숙려상담(최대 2주)	매일 프로그램(최대 5주)
• 1주 2회 이상 숙려상담 • Wee클래스 전문상담, Wee센터, 청소년상담복지센터 등에서 상담 운영	• 1일 1회 이상 5주 매일 프로그램 • 심성 수련, 자존감 향상, 예술치료, 멘토링 등의 프로그램

• 교사의 역할 (기출)

_ 학생 상담 및 관찰, 학생정서·행동특성검사 결과 등을 활용한 학업중단위기 징후 포착

_ 상담

상담을 통해 심리 어루만지기  학업중단숙려제 안내

STEP 1. 상담하기

• 미인정 결석이 늘거나, 학업중단 의사를 밝힌 학생과 상담 실시
• 학생의 내면을 깊숙이 이해하고 공감하는 자세 필요. 이 과정을 통해 학업중단의 원인 파악

STEP 2. 학업중단숙려제 안내하기

• 학업을 중단하고자 의사를 밝힌 학생 모두에게는 반드시 '학업중단숙려제'를 안내

초·중등교육법 제28조(학습부진아 등에 대한 교육) 제6항
학교의 장은 학업중단의 징후가 발견되거나 학업중단의 의사를 밝힌 학생에게 학업중단에 대하여 충분히 생각할 기회를 주어야 한다. 이 경우 학교의 장은 그 기간을 출석으로 인정할 수 있다. 〈신설 2016. 12. 20.〉

학교장 의무 사항으로 학생이 학업중단 의사를 밝히거나 징후가 포착되면 학교에서는 학업중단숙려제에 대해 반드시 설명하고 안내해야 하며, 이 사실을 서면으로 남겨야 한다.

• 단, 상담 등의 과정에서 학업중단위기 학생이라고 학생에게 단정적으로 언급하지 않도록 주의

STEP 3. 숙려제 진행하기 및 적응 도와주기

• 숙려제 참여를 희망할 경우: 신청서 작성 및 내부 계획에 의해 운영
• 학업중단을 희망할 경우: 지속적인 관찰과 상담으로 학생의 마음 치유와 진로 설정 도움

_ 단순히 제도적 방안에 그치지 않도록 교사의 관심과 애정, 가정과의 연대 필요

_ 숙려 기간 중 학생 소재(출결 등) 및 안전 상태를 정기적으로 확인

_ 학업중단숙려제 종료 후 학업 복귀 및 학교생활 적응 향상 지원

3 위기 학생 지원 방안

(1) 목적

① 학생 자살 예방 및 생명존중 문화 조성
② 위기 사안 발생교 긴급 심리 지원을 통한 트라우마 예방
③ 위기 학생 지원 시스템 구축 및 운영을 통한 학교 공동체 안전 모색
④ 전문기관 연계 협력을 통한 위기 학생 예방 및 교육적 대응

(2) 추진 방향: 예방–대비–대응–회복 관점에서 단계별 접근이 필요함

① 예방 단계

- 생명존중 문화 조성을 위한 교육
  _ 교육과정 연계 방안: 교과 및 창의적 체험활동과 연계해 생명존중 및 생명살림 교육을 연간 6시간 이상 운영하되, 동물학대 예방 교육 포함
  _ 자살 예방 및 생명존중을 위한 뉴스레터 매월 초중고교 발송
  _ 담임교사의 조·종례 시간을 활용한 생명존중 교육 연중 실시
- **보호자 대상 학생 자살 예방 리터러시 교육**: 청소년의 정신건강 지원과 자녀 양육, 학생 자살 예방을 위해 전문가의 학부모 교육 실시
- **생명존중 교육 주간 집중 운영**: 학생 자살 발생 비율이 높은 학기 초(3월, 9월) 담임교사 중심으로 학생 및 학부모 상담을 통한 위기 학생 조기 발견 ➡ 상담 및 보건교사를 중심으로 관심군 학생 지원, 고위험군 학생 전문기관 치료 연계
- **생명존중 문화 조성 자율 프로그램 운영**: 공모전, 도전 체험 프로그램(반려 식물 키우기, 따뜻한 등굣길 마음 나누기 등), 자치활동 '생명존중 발표대회' 개최, 교육부 나우(나에게서 우리로) 캠페인 안내 등 ➡ 학생, 학부모, 교직원, 지역사회와 연계해 캠페인 활동 실시
- **생명존중 동아리 운영**: 교내·외에서 학생 자살 예방 관련 다양한 활동 수행
  _ 학생 자살 예방·생명존중 캠페인 주최
  _ 교내 학생 자살 예방 공모전 개최
  _ 학생 마음 치유 프로그램(음악 치유, 명상 등) 운영
- 전문상담교사 배치를 통한 예방 상담 지원
  _ **초등 배치 확대**: 위기 학생 저연령화 추세에 따라 초등학교에 우선 배치
  _ **상담 및 교육활동 지원**: 초등학생 맞춤 상담 지원(미술치료, 놀이치료 등), 발달 특성에 맞춘 집단상담 프로그램 운영, 학생에 대한 이해를 도울 수 있도록 교사 및 학부모 교육 강화

② 대비 단계: 위기 학생 지원 시스템 구축 및 운영 활성화

- **위기 학생 관리 및 지원 시스템 구축:** 학교 위기관리위원회를 구성 및 운영해 학생 정신건강, 가정 및 학교 부적응 문제 등으로 학교 차원의 대처가 필요한 경우 지원
- **고위기 학생 조기 발견 노력:** 학생 정서·행동 특성 검사 등을 통한 자살징후 조기 발견
- **학생 맞춤 애플리케이션 안내:** 다들어줄개(모바일앱), 스마트 안심 드림(자살징후 알리미 앱), 콜센터 번호
- **심리·정서적 고위기 학생 대처 능력 향상:** 위(Wee)클래스, 위(Wee)센터, 위(Wee)스쿨 전문상담인력 상담 역량 강화 연수

Wee 프로젝트

1. 정의

① 위기 학생 예방 및 종합적 지원체제를 갖춘 학교안전망 구축사업

② Wee: We(우리들) + education(교육) + emotion(감성)

2. 도입 배경

위기 상황에 중복 노출된 학생과 인터넷 중독·학교폭력·가출 등 학교에 적응하지 못하는 학생에 대한 학교 차원의 선도 및 치유에 한계를 느끼고 이를 극복하기 위해 시행

3. 종류

① 위클래스(학교): 학교 안에 설치된 상담실. 학생의 다양한 고민을 상담 선생님과 함께 나눌 수 있는 소통 공간

② 위센터(교육지원청): 학교 안에서 해결되지 않는 근본적인 어려움을 해결하고, 지역사회 내 유관 기관과의 연계를 통해 필요한 서비스 제공

③ 위스쿨(기숙형 장기위탁교육기관): 고위기 학생들을 대상으로 각 분야의 전문가와 함께 잃어버린 꿈과 재능을 키워나가기 위한 공간

④ 가정형 위센터: 가정적 돌봄과 대안교육이 필요한 학생들이 이용하는 돌봄·상담·교육이 어우러진 특화형 센터

⑤ 병원형 위센터: 심리·정서적으로 괴로움을 겪는 학생들에게 정신과 전문의의 치료, 심리검사 및 전문상담 등 맞춤형 프로그램을 제공해 학교로 복귀할 수 있도록 조력

⑥ 학교와 함께 극복하는 위기 학생 지원활동

- 학생과 상담교사와의 신뢰 확대를 돕는 편안한 환경 조성
- 학생이 스스로 문제를 해결할 수 있도록 학생의 성장을 지원하는 상담
- 학생지원센터 신설: 단위 학교의 학교폭력 행정 지원, 생활인권 지원센터 기능, 학교폭력 갈등조정자문단 업무 수행

4. 기대효과

① 학생 개개인의 특성과 상황을 정확히 파악 가능

② 위기 학생에게 정서적 안정을 주며 학교로부터 멀어지지 않도록 도움 가능

사이다 톡 talk! 담임교사로서 Wee센터의 취지와 종류를 알고, 학생을 항상 관심 있게 살펴보며 적합한 학생을 연계하겠다고 답변하면 됩니다! 전문상담교사는 담임교사와 상시적으로 소통하고 학생들을 관찰해 위기 학생을 조기에 발굴하고 적절한 개입을 하겠다는 방향이면 훌륭해요.

③ 대응 단계

- 자살 발생교 위기 개입 절차

1단계	• 학교 위기관리위원회 긴급 소집 • 자살 사안과 관련된 정보수집 및 상황 파악 • 유가족을 접촉하고 애도 표현
2단계	공개할 정보의 내용과 범위, 대상 결정해 교내·외 대응
3단계	• 특별 상담실 운영 및 애도 프로그램 지원 • 우선 관리군 학생 의뢰 및 관리 • 자살 학생 형제·자매·친구·이성 친구 등 파악 • 학생 보호 및 관리 요청
4단계	• 학생 심리회복을 위한 학급 및 학년 단위 애도 및 위기관리 프로그램 진행 • 자살 위기 학생 선별·평가·상담 및 의뢰

- 병원형 위(Wee)센터(고위기 학생 치유형 위탁기관) 운영: 심리·정서적 문제로 학교생활에 적응이 어려운 학생을 대상으로 차별화된 전문가 진단 및 개입, 교육 치료와 상담을 통해 학교로 복교할 수 있도록 지원

④ 회복 단계

- 위기 학생 발생교 긴급 심리 지원: 특별상담실 운영, 학교 안정화 프로그램 및 트라우마 예방 프로그램
- 위기 학생 상담 및 치료비 지원
- 위기 학생 지원 협력체계 구축

4 대안교육

(1) 대안교육 목적

① 학교 부적응 및 학업중단위기 학생의 학업중단 예방을 통한 공정한 교육 기회 보장

② 학생 적성과 소질에 따른 대안교육 기회 제공으로 학업중단 예방 강화

(2) 학교 내 대안교실

① 정의: 학업중단 예방을 위해 학교생활 부적응 학생의 다양한 교육적 요구를 충족시킬 수 있도록 일반학급과 구분해 정규수업 시간 내에 대안교육 프로그램을 운영하는 별도의 학급을 두는 것

② 목적

- 학생들의 꿈과 끼를 살리는 다양한 교육 기회 제공
- 학교 부적응 학생에게 유의미한 학교생활 지원
- 다양한 교육을 원하는 학생들에게 대안적 교육 기회 제공
- 학생들의 교육 소외를 해결할 수 있는 학교의 교육 역량 제고
- 서로 존중하고 협력하는 교육 환경 조성

③ 방침

- 학교의 여건 및 특성과 학생들의 대안교육 수요를 고려해 교육과정을 자율적으로 편성·운영
- 공공기관, 평생교육시설, 문화예술기관 등과 연계해 다양한 프로그램 개발·적용

예시

치유 프로그램

- 전문가 치유 및 상담 치유(집단 및 개인) 등
- 예술 치유: 미술 치유, 음악 치유 등
- 신체 활동을 통한 치유: 댄스, 명상, 요가, 숲 치유 등
- 연극 치유: 상황극, 사이코드라마, 단막극 작품 연출, 가족 세우기 등

공동체 체험 중점

- 또래 관계: 또래와 함께 만든 작품 전시 또는 발표회, 또래 멘토링, 뒤뜰 야영 등
- 교사 관계: 사제동행(영화 관람, 등산), 교사–학생 멘토링 등
- 학부모 관계: 부모–자녀 관계증진 프로그램, 부모–자녀 동반 캠프 등

학습·자기계발 중점

- 기초학력 신장: 신문·카드를 활용한 학습, 독서교육 등
- 수준별 수업: 학생들 수준에 맞는 수업 만들기, 영화 감상·게임 등 재미있는 수업 등
- 학습 멘토링: 교사 및 또래 학습 멘토링 등
- 예술 활동: 서예, 미술, 공예, 목공, 악기, 뮤지컬, 연극 등
- 창작 활동: 영상 제작하기, 다큐 만들기 등

사이다 talk! 학교 내 대안교실 학생은 교사가 추천하거나, 학생이 지원해 선발해요. 대상 학생들은 특정 요일, 시간대에 정규수업을 듣지 않고 대안교실로 이동해 해당 프로그램을 이수해요. 때론 방과 후, 학교 밖에서 활동하기도 한답니다.

④ 유의 사항
- 전용 공간의 필요성
  _ 다양한 체험·진로·인성 프로그램을 운영하기 위해 전용 공간 필요
  _ 학생들의 소속감과 정서적 안정감을 주는 공간 마련
- 학교 내 대안교실 환경 조성
  _ 학생들에게 정서적 안정감을 줄 수 있는 장소 선택
  _ 전용 교실이 없을 경우 담당 부서와 협의해 공간 확보

5 경기 희망학교

학교폭력 및 학교 부적응 등으로 학업중단위기를 겪은 학생의 중도 탈락 예방과 학교 복귀를 위해 ➡ 경기도교육청이 지정하는 대안교육 위탁 기관

① 국어, 영어, 수학, 사회, 과학은 각 2시간 이상 편성
② 체육/예술, 생활/교양은 대안 교과로 대체 가능(진로·직업교육, 자격증 취득, 전문 기술교육, 현장실습, 인성교육, 심리상담 및 치유, 현장 체험학습, 공동체학습 등 특성화 프로그램)

42 ADHD 학생 공

현장 이야기로 사이다열기

신규 교사 시절에 문제행동을 반복적으로 일으키는 학생이 있었습니다.
아무리 타이르고 때론 화를 내고 감정에 호소를 해봐도 나아지지 않았죠.
진심이 통하지 않을 때도 있구나, 내 지도를 무시하는구나, 허무함이 느껴졌습니다.
하지만 어느 순간 반복적 문제행동에는 분명 원인이 존재할 것이라는 깨달음이 있었고,
환경적 요인뿐 아니라 심리적인 원인, 질병의 관점에서 학생의 행동을 관찰하니 문제의 원인을 제대로 파악할 수 있었습니다.
이 과정에서 가정과의 연대는 필수적이었고요.
그렇게 심리·질병적 관점에서 ADHD 학생을 지도한 경험이 있어요.
함께 ADHD 학생들의 특징을 살펴보며 자칫 교사의 오해로 학생을 탓할 수 있는 문제 상황을 방지하고
현명하게 지도할 방안을 알아봅시다.

#ADHD_학생_특성 #지도_방안

All 기출 문장 및 빈도 체크

연도	자기성장소개서 성			집단토의 토			개별면접 면		
	초	중	비	초	중	비	초	중	비
2016									
2017									
2018									
2019				✓					
2020									
2021	미시행								
2022									
2023									
2024									

*공통 공

[19' 초토] ADHD 학생의 돌발행동과 문제행동을 모방하는 학생의 지도 방안을 말하시오.

1 ADHD 정의

① 주의력 결핍 및 과잉 행동 장애
② 대부분 아동기, 초등학교 생활을 시작하는 저학년 시기에 발현
③ 지속적으로 주의력이 부족해 산만하고 과다 활동, 충동성을 보이는 상태
④ 단순히 산만한 것이 아니라 주변 자극을 억제하지 못하고 사회적 관계를 맺는 것이 어려움

2 ADHD 진단 테스트

① 학업, 기타 활동 중 주의를 세심하게 기울이지 못하거나 부주의한 실수를 함
② 대놓고 이야기하는데도 듣지 않는 것처럼 보일 때가 많음
③ 과제나 활동에 필요한 것을 자주 잃어버림
④ 과제 수행이나 놀이 중 주의집중이 어려움
⑤ 과제나 조직적인 활동 시 곤란을 겪음

3 제대로 된 지도를 못할 경우 문제점

① 자존감 하락, 피해 의식, 학습 장애가 발생함
② 그 나이에 해야 할 발달 과제나 능력 개발을 이뤄내지 못함

4 교사의 중요성

① 교사의 마음가짐
- 학생의 문제행동이 신체적 질병으로 인한 것임을 받아들이고, 일부러 반항하려고 하는 것이 아니라는 사실을 이해해야 함
- 기질적 어려움으로 인해 자기조절 능력과 책임감 개발이 어렵다는 점을 명심해야 함

② 교사의 역할: 심리·사회적 치료 접근이 가능하고 친구들과 긍정적 상호작용을 도와줄 수 있음

❺ 지도 방안 (기출)

① **가정과의 협력적 접근:** ADHD 학생의 부모와 협력해 학생의 특성에 맞는 교육적 지원 방안을 함께 모색함. 가정과 학교에서의 일관된 지원이 중요함. 문제행동이 서로의 잘못이라며 책임을 전가해서는 안 됨

② **칭찬으로 격려:** ADHD 학생들은 부정적인 피드백을 받을 가능성이 크기 때문에, 긍정적 강화와 칭찬이 매우 중요함. 작은 성취라도 칭찬하고 격려해 주는 것이 학생의 자존감을 높이고 동기를 부여할 수 있음

③ **구체적이고 명확한 규칙 규정:** ADHD 학생은 모호하거나 복잡한 지시를 이해하는 데 어려움을 겪을 수 있으므로 명확하고 구체적인 지침을 주는 것이 중요함

④ **짧게 여러 번 수행할 수 있는 과제 제시:** 보통 ADHD 학생이 15분 정도 집중할 수 있다는 점을 고려해 다양한 학습 방식의 활동을 병행함 ➡ 정적인 활동과 동적인 활동을 번갈아 하게 하며, 시청각 자료를 수업에 활용함

⑤ 소집단 학습으로 대인관계 기회 제공

⑥ **움직임의 기회 제공:** 도우미 활동, 교과 부장 등의 기회를 부여함

사이다 톡 talk! 《인스타 브레인(안데르스 한센)》에 따르면 인터넷, 스마트폰의 보급으로 학생들의 집중 시간이 상당히 감소했다고 해요. 집중력을 향상시키기 위한 가장 좋은 방법은 신체 활동인데요. 땀을 흘리는 격한 운동이 아니라도 매일, 단 5~6분의 활동만으로도 집중력 향상에 효과가 있었다고 해요. 특히 이러한 신체 활동은 ADHD 진단을 받은 학생들에게 큰 도움이 된다고 합니다. 면접 시 이러한 연구 결과를 언급하며 교과 활동에 신체적 움직임을 넣는 방향을 고민해 본다면 전문성을 드러낼 수 있겠죠?

43 교육 약자 공

현장 이야기로 사이다열기

코로나19 상황 이후로 학생들의 학습 격차가 많이 벌어진 걸 실감해요.
자기주도학습 능력을 갖추고 부모님의 돌봄을 받은 학생, 스마트 환경이 잘 갖춰진 학생, 기초학습 능력이 있는 학생은 2년간 인터넷 강의 등을 병행하며 자기관리를 상당히 잘했으나
부모님이 집에 계시지 않거나 자기조절 능력이 없는 경우에는 기초학력 부족 현상이 발견됐어요.
이 문제를 해결하기 위해 어떤 제도가 마련됐을까요?
현장 교사들은 어떤 노력을 하고 있을까요? 함께 살펴봅시다.

#교육_약자_정의 #교육_격차_해소_방안

1 교육 약자 정의

도움을 받지 않으면 제대로 학습하기 어려운 상황에 처한 학생

① 취약계층의 자녀: 한부모가정, 조손가정, 다문화가정, 저소득 맞벌이 가정
② 자기주도학습이 어려운 학생: 특수교육 대상 학생, 기초학력 미달 학생 등

2 교사의 역할

(1) 지향점

① 교사의 자발성과 자율성에 기초
② 학생과의 지속적 상호작용으로 돈독한 관계 형성

사이다 톡 talk! 교육복지를 위해 선행돼야 할 것은 '관계 맺기'입니다. 그렇지 않으면, 학생에게는 교사의 도움이 간섭으로 느껴질 수도 있습니다. 학생의 이야기에 경청하고 공감하며, 세심하게 행동과 태도를 관찰한다면 학생의 많은 것을 볼 수 있고, 학생도 자신을 더 많이 보여줄 수 있습니다. 또 혼자보다 같이! 담임교사뿐 아니라 여러 교육공동체, 지역사회 자원이 학생을 돕는다면 훨씬 더 효과적일 수 있습니다.

(2) 노력 방안

① **초기 발견:** 기초학력검사 결과 및 학습지, 상담지를 면밀히 검토해 교육 약자를 초기에 발견해 개입할 수 있도록 관심을 가져야 함

② **가정과의 연대:** 학습 환경을 꼼꼼히 조사하며 가정과 공동의 노력을 모색해야 함

③ **멘토링 진행:** 교사 혹은 지역사회 대학생, 전문가가 온·오프라인을 통해 직접 지도함

④ **배움 동행 추진:** 학급 내 멘토·멘티 프로그램을 활성화해 또래 도우미를 통해 교육 격차를 좁힐 수 있는 방안을 고민해야 함

⑤ **관련 제도 연계:** 교육 약자를 도울 수 있는 다양한 정책에 대해 관심을 갖고 해당 학생에게 연계할 수 있어야 함 예 스마트 기기 지원, 국립특수교육원 '에듀에이블 사이트', 기초학력 보장을 위한 배이스캠프 활용 등

사이다 톡 talk! 올해 방과 후 보충수업을 통해 교과수업 능력이 부족한 학생들과 멘토링을 하고 있어요. 소수의 인원으로 학습하다 보니 확실히 개별화 교육이 쉽답니다. 특히 올해 현장에서는 '에듀테크를 활용한 교과 지도'를 중시하고 있어요. 관련 온라인 사이트, 콘텐츠 등을 적절히 연계하고 콘텐츠 활용 결과물로 학생에게 맞춤 지도를 하겠다고 말해야 경기교육의 취지에 부합한답니다.

★★★
44 수업 문제 상황 공 – 수업·나눔 연계

현장 이야기로 사이다열기

성공적인 수업을 위한 몇 가지 요건 중 한 가지는 학생 중심 사고라고 생각해요.
학생들을 이해하고, 학생의 관점에서 좋은 수업이란 무엇인지 고민하고,
문제가 발생한다면 그 원인을 파악하기 위해 노력하는 것이 정말 중요한 것 같아요.
몇 해 전, 수업 시간에 잠을 자는 학생 때문에 고민하고 수업을 바꾸기 위해 노력했는데, 원인은 따로 있었어요.
부모님이 안 계셔서 생활 습관이 뒤바뀐 탓에 밤을 새우고 학교에 와서 잠을 자느라고 모든 수업에 불참했던 것이더라고요.
이런 시행착오를 몇 번 겪고 나니 학생들을 이해하고, 학생들의 표정과 목소리에 귀 기울이는 것부터 수업이란 생각이 들더군요.
그 뒤에 학생이 자발적이고 주체적으로 참여할 수 있는 역량을 길러주고
동기 부여가 돼야 수업도, 관계도 성공적일 수 있다는 것을 깨달았습니다.
수업 문제 상황을 어떻게 해결해 나가면 좋을지 함께 생각해 봅시다.

#해결_방안

All 기출 문장 및 빈도 체크

연도	자기성장소개서 성			집단토의 토			개별면접 면		
	초	중	비	초	중	비	초	중	비
2016					✓	✓	✓		
2017									
2018					✓				
2019									
2020								✓	
2021	미시행							✓	✓
2022									
2023								✓	
2024								✓	

*공통 공

[24′ 중면] 교과 수업에 흥미가 없는 학생을 위해 교과교사와 담임교사로서 만족도를 증진할 방안을 제시하시오.
[24′ 중면] 학생에게 지속적으로 이야기했음에도 불구하고 수업 중 소란을 피우는 경우 어떻게 대처할지 말하시오.
[23′ 중면] 다음 상황(모둠 활동 중 특정인만 발언, 참여하고 싶으나 이해가 안 감, 혼자만 열심히 해서 손해 보는 기분)에서 효과적인 모둠 활동 운영 방안을 말하시오.
[21′ 비면] 기초학력 부진, 무기력, 친구들과 어울리지 못하며 학업에 흥미가 없는 학생을 지도하기 위해서 어떠한 지원을 할 것인지 자신의 전공과 연계하여 구체적 방안과 그 이유를 말하시오.
[21′ 중면] 담임교사의 지적에도 수업 중 딴짓을 하고 참여하지 않는 학생을 지도할 방안을 말하시오.
[20′ 중면] 모둠 활동 시 무임승차 발생으로 인한 문제와 해결 방법을 말하시오.
[20′ 중면] 학업에 흥미가 없는 학생을 지도할 수 있는 방안을 말하시오.
[18′ 중토] 학생 스스로 성장할 수 있는 방안과 다양한 학습 경험을 제공하기 위한 교사의 역할을 말하시오.

[16′ 비토] 배움에서 소외되는 학생이 없도록 구성원 전체가 참여하여 공동으로 실천 가능한 방안을 토의하시오.

[16′ 중토] 수업 중 잠을 자는 학생, 수업을 늦게 시작하게 되는 문제, 낮은 학생 만족도, 수업을 바꾸고 싶은 상황에서 문제 해결 방안을 논의하시오.

[16′ 초면] 배움에 흥미와 의지가 없는 학생을 위해 어떠한 노력을 할 것인지 말하시오.

1 해결 방향 기출

① **학생과 원만한 관계 형성:** 학생을 이해하는 것부터가 수업임을 잊지 않아야 함

② **수업 성찰:** 철학이 담긴 수업인지(수업에 의미가 없을 경우 참여율이 저조할 수밖에 없음), 학생을 방치하진 않았는지 스스로 성찰해야 함

③ **수업 나눔, 수업 공개:** 공동체성을 바탕으로 수업을 점검하고 발전해야 함

④ **규칙 마련:** 구성원과의 토의를 통해 학기 초 상호존중에 기반을 둔 수업 규칙을 마련해야 하며, 이후 중간 점검을 통해 보완해야 함

2 수업 시간에 자는 학생 기출

① **원인 파악하기:** 방치하지 않고 잠을 자는 이유를 직접 묻고, 담임교사에게 학생의 특성을 물어보는 등 개별 지도를 해야 함

② **관심 갖기:** 일상에서 말을 걸거나 작은 역할 및 과제를 부여해야 함. 활동 시 반응을 보일 경우 긍정적 강화로 동기 부여를 시킴

사이다 톡 talk! 학업에 관심이 없는 학교에서 근무했을 때 한 반에 한 명, 많게는 3명 정도가 수업 시간에 잠을 자곤 했어요. 매번 깨우는 것도 피곤해서 원활한 수업을 위해 자는 학생을 그냥 둔 적도 있죠. 하지만 이제는 자는 학생이 거의 없어요. 해답은 '관심'이더라고요. 언제부턴가 수업 중간중간 '성찰일지'를 작성하게 했어요. 수업 내용에 관련된 것은 아니고요. 자기 생활이나 습관에 대한 성찰 질문을 주고 생각을 적어내게 했어요. 공부에 관련된 것이 아니니, 친구들은 거의 모두 성실하게 작성했답니다. 특히 "사소한 것도 상관없으니 내가 매일 하는 일을 적어보세요", "요즘 나의 감정을 이야기해 보세요.", "앞으로의 계획 및 다짐을 적어보세요."라는 질문에서 아르바이트를 한다거나 캐릭터를 제작해 판매한다는 것, 일이 고되 공부에 집중할 수 없어 마음이 괴롭다는 등 학생을 자세히 이해할 수 있는 답변들이 나왔죠. 한 학기에 2~3번 실시하며, 학생을 파악하고 오가며 그 학생을 만날 때 "아르바이트는 잘하고 있어?"라고 관심을 갖고, 피곤하지만 학교에서 잠을 이기고 몰입하는 연습이 인생에서 얼마나 중요한 경험이자 자양분이 되는지 수업 시간에 수시로 동기 부여를 하고 있어요. 그리고 반드시 깨웠고요. 이렇게 하다 보니 2학기 때에는 집중은 못 해도 적어도 잠은 자지 않으려고 노력하는 모습을 보여주더라고요. 소통과 관심은 정말 만능 해결책인 것 같습니다!

3 수업 방해·학습에 흥미가 없는 학생 기출

① **수업 규칙 정하기:** 학생들과 함께 학급별 수업 규칙을 정함 ➡ 첫 시간에 해도 좋고 중간 점검 식으로 한 달에 한 번씩 수업 참여 정도를 성찰하며 규칙을 더해 나가도 좋음

② **원인 파악하기:** 학기 초 규칙을 함께 설정했음에도 문제행동을 보일 경우 학생과 1:1 상담을 통해 학생이 그렇게 행동한 이유, 상황, 감정에 대해 들어봄

③ **수업 규칙 상기하기:** 학생의 말에 경청하면서도, 수업 중 문제행동으로 인한 교사의 어려움을 솔직하게 전달함. 수업에는 분명한 규칙과 지켜야 할 질서가 있음을 안내한 후 함께 좋은 수업을 만들 것을 약속할 수 있도록 함

④ **담임교사와 상담하기:** 담임교사에게 자문을 구해 학생의 특성, 성향, 가정환경 등을 파악해 학생을 이해하고 맞춤 지도를 실시함

⑤ **라포르 형성하기:** 수업 외에 일상생활에도 관심을 가지며 라포르를 형성함

⑥ **학습 동기 형성하기:** 작은 과제, 역할을 부여하며 학습 동기를 형성시킴. 모둠 학습 등을 통해 협력의 기쁨과 성취감을 맛보게 함

⑦ **다양한 형태의 수업 구성하기:** 강의식 수업, 모둠식 수업, 태블릿 수업 등 학생 주도의 다양한 형태의 수업으로 흥미를 고취시킴

사이다 톡 talk! 《인스타 브레인》에 따르면 인간은 신체 활동을 할 때 큰 집중력을 발휘한다고 해요. 그리고 무기력과 우울감이 많이 사라지기도 하고요. 이런 것을 참고해 교과수업에 활동형 수업을 포함해 보는 건 어떨까요?

4 배움이 느린 학생 기출

① **원인 파악:** 기초학력 부족, 무관심, 용어 이해의 어려움 등 배움이 느린 원인이 무엇인지 상담 혹은 인공지능 등 에듀테크를 활용해 정확하게 파악해야 함

② **해결 방안:** 파악한 원인에 따라 적합한 해결책을 제시함

예 배움 사전 제작(용어 풀이), 또래 교수 활동, 과제 제시 후 개별 피드백, 지역사회 연계(대학생 멘토링) 등

사이다 톡 talk! 현재 경기도교육청에서는 '개별화 교육'을 매우 중시하고 있어요. 따라서 학생 개개인의 고민을 해결해 줄 수 있는 능력을 갖춘 교사임을 어필해야 합니다. 물론, 30여 명을 지도해야 하는 교사에게 이것은 무리한 요구일 수 있어요. 그래서 인공지능을 활용할 것을 권고하고 있답니다. 교사가 놓칠 수 있는 부분을 AI가 분석해 줄 수 있으니까요. 교사는 객관적인 데이터를 기준으로 학생에게 부족한 부분을 파악할 수 있고, 맞춤 피드백을 줄 수 있죠. 반면, AI가 할 수 없는 내적 동기 부여, 자신감 강화 등은 온전히 교사의 몫이에요. AI를 활용한 개별화 교육을 하면서도, 교사 본연의 업무인 학생의 성장을 위한 정서적 지원을 강화하겠다는 이야기를 꼭 하셔야 해요!

5 효과적인 모둠 학습 방안 (기출)

모둠 학습은 협력적인 학습 환경을 조성하고 다양한 학습 기회를 제공하는 데 유리하지만, 적절히 관리되지 않으면 몇 가지 문제점이 발생할 수 있음. 따라서 효과적인 운영이 되도록 구성해야 함

① **취지 설명**: 본격적인 활동 전, 모둠 수업의 취지와 효과 등을 안내해 동기 유발을 시킴
② **효과적인 모둠 구성**: 담임교사와 상의하거나 직전 학기 성적·수업 태도를 고려해 멘토 역할을 할 수 있는 학생을 포함해 성향이 잘 맞는 학급 구성원으로 모둠을 구성함
③ **역할 분담제 실시**: 공동 과제 속에 세부 역할을 나누어 역할 분담 및 책임제를 실시해 맡은 바 역할을 할 수 있게 함
④ **토킹스틱 안내**: 한 명에게 발언권이 쏠리는 문제를 방지하기 위해 조별로 토킹스틱을 제공해, 토킹스틱을 들고 있는 친구는 발언하고 나머지는 경청할 수 있게끔 규칙을 마련함
⑤ **다양한 형식 허용**: 한 가지 주제를 주되 다양한 형식의 과제물 제출을 허용함 예 신문 제작, 방송 영상 제작, 파워포인트 녹음 등 아이들이 각자의 재능을 녹일 수 있도록 유연하게 과제물의 방식을 열어둠
⑥ **중간 피드백 제공**: 모둠을 구성하고 방치하는 것이 아닌 순회 지도를 통해 무임승차 학생이나 이해가 어려워 참여하지 못하고 있는 학생을 조기 발견해 잘 정착할 수 있도록 지도함

★★★

45 갈등 문제 공

현장 이야기로 사이다 열기

"직업의 만족도는 결국 관계가 핵심!"
몇백 명의 학생들과 학부모, 수십 명의 동료 교사들과 함께 생활해야 하는 우리에게
어쩌면 '관계'의 만족도가 가장 중요하지 않을까 생각해 봅니다.
하루에 세 반 내지 다섯 반에 들어가 수업하다 보면 크고 작은 관계 문제들이 발생하곤 하죠.
또한 동료 교사와도 예상치 못한 여러 마찰이 생기기도 해요.
일이야 열심히만 하면 된다지만 예상치 못한 관계 갈등 문제는 마음이 참 힘들어요.
좋은 관계를 맺기 위해서 어떻게 하면 좋을까요? 갈등 해결의 열쇠는 결국 무엇일까요?
사이다와 함께 고민해 봅시다.

#지도_방안

All 기출 문장 및 빈도 체크

연도	자기성장소개서 ㉢			집단토의 ㉣			개별면접 ㉤		
	초	중	비	초	중	비	초	중	비
2016				✓					
2017									✓
2018									✓
2019									
2020				✓					
2021	미시행							✓	
2022								✓	✓
2023							✓		
2024							✓	✓	✓

*공통 공

[24' 중면] 교사와의 관계 만족도가 낮은 경우 교과교사와 담임교사로서 학생의 만족도를 증진할 방안을 제시하시오.
[24' 중면] 학교폭력 업무에 배정된 상황에서 업무가 과중하다고 생각하여 다음 해에 다른 업무를 요청했는데 인력 부족으로 한 해 더 해야 하는 상황에서 어떻게 대처할지 말하시오.
[24' 비면] 갈등 상황에서 소통과 협력으로 해결해 나갔던 경험과 이를 교직 현장에서 교사 관계에 적용할 방안을 전공과 연계해서 답변하시오.
[24' 초면] 수업 시간에 떠든 학생을 불러 상담하려 하니, "왜 저만 혼내세요?"라고 하는 상황에서 어떻게 답변할지 시연하고, 그 이유를 제시하시오.
[23' 초면] 교내 다양한 연령의 개인주의와 공동체 의식에 대한 차이점 속 신규 교사의 노력 방안 3가지를 제시하시오.
[22' 비면] 학급 내 갈등이 잦아 고민하는 담임교사와 협력하여 자신의 전공을 연계한 교육 방안을 제시하시오.
[22' 중면] 교과교사가 매 시간마다 학급 아이를 데리고 와서 생활지도를 하라고 한 상황에서 해결 방안을 제시하시오.

[21′ 중면] 자신의 업무를 맡아 달라고 하는 동료 교사와의 문제를 해결할 방안을 제시하시오.
[20′ 초토] ADHD 학생의 돌발행동, 학부모가 교사의 전문성을 의심, 문제행동 학생을 모방하는 학생이 존재하는 상황에서 담임교사를 지원할 수 있는 협력 체제와 그 역할을 논의하시오.
[18′ 비면] 같은 반 학생과 갈등이 있어서 특정 수업에 불참한 학생을 지도할 방안과 그 담당 교과 선생님과 함께 생활교육 전문성을 신장할 방안을 제시하시오.
[17′ 비면] 아침맞이 시간에 교복을 입지 않고 등교하는 학생을 어떻게 지도할지 평가위원을 학생이라고 가정하고 이야기하시오.
[16′ 초토] 학급 문제행동 아이와 이를 둘러싼 학급 친구들, 학부모, 다른 교사와의 갈등 문제를 해결할 방안을 토의하시오.

1 교사의 의사소통 방법과 태도

① **감정이입하기**: 학생의 관점에서 상황을 보는 행동으로 학생과의 관계를 강화할 수 있음
② **피드백 주고받기**: 타인의 의도를 확인해 양쪽이 공통된 이해를 갖게 할 수 있음
③ **경청하기**: 말뿐 아니라 사상과 감정을 읽고 피드백할 수 있음
④ **권력과 지위에 의한 전달 피하기**: 효율적인 의사소통을 위해 권력이나 교사로서 지위에 기대어 말해서는 안 됨
⑤ **일대일로 의사소통하기**: 일대일 관계에서는 이해와 존경이 포함될 수 있음
⑥ **자신과 타인을 신뢰하는 입장에서 의사소통하기**: 자신과 타인을 신뢰하기 위해선 개방적인 자세로 이야기해 신뢰하고 있음을 정직하게 전달해야 함

사이다 톡 talk! 학생들이 고민이 생겼을 때 친구들과 소통하는 경우가 거의 전부라는 사실을 알고 계세요? 부모님이나 선생님께는 고민을 잘 말하지 않는다고 해요. 어른들의 괜한 우려로 일을 크게 만들거나, 공감보다 해결 방안이 앞서는 경향이 있어서 그런 것 같단 생각이 들어요. 실제 상담을 할 때 딱히 해결책을 말하지 않아도 그저 들어주고 같이 공감하고 이해하는 것만으로도 학생들이 매우 만족하는 것을 확인할 수 있었는데요. 학생의 관점에서 경청하기, 공감하기, 이 원칙만 잘 기억해도 수월한 소통이 가능할 거예요.

2 효과적인 의사소통 '나-전달법'의 이해

① 나-전달법

나-전달법(I-Message)	↔	너-전달법(You-Message)
• 나를 주어로 사용해 나의 느낌이나 감정을 진솔하게 표현하는 방법 • 상대방을 비난하지 않으므로 상대방의 저항을 일으키지 않고, 상대방의 행동이나 말로 인한 문제 상황일 때 자신이 어떻게 영향을 받고 있는지 효율적으로 알릴 수 있음 예 선생님 말에 형식이가 그렇게 대답을 하니, 선생님 마음이 아프다.		상대방에게 직접 충고, 명령, 나무람, 비난하는 뜻을 내포하는 말 예 너 아주 형편없구나, 어떻게 그런 식으로 얘기하니?

② 감정주도 대화방식

감정주도(Emotion-Oriented) 대화방식		사실주도(Fact-Oriented) 대화방식
감정을 먼저 헤아려 주고 사실을 들여다보는 화법 예 민수가 그런 이야길 해서 많이 화가 났구나. 너무 놀라고 당황했겠다. 괜찮아?		사실을 언급하며 대화 예 또 싸웠어? 동민아 한두 번도 아니고 이번이 도대체 몇 번째야.

3 갈등 해결의 주안점 기출

① **교사 자존감**: 매 순간 건강하고 활기차게 살며 교사 자존감을 길러야 함. 상처를 방치하지 않고 적극적으로 해소하기 위해 노력해야 함 ➡ 갈등 상황이 왔을 때 나를 공격하는 것이 아니라는 것을 인지하고 침착하게 대응할 수 있는 토대가 됨

② **판단 금지의 원칙**: 타인의 태도가 내 관점에선 이해되지 않아도 함부로 판단해 평가하지 않고, '상대의 입장에서는 이게 화가 날 일이구나' 먼저 생각해야 함

③ **소통과 상호존중의 원칙**: 무조건 교사가 참거나, 학생이 어른의 말을 따라야 한다거나 기분이 나쁜데 눈치를 보느라 참거나, 잘 지내고 싶어서 원하는 대로 해주는 것은 현명한 갈등 해결 방안이 아님 ➡ 상호존중하에 갈등을 해결해야 함

④ **교육공동체 공동의 노력**: 갈등 상황은 당사자만 해결해야 하는 문제가 아닌 학교, 학부모, 동료 교사 등 공동의 협조와 노력으로 해결해야 함

⑤ **과제 분리**: 갈등 상황을 마무리한 후에 개인적인 감정으로 끌고 가지 않도록 노력해야 함

사이다 톡 talk! 어른이 솔직하게 자기 감정을 진심을 담아 표현하면 아이들도 보고 배운다고 합니다. 저는 특정 학생과 마찰이 생겼을 때 호통을 치거나 다그치는 것이 아니라, 솔직하게 저의 감정을 표현하곤 해요. '아깐 조금 서운했어.', '마음이 조금 속상하더라.' 같은 이야기를 들으면 학생들의 표정이 미묘하게 흔들리더라고요! 자기가 무의식적으로 한 행동이 선생님에게 상처가 된다는 것을 아는 거지요. 어른이라고, 교사라고 무조건 감내하는 것이 아닌 솔직하게 진심을 담아 감정 표현을 하되, 상대를 탓하지 않는 '나 전달법'을 현장에 가서도 사용해 보세요!

4 갈등 상황 및 해결 방안

(1) 나와 특정 학생 간의 갈등 해결 방안 (기출)

감정적 반응, 섣부른 충고, 강압적 지도가 아닌 우선 경청의 자세로 학생 입장을 들어봄 ➡ 나 전달법으로 감정을 전달 ➡ 공동의 약속 수립 ➡ 담임교사 및 학부모와 연대

(2) 학생과 학생 간의 갈등 해결 방안 (기출)

처벌 중심의 해결이 아닌 상호존중과 배려의 관점에서 해결해야 함

① 인성교육(THEME 8)

② 학교폭력 예방 교육(THEME 33)

③ 회복적 생활교육(THEME 46)

(3) 학급 학생과 특정 교사 간의 갈등 해결 방안 (기출)

① 상황 파악: 수업 및 생활지도 중 문제 상황이 생긴 경우 각자의 이야기, 목격한 사람의 이야기를 들어본 후 객관적으로 상황을 인지해야 함

② 감정 공감: 각자 입장과 감정을 들어보며 갈등 후의 극적인 감정을 가라앉히고 차분해질 수 있도록 함

③ 적절한 개입: 중재의 입장에서 서로의 상황을 전달하고 충분한 소통을 할 수 있도록 분위기를 조성함

사이다 talk! 담임 반 학생과 교과교사 사이에서 갈등이 발생한 경우, 필요 이상의 개입은 서로를 불편하게 만들 수 있습니다. 교과교사가 상황을 알리면 교사가 겪었을 괴로운 마음을 함께 공감하고 학생의 특성을 고려해 해결 방안을 같이 모색해 나가는 정도면 충분하답니다. 학생은 교과교사보다 담임교사를 신뢰하기 때문에, 곧잘 지도에 따릅니다. 학생의 이야기를 경청하되, 교과 선생님이 겪었을 난처함 등에 대해서 이야기를 한 후 학생 스스로 깨닫게 하는 방식으로 교과교사와 담임 반 학생이 원활하게 문제 해결을 할 수 있도록 분위기를 조성하면 좋습니다.

(4) 교사와 교사 간의 갈등 해결 방안 (기출)

① 갈등 유형: 업무 전가, 한 학생이나 상황을 두고 지도 방식 대립 등

② 해결 방안: 공감적 소통, 진솔하고 차분하게 자기 입장을 전달하고 협력의 관점, 공동체적 관점으로 문제를 해결해 나가야 함

사이다 talk! 너-나-우리의 관점에서 대화를 해보세요! 먼저 상대 교사의 입장을 들어줍니다(너). 그렇다면 상대방도 나의 이야기를 들어줄 준비가 됐겠죠? 먼저 공감하고 이해했으니까요. 그 후 자기 감정을 솔직히 전달하는 겁니다(나). 나 전달법으로요! 상대를 탓하는 게 아닌 나의 감정에 초점을 맞춰서요. 그리고서 협조와 협력의 관점에서 같이 문제 상황을 해결해 나갈 것을 약속합니다(우리). 이 3가지의 원칙을 고민해 해결 방안을 생각해 보면 어떤 문제든 쉽게 해결책이 나올 거예요. 가장 먼저 경청과 공감적 이해를 위한 준비를 하겠다는 것을 잊으시면 안 돼요.

46 회복적 생활교육 공

현장 이야기로 사이다열기

현장에서 회복적 생활교육을 시행하며, 학생들의 무한한 가능성을 다시금 확인하게 돼요.
학생들은 대화와 공감을 할 줄 알고, 의사소통을 하는 방법을 쉽게 터득해 나가더라고요.
존중과 목소리가 있는 교실, 자발적인 책임과 의무를 다하는 교실, 회복적 생활교육이 만든 교실 풍경입니다.

#정의 #사례 #방법

All 기출 문장 및 빈도 체크

연도	자기성장소개서 성			집단토의 토			개별면접 면		
	초	중	비	초	중	비	초	중	비
2016									
2017									
2018									
2019									
2020									
2021	미시행								
2022	미시행								
2023				미시행				✓	
2024				미시행					

*공통 공

[23′ 중면] 최근 처벌 중심 사안 처리가 한계로 지적되고 있다. 학교폭력 문제에 대한 다음 상황을 분석하고 담임교사로서 교육적 해결 방안과 처리 시 유의 사항을 말하시오.

1 회복적 생활교육 정의

학생들 간의 갈등이나 문제 상황을 처벌 중심으로 해결하기보다는 관계 회복과 공동체 강화에 중점을 두고 문제를 해결하는 교육 접근 방식 ➡ 학생들이 자신의 행동에 대해 책임을 지고, 피해를 입은 학생과의 관계를 회복하며, 공동체 내에서 긍정적인 변화를 이끌어내는 것을 목표로 함

① 회복적

- 처벌이 아닌 가해자와 공동체 구성원의 노력으로 피해가 온전히 회복될 때 성취됨
- 관계성 향상을 통한 평화로운 공동체를 만들어 가는 과정
- 통제 중심이 아닌 존중·자발적 책임·협력 목표

NOT! **응보적**: 잘못된 행동이 있을 때 그에 상응하는 고통을 부여하거나 사회를 통제하고 사람의 행동을 변화시킬 수 있다는 믿음 ➡ 이러한 관점으로 접근하는 것이 아님!

② **생활교육**: 학생생활 전반에 대한 교육적 접근

NOT! **회복적 생활지도**: 잘못된 행동에 대한 차단과 예방이 아님!

2 도입 배경

학교폭력 문제를 당사자인 피해자를 빼놓고 행정가들끼리 모여서 논의하는 문제를 두고 피해자 어머니의 호소로부터 공동체의 대화 시작

3 방법: 결과보다 과정에 집중, 공동체의 재통합 중시

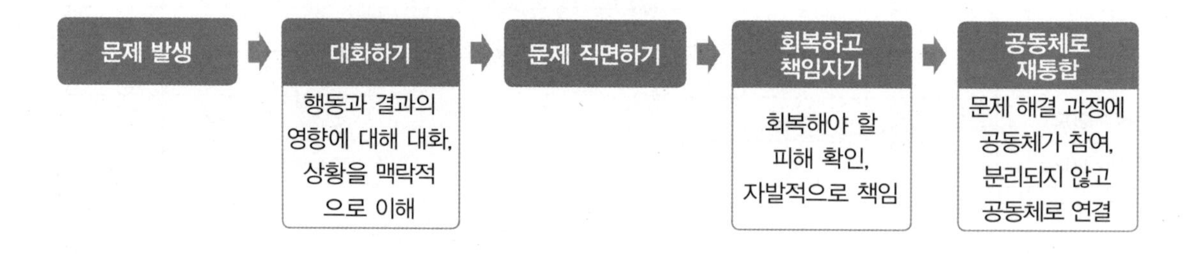

4 사례 기출

① 공감적인 의사소통: 비폭력 대화 ➡ 관찰, 느낌, 욕구, 부탁으로 의식하고 말하는 것

관찰	내가 ~를 보았을 때
느낌	나는 ~라고 느껴
욕구	왜냐면 나는 ~를 중요하게 생각하는 사람이기 때문이야
부탁	~ 이렇게 해줄 수 있어?

② **공동체의 평화적 갈등 해결:** 회복적 서클(사전 서클 ➡ 본 서클 ➡ 사후 서클을 통해 공감을 이루고 탐구하는 대화 모임, 갈등 당사자들의 모임)
③ **학생들의 갈등 해결 능력 개발:** 또래 조정 프로그램
④ **학급구조의 변화**
- **서클 프로세스를 활용한 학급 운영:** 서로 동등하게 말하고 듣는 방식 훈련, 공유된 목적과 약속 세우기
- 정기적인 학급회의 개최
- **체크인·체크아웃 서클 운영:** 하루를 시작하고 마감할 때 서로의 감정 이야기

⑤ **교사 신뢰 서클:** 회복적 생활교육의 일환, 교사 신뢰 서클 등 ➡ 발언권은 토킹스틱을 가진 사람에게만 주어지며 서로의 이야기를 경청하는 프로세스 방식으로 진행, 사람의 고민과 문제의식을 나누는 시간

2

5 원칙

① **'갈등' 소재:** 갈등을 부정적 혹은 긍정적인 것이 아닌, 상호관계에서 나타나는 자연스러운 현상으로 여기고 그 과정에서의 배움에 초점을 둠
② **관계 중심:** 규칙을 어긴 것보다 그로 인해 관계성이 훼손된 것을 잘못으로 여기고 관계를 강화하는 방향으로 나아감
③ **상호존중:** 모든 인간은 존재 자체로 존엄한 가치를 지님, 자율성과 다른 사람과의 상호의존성을 동등하고 소중한 것으로 여기도록 배워야 함
④ **공동체의 참여:** 문제 해결 과정에 공동체가 참여, 공동체성을 회복시키는 윈-윈 방식으로 나아가야 함
⑤ **지배 체제가 아닌 파트너십 체제:** 교사와 학생은 지배관계가 아닌 협력적 관계를 통해 공동체를 세움
⑥ **내면의 힘 부여:** 처벌 등 외부 통제에 의해 행동하지 않음, 내면의 힘을 길러 자율적으로 행동할 수 있어야 함
⑦ **합의를 통한 의사결정:** 다수결이 아님, 모든 참여자들이 욕구와 이해를 깊이 인식하고 모든 욕구를 만족시키는 방법 탐색

★★★

47 학부모와의 소통 및 연대 (공)

현장 이야기로 사이다열기

《학부모 상담 119(송형호)》에 따르면 교원을 대상으로 '교직 생활 중 가장 큰 어려움은?'이라는 주제로 설문조사를 한 결과, '학부모 민원 및 관계 유지'란 답변이 2019년에 1위, 2020년에 2위를 차지했다고 해요.
저도 떠올려 보면 신규 교사 시절 학부모님과의 관계 맺기가 상당히 어려웠어요.
나보다 나이도 많고, 양육 경험이 있는 학부모님께 교사로서의 교직관을 전달하고 소통하는 과정에서
의도치 않은 잡음이 생기기도 했고요.
뿐만 아니라 학부모님 역시 교사와 가깝게 지내거나 학교 일에 관심을 갖는 것이 어렵게 느껴진다고 합니다.
혹시나 너무 극성으로 비춰지지 않을까 해서요.
하지만 학생이 온전히 성장하기 위해서는 동반자의 관점에서 교사와 학부모의 연대가 있어야만 합니다.
이번 테마는 〈교육시선 오늘 2020년 7호〉와 《학부모 상담 119(송형호)》에서 좋은 생각을 많이 얻어왔어요.
시간이 된다면 원문을 읽어보는 것도 추천해요.

#학부모와의_연대_중요성 #관계_맺기 #학부모_참여_활성화_방안

All 기출 문장 및 빈도 체크

연도	자기성장소개서 (성)			집단토의 (토)			개별면접 (면)		
	초	중	비	초	중	비	초	중	비
2016				✓				✓	
2017						✓			
2018									
2019				✓					✓
2020				✓					
2021	미시행								✓
2022	미시행								✓
2023				미시행					
2024				미시행			✓		

*공통 (공)

[24' 초면] 멘티미터로 만든 학부모와 교사의 신뢰 관계 강화 방안에 대한 서로 다른 생각을 보고, 학부모와의 신뢰 관계 형성을 위해 학급 담임으로서 실천할 수 있는 방안을 2가지 제시하시오.
[22' 비면] 학부모의 참여도가 낮지만 교육열이 높은 환경을 고려하여 전공 연계 교육 방안을 기획하시오.
[21' 비면] 학부모 요구 사항을 원만하게 해결하기 위한 전공 연계 방안을 제시하시오.
[20' 초토] 두 학생 사이 갈등을 둘러싼 학부모의 의견 대립 상황에서 존엄, 정의, 평화의 가치를 실현할 수 있는 방안을 토의하시오.
[19' 초토] ADHD 학생의 학부모가 교사의 전문성을 의심할 경우, 교사를 지원할 수 있는 다양한 협력 체제와 그 역할에 대해 논의하시오.
[19' 비면] 교육공동체 대토론회에서 학부모 참여율을 높일 수 있는 방안을 제시하시오.
[17' 비토] 맞벌이 가정이 많아 학부모의 참여가 저조한 학교에서의 비전을 모색하시오.
[16' 중면] 학교에 관심이 없는 학부모들을 학교 공동체에 참여시킬 수 있는 방안을 제시하시오.
[16' 초토] 학생 간 갈등을 둘러싼 학부모들의 의견 대립을 해결할 방안을 말하시오.

1 공교육에 대한 학부모의 입장 출처: 교육시선 오늘 2022년 7호

① 교육 정책이 자주 바뀌는 현실에서 학부모는 공교육의 흐름을 파악하고 대응하는 데 어려움을 느낌

② 교육 정책의 일관성 부족, 정책과 현장의 괴리, 학교와 교사별 편차 등에 대해 부정적인 인식을 가짐

③ 학교 참여에 대한 생각은 있으나 실질적 참여가 어려우며, 적극적으로 참여할 경우 오해를 받는다고 인식함

사이다 talk! 이러한 조사 자료를 참고해, 우리가 해결할 수 있는 수준에서 방안을 고민해 보세요. 정책에 대한 쉬운 해설을 제공하거나 상시적 안내 연락을 하는 것은 어떨까요? 또 학교에 실질적으로 참여하기 어려운 이유를 알아보고, 그것이 직장 문제 때문이라면 온라인으로 참여할 수 있는 창구를 만든다는 방법도 좋고요. 적극적으로 참여하시는 것이 교사 입장에서 불편한 것이 아니라 꼭 필요한, 감사한 일이라는 것을 학기 초에 미리 알리는 방법 등도 생각해 볼 수 있겠죠.

2 학부모에 대한 인식 방향성

① **교육시민으로서의 학부모:** 학부모를 단순 동의를 구하는 사람이나 조력할 대상으로 보는 것이 아닌, 학교와 영향을 주고받는 교육시민으로 대하며 공적인 참여를 요청함

② **비공식적 교육자:** 학생의 학교 밖 활동에는 교사보다 학부모의 영향이 크므로 가정과 학교의 연대 속에서 교육자로서의 역할을 기대해야 함

3 관계 맺기의 핵심

자녀(학생) 이해하기	→	자녀(학생)에 대한 관심 표현하기	→	공동의 고민 나누기	→	동반자적 관계 맺기
학생과의 원만한 관계를 바탕으로 관찰 및 상담 등을 통해 학생의 장점, 성향, 학교생활, 교우관계 등을 파악함		학부모와 대면·비대면 상담으로 학생에 관한 이야기를 나누며 애정 어린 관심을 표현함		가정에서 학부모와 학생의 관계를 파악하고, 지도의 어려운 점을 상호 공유하며 심리적인 거리를 가깝게 함		학부모 모임을 후원 체제로 활용할 생각에서 벗어나, 평생학습 차원에서 함께 성장할 수 있는 동반자적 관계로 인식하며 다양한 차원에서 참여 활성화를 부탁함

4 교사와 학부모 간 상호존중 방안 (기출)

① **교사의 전문성과 신뢰 보여주기:** 학기 초 자신의 교직관, 학급 운영 방안을 담은 편지 형식의 가정통신문을 발송해 상호 신뢰와 존중을 위한 심리적 환경을 마련함. 학기 초에 교사가 자신의 기대와 교육 목표를 명확하게 전달하고, 학부모와 협력할 부분에 대해 미리 논의하면 오해를 줄일 수 있음. 학부모와 교사가 함께 학생의 성장을 위한 공동의 목표를 설정해도 좋음

② **교칙에 관한 이야기는 사전에 안내하기:** 교칙과 규정을 무시할 수 없는 곳이 학교이기에 사후에 문제가 생기기 전에 이 부분에 대해 미리 안내함

③ **상시적인 상담 창구 마련하기:** 상담 주간에만 상담을 할 수 있는 것이 아닌, 상시적 상담이 가능하다는 점을 안내해 신뢰를 형성함. 상담을 통해 학생의 성적이나 생활에서 일어나는 중요한 일들을 교사가 투명하게 공유하면 학부모는 신뢰를 느낄 수 있음

④ **긍정적 피드백과 칭찬하기:** 교사의 관찰을 통해 알게 된 학생의 긍정적 면이나 성장 정도를 학부모에게 알리면, 관계를 강화하는 데 도움이 됨. 부모는 교사가 아이의 발전에 진심으로 관심을 가지고 있다고 느끼게 되고 교사를 믿고 존중하게 됨

⑤ **학부모 참여 기회 제공하기:** 학교 행사, 수업 참관 또는 학급 활동에 학부모가 참여할 수 있는 기회를 제공해 교사와 학부모가 더 깊이 연결될 수 있도록 함. 학부모가 학생 교육의 일부가 되면 신뢰가 더욱 강화됨

⑥ **학부모 자체에 대한 관심과 존중 표현하기:** 학부모님의 이야기를 경청하고 학부모님의 노고와 삶을 존중하는 표현을 전달, 섣부른 충고나 설교를 하지 않음

5 학부모 상담 방안

(1) 학부모 상담의 핵심

① 학부모 상담의 목적은 학생의 문제행동을 지적하는 것이 아닌, 학부모와 협력해 학생을 돕는 것이라는 점을 명심할 것

② 학부모의 마음에 대한 공감과 주의 깊은 경청이 필요함

③ 학생이 학교생활에서 보이는 장점으로 이야기를 시작하는 것이 편안하게 대화하는 데 도움이 됨

(2) 학부모 상담의 진행 과정

① 학부모에게 전화하기

- 교사가 전화하면 학부모는 당황해 방어적인 태도를 취할 수 있음. 따라서 이 부분을 먼저 짚어줄 것 예 ○○이 학부모님. 갑자기 전화를 드려 놀라셨죠? ○○이와 관련해 상의드리고 싶은 일이 있어서 연락드렸어요.
- 문제행동만 말하기보다는 학부모가 거부감을 갖지 않도록 부드럽게 말하는 것이 중요하며, 학교에 찾아와 대면상담을 할 수 있도록 약속을 정함 예 ○○이는 활발하고 에너지가 넘쳐서 학급의 분위기 메이커예요. 그런데 감정 표현을 적절하게 하는 법을 잘 모르는 것 같아서 걱정되네요. 이 일에 대해서 직접 뵙고 상의드리고 싶은데 언제 시간이 괜찮으실까요?

② 가정에서의 모습을 탐색하기

- 가정에서 지도하는 데 어려운 점이 있는지 확인하고, 학교에서 도움을 줄 수 있는 부분을 질문하며 자연스럽게 학생의 문제행동에 대해 접근 예 ○○이를 키우면서 혹시 어려운 점이 있으실까요? 말씀해 주시면 제가 ○○이를 교육할 때 참고해 도울 수 있을 것 같습니다.
- 교사가 관찰한 학생의 문제가 가정에서도 나타난다면 자연스럽게 학생이 겪는 문제로 상담을 진행 예 네. 저도 ○○이를 교육하면서 ~한 부분을 느꼈습니다. 오늘 그 점에 대해 상의드리고 싶습니다.
- 가정에서는 어려움이 없는 경우, 가정은 친숙하고 허용적인 공간이지만 공동체 생활을 해야 하는 학교에서는 다양한 어려움이 나타날 수 있음을 설명함 예 ○○이가 수용적인 가정에서 성장해 큰 어려움이 없었던 것 같네요. 그런데 공동체 생활을 하는 학교에서는 모든 것이 허용되지 않기 때문에, 가정에서와는 다른 어려움이 나타날 수 있습니다.

③ 문제상황을 전달하기: 문제상황을 학부모에게 공유할 때는 있었던 일에 기반해 사실만 전달함. 학생에게 일어난 사건의 내용을 설명하고 그 점이 왜 문제라고 생각하는지, 앞으로 어떻게 지도하고자 하는지 등에 대해 전달함

④ 가정과의 협력을 강조하며 상담 마무리하기: 현재 학생이 경험하는 문제가 이후 사회 적응과 성장에 도움이 될 수 있음을 이야기하고, 학생의 변화와 성장을 위해 학부모의 협조와 노력이 매우 중요함을 강조함

6 학부모가 방어적이거나 공격적인 경우

① 교사와 학부모가 학생의 성장이라는 공동 목표를 가지고 있음을 상기하고, 상담의 목적이 학생이나 학부모를 비난하기 위함이 아니라는 점을 설명하며 협력적인 태도를 끌어냄

② 교사의 감정적인 대응은 문제 해결을 방해하고 장기적인 관점에서 교사에게도 도움이 되지 않으므로 학부모의 반응을 교사에 대한 거부나 공격으로 해석하지 않고 침착함을 유지함

③ 한 번의 상담으로 문제를 해결할 수 있는 것은 아니므로, 학부모와의 대화가 해결의 방향으로 가지 않거나 학부모가 무리한 요구를 하는 경우에는 성급히 결론을 내리기보다 더 좋은 방법을 고민해 볼 것을 제안하고 다음 상담으로 연결함

사이다 톡 talk! 학생을 지도하다 보면 학부모님과 마찰이 생기기도 합니다. 학부모님이 무턱대고 화를 내거나 때론 무리한 요구를 하는 경우도 있고요. 어느 날 문득, 그런 생각이 들었어요. 자기의 분신인, 때론 자기보다 소중한 자녀에 대해 부정적인 이야기를 들으면 자신을 부정당하는 느낌이 들 수도 있겠구나. 그래서 학부모님과 문제행동에 대해 상담을 할 땐 저의 평가나 판단은 뒤로 하고 상황 자체에 초점을 맞추어 말씀드리고, 가정에서의 모습은 어떤지 물어보며 많이 들어주는 편을 택했어요. 그럴 경우 공감을 받는다고 여겨 제가 던지는 메시지에 긍정적으로 반응하셔서 더 효과적으로 상담을 할 수 있었습니다. 또한 막무가내로 화내는 학부모님이 있을 때는 멘탈 관리를 잘해야 해요. 상처받지 말고 한숨 고르고 생각해 보세요. '저 화는 나를 향하는 것이 아니다. 상황을 향하는 것이다.'라고요.

48 청렴 문화 공

현장 이야기로 사이다 열기

2016년 9월 28일 이른바 '김영란법'이 시행된 지 어느새 8년차입니다.
학교 현장이 보다 투명해지고 실용성에 기반을 둔 선물이 아닌 편지, 종이접기 같은 소소하고 정성이 담긴 선물이 오가는 등 긍정적인 변화가 이제 자연스런 문화가 됐죠.
학교에서는 여전히 전 교직원이 청렴 연수를 필수로 이수해야 한답니다.
그만큼 현장에서 공무원으로서의 청렴은 매우 중요한 덕목 중 하나입니다.
청렴에 위배되는 사례를 살펴보며 관련 역량을 키워나가 봅시다.

#청렴_내용 #내면화

1 정의

공직자 등에 대한 부정청탁 및 공직자 등의 금품 수수를 금지함으로써 공직자 등의 공정한 직무 수행을 보장하고 공공기관에 대한 국민의 신뢰를 확보하는 것

2 도입 배경

2011년 현직 검사가 변호사로부터 사건 청탁에 대한 대가로 고급 승용차와 명품 가방을 받은 사건 이후 뇌물에 대한 기준을 마련하고자 당시 김영란 권익위원장이 추진
➡ 「부정청탁 및 금품등 수수의 금지에 관한 법률」(이하 '청탁금지법') 제정

3 방법

(1) 부정 청탁 금지

① 부정 청탁을 받았을 경우, 부정 청탁임을 알리고 거절 의사를 명확히 표시함
② 동일한 부정 청탁을 다시 받은 경우 이를 소속 기관장에게 서면으로 신고해야 함
③ 3만 원의 식사 대접, 5만 원의 선물, 5만 원의 경조사비까지는 의례상으로 허용함

(2) 금품 수수 금지

① 직무 관련 대가성이 없더라도 직위, 직책 등의 영향력을 통해 금품을 받거나 요구 또는 약속을 해서는 안 됨

② 수수 행위 금지 위반에 대한 처벌 수준

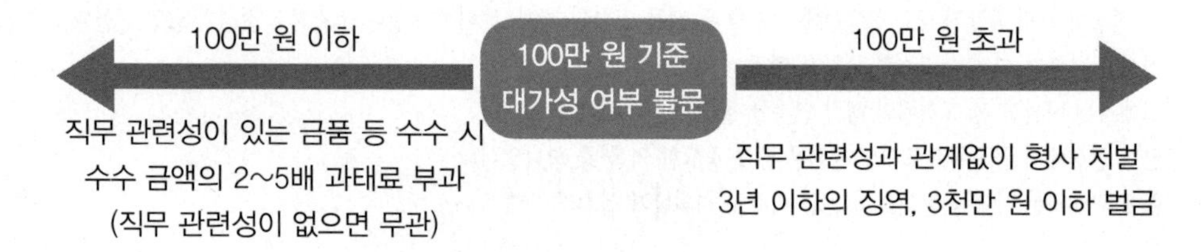

③ 금지된 금품 등을 제공하는 사업자 등도 공직자와 동일한 제재를 받게 되고, 공직자 등의 배우자가 금품 등을 받은 것을 알고도 신고하지 않은 경우에도 처벌이 가능함

④ 지체 없이 신고하고 금품 등을 반환·인도한 경우 과태료·형사 처벌 대상에서 제외됨

사이다 톡 talk! 학생(학부모)과 교사 사이 직무 관련성(성적, 생활기록부 기록)이 있는 경우 100만 원 이하의 금품 수수 시 과태료가 부과됩니다. 졸업한 제자여서 직무 관련성이 없어졌다고 해도, 100만 원을 초과한 선물을 받을 경우 형사 처벌 대상이거나 벌금이 부과됨을 기억해 주세요!

(3) 외부강의 수수료 제한

① **신고 대상**: 자신의 직무와 관련되거나 그 지위, 직책 등에서 유래되는 영향력을 통한 교육, 홍보, 토론회, 세미나, 공청회 또는 그 밖의 회의 등에서 한 강의, 강연은 신고 대상임

② **절차(법령 일부개정**: 2020. 05. 27. 시행): 사전 신고 의무화에서 강의를 마친 날로부터 10일 이내 서면 신고로 변경됨

③ **직무 관련 외부강의 사례금 제한**: 공직자 등 사례금 상한액 40만 원 일원화, 각급학교 교직원 및 언론사 임직원은 시간당 100만 원, 강의료·원고료 등 명목과 관계없이 일체 사례금 포함(교통비 제외)

④ **외부강의 대가로서 대통령령으로 정하는 금액을 초과하는 사례금 수수 금지**: 신고 및 반환 조치 미이행 시 500만 원 이하의 과태료 부과 및 징계 처분됨

4 기대효과

교육에 대한 부정적 인식 및 신뢰 회복 가능

5 청렴 11덕목: 청렴 6덕목 + 확장된 5덕목

(1) 청렴 6덕목

① 내가 맡은 "책임"
② 서로 믿을 수 있는 "정직"
③ 내 것과 남의 것을 보호하는 "절제"
④ 모두 함께 지키는 "약속"
⑤ 서로 따뜻함을 나누는 "배려"
⑥ 공평하고 정의로운 "공정"

(2) 확장된 청렴의 개념 5덕목

⑦ 올바른 솔직함 "투명"
⑧ 사회를 유지하는 기본 질서 "도덕"
⑨ 지켜주고 싶고 아껴주고 싶은 "준법"
⑩ 믿음을 지키는 "신뢰"
⑪ 모든 사람을 고귀하게 대하는 "사회정의"

사이다 talk! 청렴 11덕목을 어떻게 교직사회에서 실천할 것인지 고민해 주세요.

6 청렴 관련 주요 Q & A

Q 상조회(같은 학교 구성원들이 월 정기 회비를 납부하는 모임)에서 경조사가 발생해 회칙에 따라 30만 원을 지급할 수 있나요?

A 교직원 등과 관련된 상조회가 정하는 기준에 따라 구성원에게 제공하는 금품 등은 수수 금지 금품 등의 예외사유(청탁금지법 제8조 제3항 제5호)에 해당돼 지급 가능합니다.

Q 학생이 담임 선생님께 몇천 원 정도의 소소한 선물을 드릴 수 있나요?

A 학생에 대한 평가·지도를 상시적으로 담당하는 담임교사 및 교과교사와 학생 사이의 선물은 가액 기준인 5만 원 이하라도 원활한 직무 수행, 사교·의례 목적을 벗어나므로 허용될 수 없습니다.

Q 학부모가 자녀의 작년 담임교사에게 10만 원 상당의 선물을 한 경우 「청탁금지법」 위반인가요?

A 작년 담임교사의 경우 직무 관련성이 인정되지 않기에 사교·의례 목적으로 제공하는 5만 원(농수산물·농수산가공품은 10만 원) 이하의 선물은 가능합니다. 다만, 교과교사로서 성적이나 수행평가 등 관련성이 있다면 허용될 수 없습니다.

Q 담임 선생님 결혼식에 축의금을 드릴 수 있나요?

A 학생에 대한 평가·지도를 상시적으로 담당하는 담임교사 및 교과교사와 학생(학부모) 사이의 경조사비는 가액기준인 5만 원 이하라도 원활한 직무수행, 사교·의례, 부조의 목적을 벗어나므로 드릴 수 없습니다.

Q 교사에게 택배나 우편을 통해 선물을 전달한 경우 택배비 또는 우편비가 선물의 가액에 포함되나요?

A 택배·우편비는 교사에게 제공되는 것이 아니므로 포함되지 않습니다.

Q 직무 관련자가 교사에게 촌지제공 의사 표시를 했고 교사가 그 자리에서 거부 의사를 표시한 경우에도 「청탁금지법」 위반인가요?

A 직무와 관련된 교사에게 금품 등 제공 의사 표시를 한 것만으로도 「청탁금지법」 위반입니다. 다만, 거부 의사를 표시한 교사는 처벌 대상에서 제외됩니다.

Q 교사가 직무와 관련이 없는 지인으로부터 경조사비 50만 원을 받을 수 있나요?

A 교사 등 공직자는 직무 관련자로부터 1회 100만 원 이하의 금품 등 수수 행위가 금지돼 있습니다. 직무와 관련이 없는 자로부터 1회 100만 원 이하의 금품 등 수수 행위는 허용됩니다.

Q 교사가 직무와 관련된 자로부터 3만 원 상당의 식사를 제공받고, 곧바로 자리를 옮겨 6,000원 상당의 커피를 제공받은 경우 「청탁금지법」 위반에 해당하나요?

A 식사접대 행위와 음료접대 행위가 시간적·장소적으로 근접성이 있어 1회로 평가 가능해, 음식물 가액범위인 3만 원을 초과했으므로 청탁금지법 위반입니다.

Q 졸업식 날 학생들이 담임 선생님께 꽃다발을 드려도 되나요?

A 성적 평가 등 학사 일정이 모두 종료됐으므로 5만 원을 초과(100만 원 이하)한 선물이 허용될 수 있습니다.

49 갑질 및 직장 내 괴롭힘 대응 공

현장 이야기로 사이다열기

수업 중에 학생들에게 질문을 던졌어요.
"5년 전에 비해 사회에서 크게 달라진 게 무엇이 있을까?"
저는 키오스크, 무인 점포와 같은 방향으로 답변이 나오기를 기대하며 던진 질문인데, 어떤 학생이 의외의 답을 말하더군요.
"사람들이 자꾸 싸워요. 소통하지 않고 화를 내거나 법대로 하라? 이렇게 된 것 같아요. 약한 사람한테는 갑질하거나 꼽주고요."
그날 이 주제로 학생들과 이야기를 하며 서로 엄청난 공감을 했답니다.
돌아보니 어느 순간부터 한국인 특유의 '정' 문화는 사라진 지 오래고,
사회에 '갑질'이란 표현이 매우 만연하게 쓰이게 된 것 같아요.
학교에서도 어느 순간부터 갑질 예방 연수가 자리 잡을 만큼요.
서로 존중하고 배려하는 문화를 꿈꾸며, 관련 주제에 대해 이야기 나눠봅시다.

#경험 #예방_방안

1 갑질 정의

사회·경제적 관계에서 우월적 지위에 있는 사람이 권한을 남용하거나 우월적 지위에서 비롯된 사실상의 영향력을 행사해 상대방에게 행하는 부당한 요구나 처우

2 갑질 유형

① **법령 위반**: 법령, 규칙, 조례, 내부규정 등을 위반해 자기 또는 타인의 부당 이익을 추구하는 유형
② **사적 이익 요구**: 우월적 지위를 이용해 금품, 향응, 기타 편의 등 사적 이익을 요구, 수수하거나 제공받는 유형
③ **부당한 인사**: 자기 또는 특정인의 이익을 위해 채용, 승진, 성과 평가 등 인사와 관련해 부당하게 업무를 처리하는 유형
④ **비인격적 대우**: 외모나 신체를 비하하거나 욕설, 폭언, 폭행 등 상대방에게 인격적 언행을 하는 유형
⑤ **기관 이기주의**: 발주 기관이 부담해야 할 비용을 시공사가 부담하게 하는 등 기관의 이익을 부당하게 추구하는 유형
⑥ **업무 불이익**: 사적 감정 등을 이유로 특정인에게 근무시간 외 업무 지시를 하거나 부당하게 업무에서 배제하는 유형

⑦ **부당한 민원 응대:** 정당한 사유 없이 민원 접수를 거부하거나 취하를 종용하고 고의로 처리를 지연시키는 등의 유형

⑧ **기타:** 따돌림, 모임 참여 강요 등 다양한 형태로 나타나는 유형

3 갑질 판단 기준

갑질 여부는 관련 법규, 당시 상황(공개된 장소 여부, 근무시간 여부, 당사자와의 관계 등), 공사의 구분, 인권 존중의 원칙과 공동체 의식 등을 종합적으로 고려해 판단해야 함

4 갑질 판단 시 유의 사항

사적 영역은 적용되지 않고, 관련 규정 및 상황 등에 대한 종합적인 검토 등을 통해 판단토록 함

5 갑질 예방 및 상호존중 문화 조성

① **갑질 예방 실태조사:** 연 1회 갑질 실태조사, 연 1회 갑질 예방 교육 의무화, 행동강령 책임관 및 관리자 연수

② **상호존중 문화 조성:** 월 1회 상호존중의 날 운영, 상호존중 캠페인 참여

사이다 톡 talk! 상호존중 문화에 앞장서는 교사가 되겠다는 포부를 꼭 넣어주세요!

50 양성평등 및 성인지 감수성 공

현장 이야기로 사이다 열기

이번 테마를 집필하며 도움을 받은 《양성평등 학교문화 조성을 위한 안내(한국양성평등교육진흥원)》 자료를 보며
상당히 충격을 받았어요.
무심코 관행처럼 굳어진 잘못된 성 관념을 인지하고
학교 문화에도 성인지 감수성이 부족한 부분이 상당히 많다는 것을 짚어보는 계기가 됐습니다.
교사들의 성인지 감수성이 부족할 경우, 학생들의 가치관이나 진로 선택에도 큰 영향을 미칠 수 있습니다.
이 부분을 공부하며 조금 더 좋은 교사의 모습을 함께 갖추어 나가봅시다.

#경험 #교육_방안

All 기출 문장 및 빈도 체크

연도	자기성장소개서 성			집단토의 토			개별면접 면		
	초	중	비	초	중	비	초	중	비
2016									
2017									
2018									
2019									
2020									
2021	미시행								
2022							✓		✓
2023									
2024									✓

*공통 공

[24' 비면] 학생이 자신의 신체상을 체중과 관련하여 정립할 경우, 전공 연계 교육이 필요한 이유를 말하고 교과교사 또는 담임교사와 연계한 교육 방안을 말하시오.

[22' 비면] 양성평등과 관련한 자신의 성장 경험을 말하고, 자신의 전공(보건, 사서, 영양, 전문상담)과 연계한 학생 체험 중심 양성평등 교육 방안을 제시하시오.

[22' 초면] 성인지 감수성 부족으로 학교 내에서 발생할 수 있는 문제 상황과 개선 방안을 말하시오.

1 정의

① **양성평등:** 성별에 따른 차별, 편견, 비하 및 폭력 없이 인권을 동등하게 보장받고 모든 영역에 동등하게 참여하고 대우받는 것
② **성인지 감수성:** 양성평등의 시각으로 기존의 성역할이나 고정관념으로 형성된 성인식의 문제에 공감하는 능력
③ **상관관계:** 양성평등 관계를 맺기 위해서는 성인지 감수성을 향상시켜야 함

2 양성평등에 대한 교육적 관점

(1) 양성평등교육

어느 특정 성에 대해 부정적인 감정이나 고정관념, 차별적 태도를 가지지 않고, 생물학적 차이를 사회문화적 차이로 직결시키지 않으며, 남녀 모두에게 잠재된 특성을 충분히 발현해 자신의 자유의지로 살아가도록 촉진하는 교육

(2) 교육적 관점

① 학생들을 여자, 남자라는 틀에 맞추지 않고 고유한 개성을 지닌 사람으로 대해야 함
② 표면적으로 드러난 '명시적 교육과정'뿐만 아니라 드러나지 않고 숨겨진 '잠재적 교육과정'에서 성차별 요소를 점검하고 개선해 양성평등을 반영하는 방향으로 나아가야 함

3 학교 내 양성평등 관련 문제 상황

(1) 교육과정에서의 문제

① 명시적 교육과정
- 교과서 등장인물에 남성 비율이 높음
- 독립운동에 참여했던 여성들이 최근에 조명되기 시작함

② **잠재적 교육과정:** 교사들이 드러내는 기대와 행동, 교사와 학생의 관계, 아이들 사이의 관계, 물리적·언어적 환경 등이 포함될 수 있음
- 남학생은 철이 없다고 생각하고 여학생은 사려 깊다고 여김
- 여학생은 성실하기에 성취도가 높다고 해석하며, 남학생은 신체적·정신적 능력이 우수해 성과가 좋다고 생각함

(2) 남학생과 여학생의 특성을 유형화하는 문제

① 무의식 중에 떠올리는 차별적 생각: '여학생들끼리 조를 구성하면 수다만 떨어서 안 돼', '넌 무슨 남자애가 여자애보다 운동을 못해?', '남학생 중에 무거운 거 옮길 사람?', '남자애들은 너무 덤벙거려', '여학생들은 잘 삐져서 지도하기 힘들어.'

② 남자 불평등: '남자는 울지 않는다.' 등 감정적 금욕을 강제당하면서 분노는 허용
➡ 치고받고 싸우고 공격성을 보여도 '남자애들은 원래 그렇지' 하며 그러려니 함

③ 여자 불평등: 미디어나 일반적 사회 작용으로 그들의 신체를 성적 대상화하는 경험
➡ 대중매체가 부추기는 날씬하고 매력적인 신체에 미치지 못할 경우 스스로 부정적으로 생각하고 우울증으로 이어짐. 남학생은 매력 압박을 훨씬 덜 받음

4 양성평등교육에서 교사의 역할 (기출)

(1) 성찰

일상에서 여성이나 남성으로 살면서 경험해 온 것들을 성찰해 보며, 양성평등을 위해 어떤 노력이 필요한지 배우고 실천해야 함

(2) 역할 기대 관련 노력

① 감정을 느낄 수 있는 남자아이들의 능력을 무시하거나 부정하지 않기
② 또래집단에서 남자다움을 과시하는 태도를 바꾸도록 도와주기
③ 남자다움의 의미를 다르게 받아들이도록 이해의 폭을 넓히기
④ 아이들이 있는 그대로 자신을 긍정할 수 있도록 하기
⑤ 평가 기준을 성별에 두지 않기 예 "남자애 치고 잘 하네." (×)
⑥ 성별로 칭찬하지 않고 행동으로 칭찬하기 예 "남자답구나." (×), "자신감 있는 발표가 참 좋았어." (○)
⑦ 각자의 성향을 파악하지 않고 성별로 미루어 짐작해 학생을 파악하지 않기
예 "여학생은 원래 그래.", 축구부에 들어가려는 여학생에게 "여자가 왜 여길?" (×)

(3) 언어 사용의 노력

① 여학생, 남학생이라고 부르기보다 '아이들', '모두', '학급'과 같이 성별과 관계없는 집합적인 다른 명사를 사용하기

② 줄을 세우거나 조를 만들 때 여학생, 남학생을 습관적으로 나누고 있는지 체크 ➡ 남녀가 아닌 다른 범주를 활용하기
예 1~6월 생일인 사람, 검은 양말을 신은 사람, 좋아하는 음식이 떡볶이인 사람 등

③ '남자애들이 원래~', '여자들은 원래~'와 같이 성차를 일반화하거나 성차별 발언을 했을 때 아무렇지 않게 넘어가는 것이 아닌, 지도로 바로잡기

(4) 학교 환경 체크: 학교 환경이 성별 중립적인지 체크하고 수정하기

사이다 Check List

- ▢ 학교에 붙어있는 이미지들이 남과 여를 다양한 역할을 하는 존재로 보여주고 있나?
- ▢ 색깔은 교실과 복도에서 어떻게 사용되고 있나?
- ▢ 반에서 쓰이는 물품이 성별 고정관념을 강화하거나 구분하고 있나?
- ▢ 1인 1역이나 학급 일을 여자, 남자로 나누지 않나?

(5) 보호자와 관계 맺기

① 습관적으로 학생의 어머니에게 전화하는 것이 아닌, 기초조사서에 가장 먼저 연락할 보호자를 선택할 수 있도록 하기

② 보호자가 학생에게 성역할을 강요하지 않도록 안내하기

(6) 학급 운영

① 학급 소개판에 남자 ○명 여자 ○명으로 성별 구성을 보여주는 것만으로 그 반을 설명할 수 없으므로 학급이 추구하는 가치관과 학생의 생각을 담기

② 팀 대결 시 남자팀, 여자팀과 같은 성별 대립 구도가 아닌 화합을 초점으로 하기

③ 자리배치 시 성별보다 개개인의 성향 고려하기

④ 여학생에게 얌전을 요구하거나 남학생에게 무례함을 허용하지 않기

⑤ 특정 성에만 적용되는 규칙이 만들어지지 않도록 하기 예 화장 금지

⑥ 외모중심주의, 성적 대상화를 조장하는 급훈 지양하기

예 공부를 화장하듯 하자, 5분 더 공부하면 아내 얼굴이 바뀐다 등

5 교육과정 및 창의적 체험활동 교육 방안(사례)

연구에 의하면, 양성평등교육은 수업활동을 하면서 이루어지는 것이 가장 효과적이라고 함

(1) 교과 연계 교육 사례

① 초등학생 1~2학년 대상: 놀이 형태로 직업과 가족 내 역할을 다루며 아이들이 남자의 일과 여자의 일이 따로 있지 않다고 생각할 수 있게 함

② 초등학생 3~6학년 대상: 일상생활 속 성별 고정관념과 성차별 현상에 대해 감수성을 키울 수 있도록 내용 심화

③ 중학생 대상: 일과 가정의 균형을 가지고 성역할 고정관념과 성 불평등을 직접 생각해보고 대안을 찾으며 실천을 모색하도록 함. 진로 탐색 시 고정관념에 갇히지 말고 적극적으로 적성과 자질을 찾을 수 있도록 함

(2) 창의적 체험활동 프로젝트 학습 사례

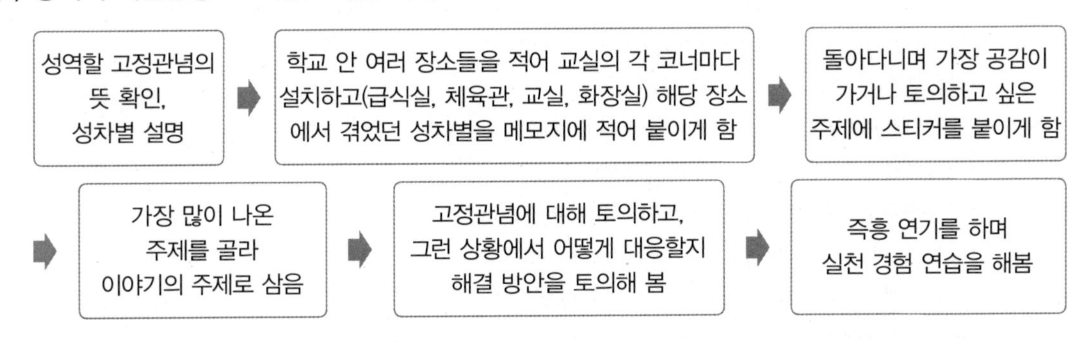

(3) 진로교육

지역사회, 보호자와 협력해 일반적으로 성별화됐다고 여겨지는 분야에서 활약하는 분(예 여자 소방관, 남자 간호사)을 초청해 진로 멘토링 진행

6 학교 문화 형성 방안 기출

① 교사 역시 성별이 아닌 교사의 관심사나 전문성을 바탕으로 평가하고 업무 분장하기

② 형식적인 연수가 아니라 성인지 감수성을 높일 수 있는 연수 진행하기

③ 당연한 삶의 과정이 있다고 생각하거나 묻지 않고(예 결혼은 언제 해요? 애는 언제 낳아요?) 관심 분야나 취미 등을 질문해 그 교사만의 자기다움을 존중하기

참고문헌

1. 사이트

- 경기도교육청 블로그 http://blog.naver.com/go_edu
- 경기도교육청 사이트 http://www.goe.go.kr/
- 교육부 https://www.moe.go.kr/
- 대한안전교육협회 http://safetykorea.or.kr/
- 스마트쉼센터 https://www.iapc.or.kr/
- 아동권리보장원 http://www.korea1391.go.kr/new/
- 에듀넷·티-클리어 https://www.edunet.net/
- 에듀프레스(edupress) http://www.edupress.kr
- 학교폭력예방홈페이지 https://doran.edunet.net/main/mainForm.do
- 행복한 교육 1월~10월호 https://happyedu.moe.go.kr/

2. 문서

- 경기도 용인교육지원청, 「기초기본학력보장 추진 계획」, 2020.
- 경기도교육감직인수위원회, 「제18대 경기도교육감직인수위원회 백서」, 2022.
- 경기도교육연구원, 「경기도교육연구원_인사이트_1권 2호」, 2024.
- 경기도교육연구원, 「경기도교육연구원_인사이트_1권 3호」, 2024.
- 경기도교육연구원, 「경기도교육연구원_인사이트_1권 4호」, 2024.
- 경기도교육연구원, 「경기도교육연구원_인사이트_1권 5호」, 2024.
- 경기도교육연구원, 「경기도교육연구원_인사이트_2권 1호」, 2024.
- 경기도교육연구원, 「교육과정, 수업, 평가 운영 실태 및 일체화 방안 연구」, 2015.
- 경기도교육연구원, 「교육데이터 인사이트 1호」, 2024.
- 경기도교육연구원, 「교육시선 오늘 1~7호」, 2022.
- 경기도교육연구원, 「통계로 보는 오늘의 교육–통권 20호」, 2021.
- 경기도교육연구원, 「통계로 보는 오늘의 교육–통권 21호」, 2021.
- 경기도교육청 민주시민교육과, 「경기 다문화교육 추진 계획」, 2019. 2.
- 경기도교육청 보도자료, 「경기도교육청, 신규교사 임용시험 개선」, 2015. 5. 19.
- 경기도교육청 학교교육과정과, 「2020 원격교육 선도학교 '함께학교·먼저학교' 운영 사례」, 2020.
- 경기도교육청, 「'생각의 힘을 키우는 학기' 논술형 평가 운영 도움자료」, 2024.
- 경기도교육청, 「1급 정교사 자격연수–다문화사회속 교사의 역할(김연권)」, 2021.
- 경기도교육청, 「2016학년도 경기도교육청 교육정책 및 신규 교원 임용제도 설명회 자료」, 2015. 8. 28.
- 경기도교육청, 「2018학년도 경기도교육청 교육정책 및 신규 교원 임용제도 설명회 자료」, 2017. 6. 21.
- 경기도교육청, 「2020 교육복지우선지원사업 운영 지원 계획」, 2020.

• 경기도교육청, 「2020 혁신교육 추진 기본 계획」, 2019.
• 경기도교육청, 「2021 2학기 중등 원격수업 및 등교수업 출결 평가 기록 가이드라인」, 2021.
• 경기도교육청, 「2021 경기교육 주요업무계획」, 2020.
• 경기도교육청, 「2021~2022 학교로부터 시작하는 경기교육 기본계획 수립 계획」, 2020.
• 경기도교육청, 「2021~2023 경기교육 기본계획」, 2020.
• 경기도교육청, 「2022 개정 교육과정에 따른 2024학년도 초등학교 교육과정 편성 안내」, 2024.
• 경기도교육청, 「2022 개정 중학교 교육과정과 학교자율시간」, 2024.
• 경기도교육청, 「2022 개정교육과정 연계 디지털 소양 교육 가이드(중등)」, 2024.
• 경기도교육청, 「2022 개정교육과정 연계 디지털 창의역량 교육 사례집(초등)」, 2024.
• 경기도교육청, 「2022 개정교육과정 연계 디지털 창의역량교육 사례집」, 2024.
• 경기도교육청, 「2022 경기교육 주요업무계획」, 2021.
• 경기도교육청, 「2022 경기형그린스마트미래학교 추진 기본계획」, 2022.
• 경기도교육청, 「2022 과정중심 피드백 실천 사례집」, 2022.
• 경기도교육청, 「2022 교원역량강화 정책추진 기본계획」, 2022.
• 경기도교육청, 「2022 미래학교기획과 정책추진 기본계획」, 2022.
• 경기도교육청, 「2022 민주시민교육 정책추진 기본계획」, 2022.
• 경기도교육청, 「2022 융합교육정책과 정책추진 기본계획」, 2022.
• 경기도교육청, 「2022 중등 교사교육과정 도움자료」, 2022.
• 경기도교육청, 「2022 진로직업정책과 정책추진 기본계획」, 2022.
• 경기도교육청, 「2022 학교교육과정과 정책추진 기본계획」, 2022.
• 경기도교육청, 「2022 학생생활인권 정책추진 기본계획」, 2022.
• 경기도교육청, 「2022 혁신교육 정책추진 기본계획」, 2022.
• 경기도교육청, 「2022~2024년 학생 도박 예방 교육에 관한 기본계획」, 2022.
• 경기도교육청, 「2022년 G-스포츠클럽 Q&A」, 2021.
• 경기도교육청, 「2023 경기 기초학력 보장 시행 계획」, 2023.
• 경기도교육청, 「2023 경기교육 기본계획」, 2023.
• 경기도교육청, 「2023 디지털 미디어 문해교육 협력체 사례집」, 2023.
• 경기도교육청, 「2023 디지털 시민교육 이해자료」, 2023.
• 경기도교육청, 「2023 디지털 시민역량교육 실천학교 수업사례집」, 2023.
• 경기도교육청, 「2023 배움과 성장을 지원하는 과정중심피드백 실천 사례집」, 2023.
• 경기도교육청, 「2023 세계시민(학교민주시민) 교육 기본 계획」, 2023.
• 경기도교육청, 「2023 창의융합체험 추진 계획」, 2023.
• 경기도교육청, 「2023 초등 성장중심평가 이렇게 실천해요」, 2023.

참고
문헌

- 경기도교육청, 「2023 초등학생 맞춤형 수업 기본 계획」, 2023.
- 경기도교육청, 「2023 학교 독서교육 및 도서관 운영 기본 계획」, 2023.
- 경기도교육청, 「2023 학생 주도성 프로젝트 활성화 계획」, 2023.
- 경기도교육청, 「2023 함께 만들어가는 고교학점제」, 2023.
- 경기도교육청, 「2023 함께 만들어가는 학생중심 학교교육과정(고등학교편)」, 2023.
- 경기도교육청, 「2023년 교원역량강화 정책추진 기본계획」, 2023.
- 경기도교육청, 「2023년 보도 자료」
- 경기도교육청, 「2023년 보편적·일상적 학교예술교육 기본계획」, 2023.
- 경기도교육청, 「2023년 융합교육정책과 기본계획」, 2023.
- 경기도교육청, 「2023년 정보통신윤리교육 추진 계획」, 2023.
- 경기도교육청, 「2023년 학교 내 대안교실 운영 매뉴얼」, 2023.
- 경기도교육청, 「2023년 학교급식 기본방향」, 2023.
- 경기도교육청, 「2023년 학교정책과 정책추진 기본계획」, 2023.
- 경기도교육청, 「2023년 학생건강과 정책 세부추진계획」, 2023.
- 경기도교육청, 「2023년 학생생활교육 정책추진 기본계획」, 2023.
- 경기도교육청, 「2023학년도 2학기 경기이룸대학 운영 안내서」, 2023.
- 경기도교육청, 「2023학년도 경기 고교학점제 추진 계획」, 2023.
- 경기도교육청, 「2023학년도 경기교육 정기여론조사 1회차 결과보고서」, 2023.
- 경기도교육청, 「2023학년도 자유학기제 추진 계획」, 2023.
- 경기도교육청, 「2024 1학기 1~6학년 수업-평가 연계 도움자료 개발」, 2024.
- 경기도교육청, 「2024 경기 기초학력 보장 시행 계획」, 2024.
- 경기도교육청, 「2024 경기공유학교 운영계획」, 2024.
- 경기도교육청, 「2024 경기교육 주요업무계획」, 2024.
- 경기도교육청, 「2024 경기도교육청 놀이 활동 활성화 운영 계획」, 2024.
- 경기도교육청, 「2024 경기도교육청 인성교육 시행계획」, 2024.
- 경기도교육청, 「2024 경기이룸학교 시행 계획」, 2024.
- 경기도교육청, 「2024 교육과정과 연계한 정책구매제 활용 수업사례 공모 계획」, 2024.
- 경기도교육청, 「2024 교육역량정책과 기본계획」, 2024.
- 경기도교육청, 「2024 교육활동 보호 강화 종합 대책」, 2024.
- 경기도교육청, 「2024 디지털 시민교육 이해자료(리플릿)」, 2024.
- 경기도교육청, 「2024 세계시민 교육 기본 계획」, 2024.
- 경기도교육청, 「2024 에듀테크 활용 교육 기본계획」, 2024.
- 경기도교육청, 「2024 역사교육 기본계획」, 2024.
- 경기도교육청, 「2024 용인 탄소중립 생태환경교육 추진 계획」, 2024.
- 경기도교육청, 「2024 초등 '학습으로의 평가' 이해하기」, 2024.
- 경기도교육청, 「2024 초등 교육과정-수업-평가, 기초학력 추진계획」, 2024.
- 경기도교육청, 「2024 학교자율과제 정책 연계 지원 방안」, 2024.
- 경기도교육청, 「2024 학생의 사고력과 문제해결력을 키우는 중등 논술형 평가 길라잡이」, 2024.

• 경기도교육청, 「2024 함께 만들어가는 학생중심 학교교육과정 도움자료집(고등학교편)」, 2024.
• 경기도교육청, 「2024 함께 만들어가는 학생중심 학교교육과정 도움자료집(중학교편)」, 2024.
• 경기도교육청, 「2024년 달라지는 경기교육」, 2024.
• 경기도교육청, 「2024년 독도교육 활성화 계획」, 2024.
• 경기도교육청, 「2024년 정보통신윤리교육 추진 계획」, 2024.
• 경기도교육청, 「2024년 통일교육 탈북학생교육 기본 계획」, 2024.
• 경기도교육청, 「2024년 학생상담 지원계획」, 2024.
• 경기도교육청, 「2024학년도 IB 프로그램 운영 계획」, 2024.
• 경기도교육청, 「2024학년도 경기 교수학습 기본 계획」, 2024.
• 경기도교육청, 「2024학년도 경기도 공동교육과정 운영 길라잡이」, 2024.
• 경기도교육청, 「2024학년도 자유학기제 안내 리플렛」, 2024.
• 경기도교육청, 「2024학년도 자유학년제 추진 계획」, 2024.
• 경기도교육청, 「2024학년도 자율장학 운영계획」, 2024.
• 경기도교육청, 「2024학년도 학교폭력 사안처리 가이드북 개정판」, 2024.
• 경기도교육청, 「2030 경기미래교육 이해자료」, 2019.
• 경기도교육청, 「2030 경기미래교육」, 2019.
• 경기도교육청, 「23년 학교폭력 사안처리 가이드북」, 2023.
• 경기도교육청, 「e-book 즐겨찾기(2호_배포용)」, 2021.
• 경기도교육청, 「e정책장터이해자료」, 2024.
• 경기도교육청, 「갑질 업무 처리 가이드북」, 2023.
• 경기도교육청, 「경기 블렌디드 러닝의 이해(초등)」, 2020.
• 경기도교육청, 「경기공유학교 리플릿」, 2024.
• 경기도교육청, 「경기도 성장중심평가 기본 문서 -학생의 전면적 발달을 돕는 성장중심평가-」, 2018.
• 경기도교육청, 「경기도 초등 학적 길라잡이」, 2023.
• 경기도교육청, 「경기도 초중등학교 교육과정 총론」, 2024.
• 경기도교육청, 「경기도교육청 어린이 놀 권리 보장을 위한 조례」, 2024.
• 경기도교육청, 「경기도교육청(북주청사)_초등 깊이있는 수업 프레임워크 월간 자료집」, 2024.
• 경기도교육청, 「경기도교육청_중학교 2022 개정 교육과정과 학교자율시간」, 2024.
• 경기도교육청, 「경기인성교육 시작하기 리플릿」, 2023.
• 경기도교육청, 「고차원적 사고력을 키우는 논술형평가」, 2024.
• 경기도교육청, 「공감과 소통을 위한 교실 속 다문화교육」, 2024.
• 경기도교육청, 「교원, 교육전문직원 대상 IB 프로그램 설명회 자료」, 2023.
• 경기도교육청, 「교육공동체가 함께하는 즐거운 여정, 우리들의 행복한 학교자율과정 이야기」, 2023.
• 경기도교육청, 「교육활동 보호 강화 대책 홍보자료」, 2024.
• 경기도교육청, 「교육활동 예방 교육」, 2024.
• 경기도교육청, 「글로컬 융합인재 육성을 위한 IB 프로그램 Q&A」, 2023.
• 경기도교육청, 「글로컬 융합인재 육성을 위한 미래교육 IB 포럼 자료집」, 2023.
• 경기도교육청, 「기초소양을 토대로 역량을 키우는 초등 1~2학년 성장이음과정 안내」, 2024.

참고
문헌

- 경기도교육청, 「깊이있는 수업 이해자료 및 정보공시용 교수학습 예시」, 2024.
- 경기도교육청, 「깊이있는수업설계도움자료」, 2024.
- 경기도교육청, 「논술평 평가 학생 교육용 도움자료」, 2024.
- 경기도교육청, 「달라지는 학교 폭력 제도」, 2024.
- 경기도교육청, 「담임교사를 위한 학생 상담 길잡이」, 2024.
- 경기도교육청, 「더 좋은 일반고 함성 프로젝트 소식지-함성소리 4호」, 2017.
- 경기도교육청, 「디지털성범죄 유형 카드뉴스」, 2024.
- 경기도교육청, 「디지털성범죄 이해 카드뉴스」, 2024.
- 경기도교육청, 「미래교육협력지구 추진계획」, 2023.
- 경기도교육청, 「반부패청렴교육표준안」, 2020.
- 경기도교육청, 「생명감수성 증진 프로그램」, 2015.
- 경기도교육청, 「신학기 에듀테크 세우기」, 2024.
- 경기도교육청, 「아동학대 예방 및 대처 요령 교육 부문 가이드북」, 2023.
- 경기도교육청, 「에듀테크 활용 교육 기본계획」, 2023.
- 경기도교육청, 「유·초 연계 교육과정 실천사례」, 2023.
- 경기도교육청, 「유·초·중등 및 특수학교 코로나19 감염예방 관리 안내 자료」, 2020.
- 경기도교육청, 「임태희 교육감 취임 기자회견 문서」, 2022.
- 경기도교육청, 「장애이해교육 연수 자료」, 2024.
- 경기도교육청, 「즐겨찾기 통권 3호, 4호」, 2022.
- 경기도교육청, 「청렴교육 표준 교재」, 2023.
- 경기도교육청, 「초·중 연계 교육과정 실천사례」, 2023.
- 경기도교육청, 「초등 무학년제 교육과정 실천사례」, 2023.
- 경기도교육청, 「초등 성장배려학년제의 이해」, 2021.
- 경기도교육청, 「초등 저학년 인성교육프로그램 자료」, 2023.
- 경기도교육청, 「초등 학년군 연계 교육과정 실천사례」, 2023.
- 경기도교육청, 「초등학교 2022 개정 교육과정 학교자율시간과목 및 활동 개설 예시자료」, 2024.
- 경기도교육청, 「프로젝트 수업, 에듀테크를 만나다」, 2024.
- 경기도교육청, 「하이터치 하이테크 교육의 이해와 활용」, 2024.
- 경기도교육청, 「학교 정책을 잇다 1권~2권」, 2021.
- 경기도교육청, 「학교에서 알아야 하는 청탁금지법 Q_A 및 주요 지적 사례」, 2024.
- 경기도교육청, 「학교자율시간 이것이 궁금해요」, 2024.
- 경기도교육청, 「학력향상 교육과정 실현을 위한 학교자율시간 설계의 실제」, 2024.
- 경기도교육청, 「혁신학교 2021, 우리가 만들어 갑니다」, 2021.
- 교육부, 「2022개정교육과정총론」, 2024.
- 교육부·한국교육학술정보원, 「함께 실천하는 사이버폭력 예방 리플릿-교사용」, 2020.
- 교육부·한국교육학술정보원, 「함께 실천하는 사이버폭력 예방 리플릿-학부모용」, 2020.
- 교육부·한국교육학술정보원, 「함께 실천하는 사이버폭력 예방 리플릿-학생용」, 2020.
- 김성천 외, 「초등교사 임용후보자 선정 경쟁시험의 문제점과 개선방향 탐색」, 교육문화연구 vo.23, 2017.

- 아동권리보장원, 「아동학대 신고의무자가 꼭 알아야하는 아동학대 예방요령」, 2020.
- 임태희, 「취임1주년을 맞아 경기교육가족에게 드리는 글」, 2023.
- 중앙교육연수원, 「스마트폰 과의존 예방교육 연수자료」, 2020.
- 한국교육개발원, 「2019 탈북학생 지도교사용 매뉴얼 '함께 만들어요! 하나된 세상'」, 2018. 4.
- 한국교육과정평가원, 「21세기 역량 기반 교육과정 개발 방향 연구-OECE Education 2030-」, 2016.

3. 도서

- EBS 당신의 문해력 제작팀, 김윤정, 『당신의 문해력』, EBSBOOKS, 2021.
- 게일 에반스, 『남자처럼 일하고 여자처럼 승리하라』, 해냄, 2000.
- 고영규 외, 『지혜로운 교사는 교실 속 문제를 어떻게 해결하는가』, 테크빌 교육, 2021.
- 교육과정디자인연구소, 『교사 교육과정을 디자인하다』, 테크빌교육, 2020.
- 교육트렌드2023 집필팀, 『대한민국 교육 트렌드』, 에듀니티, 2022.
- 구본권, 『유튜브에 빠진 너에게』, 북트리거, 2020.
- 김고연주, 『나의 첫 젠더 수업』, 창비, 2017.
- 김용섭 외, 『청소년을 위한 미래 교과서』, 김영사, 2022.
- 김원아, 『예의 없는 친구들을 대하는 슬기로운 말하기 사전』, 사계절, 2022.
- 김윤정, 『공부머리 만드는 초등 문해력 수업』, 믹스커피, 2019.
- 김태훈, 『서울대 수석은 이렇게 공부합니다』, 다산에듀, 2021.
- 김현섭, 『질문이 살아있는 수업』, 한국협동학습센터, 2015.
- 김현섭, 『철학이 살아있는 수업기술』, 수업디자인연구소, 2017.
- 노구치 데츠노리, 『숫자의 법칙: 생각의 틀을 바꾸는 수의 힘』, 어바웃어북, 2015.
- 롤프 도벨리, 『스마트한 생각들』, 걷는나무, 2012.
- 박기현 외, 『디지털교육 트렌드 리포트 2024』, 테크빌 교육 2023.
- 박숙영, 『회복적 생활교육을 만나다』, 좋은교사, 2014.
- 사토마나부, 『수업이 바뀌면 학교가 바뀐다』, 에듀니티, 2011.
- 손우정, 『배움의 공동체』, 해냄, 2012.
- 송형호, 『학부모 상담 119』, 지식의날개, 2021.
- 송형호·송지선, 『온·오프를 아우르는 학급경영 B to Z』, 우리학교, 2021.
- 송형호·왕건환, 『교사 119 이럴 땐 이렇게』, 에듀니티, 2019.
- 신고은, 『인간의 마음을 이해하는 수업』, 포레스트북스, 2021.
- 안데르스 한센, 『인스타 브레인』, 동양북스, 2020.
- 이명섭 외, 『교육과정-수업-평가-기록의 일체화 실천편』, 에듀니티, 2017.
- 이케가야 유지, 『세상에서 가장 재미있는 61가지 심리실험: 인간관계편』, 사람과나무사이, 2019.
- 정문성, 『토의·토론 수업 방법 84』, 교육과학사, 2008.
- 좋은교사, 『좋은교사』, 2019.
- 토드 휘태커·애넷 브로, 『교실에서 바로 쓸 수 있는 낯선 행동 솔루션 50』, 우리학교, 2020.

사이다 면접 Input

초판인쇄 | 2024. 11. 15.　**초판발행** | 2024. 11. 20.　**공저자** | 이지수, 구영모

발행인 | 박 용　**발행처** | (주)박문각출판

등록 | 2015년 4월 29일 제2019-000137호

주소 | 06654 서울특별시 서초구 효령로 283 서경빌딩

교재문의 | (02)6466-7202

저자와의
협의하에
인지생략

ISBN 979-11-7262-275-6
979-11-7262-274-9(세트)

정가 45,000원(분권, 별책 포함)